Les Orchidées

LA GRANDE AVENTURE DE LA MER
LA DEUXIÈME GUERRE MONDIALE
CUISINER MIEUX
L'ENCYCLOPÉDIE TIME-LIFE DU JARDINAGE
LE FAR WEST
LE COMPORTEMENT HUMAIN
LES GRANDES CITÉS
MAGIE DES TRAVAUX D'AIGUILLE
LES GRANDES ÉTENDUES SAUVAGES
LES ORIGINES DE L'HOMME
LIFE LA PHOTOGRAPHIE
TIME-LIFE LA CUISINE A TRAVERS LE MONDE
COLLECTION JEUNESSE
TIME-LIFE LE MONDE DES ARTS
LES GRANDES ÉPOQUES DE L'HOMME
LIFE LE MONDE DES SCIENCES
LIFE LE MONDE VIVANT
LIFE AUTOUR DU MONDE
LE GRAND LIVRE DE LA PHOTOGRAPHIE
VU PAR LIFE

L'ENCYCLOPÉDIE TIME-LIFE DU JARDINAGE

Les Orchidées

par
Alice Skelsey
et
les Rédacteurs des Éditions TIME-LIFE

TIME-LIFE INTERNATIONAL (NEDERLAND) B.V.

L'ENCYCLOPÉDIE TIME-LIFE DU JARDINAGE

COMITÉ DE RÉDACTION POUR LES ORCHIDÉES :
RÉDACTEUR EN CHEF : Robert M. Jones
Rédactrices adjointes : Sarah Bennett Brash, Betsy Frankel
Révision du texte : Margaret Fogarty
Iconographie : Jane Jordan
Maquette : Albert Sherman
assisté de : Edwina C. Smith
Rédaction : Dalton Delan, Susan Perry
Documentalistes : Diane Bohrer, Marilyn Murphy, Susan F. Schneider
Assistante de rédaction : Maria Zacharias

ÉDITION EUROPÉENNE
RÉDACTRICE EN CHEF : Kit van Tulleken
Directeur artistique : Louis Klein
Directrice de la photographie : Pamela Marke
Chef documentaliste : Vanessa Kramer
assistée de : Sheila Grant
Directeur du texte : Simon Rigge
assisté de : Christopher Farman
Maquette : Graham Davis
assisté de : Martin Gregory
Révision du texte : Ilse Gray
assistée de : Kathy Eason

Chargée de la réalisation des ouvrages
Coordination : Ellen Brush
Responsable de la qualité : Douglas Whitworth
Coordination : Pat Boag
Département artistique : Julia West

Rédaction pour l'édition française :
Michèle Le Baube

Traduit de l'anglais par Fred Anastay

Authorized French language edition © 1979
Time-Life International (Nederland) B.V.
Original U.S. edition © 1978 Time-Life Books Inc.
All rights reserved. First French printing.

No part of this book may be reproduced in any form or by any electronic or mechanical means, including information, storage and retrieval devices or systems, without prior written permission from the publisher, except that brief passages may be quoted for review.

L'AUTEUR : **Alice Skelsey** est une journaliste qui tient sa passion pour le jardinage de sa mère dont les plantations, en Oklahoma, prospéraient malgré les attaques répétées des criquets. Mme Skelsey est l'auteur de plusieurs ouvrages traitant du jardinage et des plantes d'appartement. Elle a également écrit un article sur la femme au travail. Elle possède dans sa maison en Virginie une pièce éclairée par une verrière où elle cultive des orchidées, des fougères, des bégonias et des fougères ornementales.

CONSEILLER, ÉDITION EUROPÉENNE : **Frances Perry** fait autorité en matière de jardinage ; ses livres et ses causeries radiophoniques lui ont valu une réputation internationale. Elle est membre de la société Linné, et fut la première femme élue au Conseil de la Société d'Horticulture de Grande-Bretagne ; elle a reçu la décoration si convoitée que représente la Victoria Medal of Honour. Elle a donné des conférences en Australie, en Nouvelle-Zélande et en Amérique du Sud.

CONSEILLERS GÉNÉRAUX POUR L'EUROPE : **Roy Hay** est un spécialiste de l'horticulture, connu pour ses articles dans les publications de langue anglaise, et en particulier pour sa colonne hebdomadaire du *Times,* ainsi que pour sa participation mensuelle à *l'Ami des Jardins,* une publication française. Il continue une tradition familiale dans le domaine du jardinage ; Thomas Hay, son père, fut surintendant dans bon nombre de parcs royaux à Londres (1922-1940). M. Hay lui-même est officier de l'Ordre du Mérite agricole de Belgique et de France. **Pierre Ébert,** conseiller de rédaction pour l'édition française, est jardinier-chef de la Ville de Paris. Il est le chef des cultures du Fleuriste Municipal-Auteuil. Membre de l'Association des journalistes de l'horticulture, il est aussi, depuis 1964, conseiller technique à la revue *Mon Jardin et Ma Maison.* **Dieneke van Raalte** a étudié l'horticulture et l'art du jardinage au Collège de Jardinage de Fredriksoord aux Pays-Bas. Fervente collaboratrice des revues européennes de jardinage, elle est l'auteur de nombreux ouvrages néerlandais sur le jardinage. **Hans-Dieter Ihlenfeldt** est professeur de botanique à l'Institut de botanique générale et de jardinage de Hambourg. Co-éditeur de nombreux manuels de botanique, il a publié de nombreux écrits ou articles dans des journaux scientifiques. **Hans-Helmut Poppendieck** est conservateur au jardin botanique de Hambourg et donne des conférences à l'Institut de Botanique de cette même ville. Il est l'auteur de nombreux articles sur la taxonomie des plantes, la flore tropicale et les plantes grasses de l'Afrique du Sud.

CONSEILLERS GÉNÉRAUX : James Underwood Crockett, auteur de nombreux volumes de la collection L'ENCYCLOPÉDIE TIME-LIFE DU JARDINAGE, est licencié de l'École d'Agriculture de Stockbridge de l'université du Massachusetts. Il a vécu en Californie, à New York, au Texas et en Nouvelle-Angleterre, où il a cultivé une grande variété de plantes. Il fut conseiller auprès de nombreux pépiniéristes. Le docteur Ronald W. Hodges, un entomologiste attaché au Département américain de l'Agriculture, cultive des centaines d'orchidées chez lui dans le Maryland. Merrit W. Huntington est un orchidéiste professionnel propriétaire de pépinières dans le Maryland. Le docteur William Louis Stern est professeur de botanique à l'université du Maryland. Le docteur Carl Withner est spécialiste en horticulture au Jardin botanique de New York et professeur de biologie au collège Brooklyn de la Ville de New York.

COUVERTURE : Les trois fleurs de Phalaenopsis qui s'épanouissent sur cette seule tige sont parfois appelées orchidées phalènes en raison de leur ressemblance avec ces grands papillons. Elles tiennent plusieurs mois.

CORRESPONDANTS À L'ÉTRANGER : Elisabeth Kraemer (Bonn) ; Margot Hapgood, Dorothy Bacon (Londres) ; Susan Jonas, Lucy T. Voulgaris (New York) ; Maria Vincenza Aloisi, Joséphine du Brusle (Paris) ; Ann Natanson (Rome).

TABLE DES MATIÈRES

1 Le monde enchanté des orchidées 7
Séquence illustrée : LES PLUS ASTUCIEUSES SURVIVENT 16

2 Critères de choix dans une forêt de fleurs 23
Séquence illustrée : UNE ORGIE DE BEAUTÉS SUBLIMES 34

3 Pour obtenir une race vigoureuse 47
Séquence illustrée : UN SPECTACLE PERMANENT À L'INTÉRIEUR 62

4 Pour avoir une belle collection 71

5 Encyclopédie illustrée des orchidées 85

APPENDICE

Parasites et maladies des orchidées 146
Caractéristiques de 240 orchidées 148
Bibliographie 153
Sources des illustrations 154
Remerciements 154
Index 155

ODONTOGLOSSUM GRANDE.

Le monde enchanté des orchidées 1

« Je me rends toujours facilement compte de l'instant où quelqu'un attrape le virus de l'orchidée », affirme un spécialiste qui a initié de nombreux débutants à la culture de cette plante merveilleuse. « Le premier symptôme est simplement la surprise : « Je ne connaissais pas… J'avais toujours pensé… », ne cesse de répéter le nouvel orchidophile. « Et je me dis : tu es fichu, mon ami. Tu ne guériras jamais et tu n'en finiras pas d'être surpris. Bienvenue dans le domaine de l'orchidée. »

Quiconque a succombé au charme envoûtant de ces fleurs sait que ce spécialiste a entièrement raison. Quand un amateur a fait pousser une ou deux plantes, il découvre vite qu'il lui est impossible de ne pas continuer. Cette sorte de pouvoir magique tient à beaucoup de choses mais, par-dessus tout, à la variété infinie des fleurs et à la fascination qu'elles exercent. Aucune autre famille de plantes n'offre un tel éventail de splendeurs, depuis la pureté exquise de la hampe fleurie du Phalaenopsis jusqu'à l'éclat quasi sensuel d'une seule fleur de Sabot-de-Vénus, depuis l'extravagance des fleurs de certains Cattleya atteignant facilement près de 30 cm de diamètre jusqu'à la merveilleuse finesse de celles des Pleurothallis, véritables joyaux pas plus gros qu'une tête d'épingle. Certaines espèces sont si odorantes qu'il suffit d'une seule de leurs fleurs pour embaumer une pièce entière. En outre, la plupart de celles-ci tiennent fort longtemps, tout comme les plantes elles-mêmes, dont la période de floraison peut aller de plusieurs semaines à plusieurs mois (le record en ce domaine appartient à une espèce, le *Grammatophyllum multiflorum*, qui reste en fleur pendant neuf mois entiers). Et, comme les différentes espèces ne fleurissent pas toutes en même temps, quelques orchidées judicieusement choisies suffisent à assurer la décoration florale d'un intérieur toute l'année.

Est-il possible de rester indifférent à de tels agréments ? William George Spencer Cavendish, sixième duc de Devonshire, fut l'un des premiers à succomber à la passion des orchidées. Lors d'une exposition de la Royal Horticultural Society, en 1833, il avait eu un véritable coup de foudre pour un *Oncidium papilio* à la fleur jaune arachnéenne zébrée de brun. Il ne tenta pas d'y résister, et ce fut le début d'une collection qui finit par requérir la construction d'une serre immense.

*L'*Odontoglossum grande *reste aussi apprécié — et bien plus accessible — qu'il ne l'était en 1840 quand parut ce croquis dans* Les Orchidacées du Mexique et du Guatemala *œuvre de James Bateman.*

En 1640, quand fut publié ce croquis de « Male Neapolitane Foolestones », dans le Theatrum Botanicum *(Le Théâtre des Plantes) de John Parkinson, on croyait que les orchidées avaient une influence sur la virilité parce que leurs racines tubéreuses ressemblent à des testicules. Le « Foolestones », dont Parkinson dit que les fleurs ont « la forme de corps munis de bras courts », était, prétendait-on, très efficace, et l'homme qui mangeait le plus gros des deux tubercules engendrait toujours selon Parkinson, « des enfants mâles ».*

Ce virus fit une autre victime en la personne de Nero Wolfe, détective privé replet et truculent, héros des romans policiers de Rex Stout dont la publication débuta pendant les années trente. Dans ses quelque quatre-vingts aventures étalées sur une quarantaine d'années, le « privé » ne manquait jamais, même lorsqu'il était aux prises avec un problème épineux exigeant une solution rapide, de consacrer quotidiennement quatre heures à soigner les vingt mille orchidées qui s'épanouissaient dans les « chambres à plantes » du dernier étage de l'appartement qu'il occupait à Manhattan.

Ils sont maintenant légion ceux qui, dans des conditions beaucoup plus simples, peuvent cultiver ces plantes réservées il y a seulement quelques années aux professionnels — et qui peuvent choisir entre de nouveaux hybrides dont la beauté et le faible prix n'auraient pas manqué de confondre le duc tout autant que le détective.

En raison de la nature extraordinaire des orchidées, le charme qu'elles exercent n'est pas près de disparaître. Elles constituent actuellement la famille la plus importante et la plus diversifiée de plantes à fleurs — qui continue à s'agrandir chaque année. Cette famille des Orchidacées, nom sous lequel elle est classée par les botanistes, comprend environ trente mille espèces connues, elles-mêmes divisées en quatre-vingt-huit sous-espèces et six cent-soixante genres (plus que les Composacées que l'on a longtemps considérées comme constituant la plus importante famille de plantes à fleurs, y compris tous les Asters, les Marguerites, les Chrysanthèmes, les Zinnia et des myriades d'autres fleurs, légumes et plantes sauvages de bordure comme le pissenlit). Aucune autre plante n'a donné naissance à d'aussi nombreux hybrides, dont beaucoup sont le résultat de trois, quatre, voire cinq croisements. Plus de soixante-quinze mille hybrides artificiels ont été enregistrés au cours des cent vingt-cinq dernières années, et plusieurs centaines s'y ajoutent chaque année ; ces croisements ont donné des hybrides bien plus nombreux que ceux qui naissent spontanément, et ce sont eux qui constituent la plus grande partie des orchidées vendues comme plantes d'appartement ou en fleurs coupées. Il en existe dans toutes les combinaisons possibles de taille, de forme et de couleur — sauf en noir. On a obtenu des marron foncé et des bleu foncé, mais l'orchidée noire de Nero Wolfe et de quelques autres personnages fictifs reste un mythe.

Un de plus, pourrait-on dire, car il y en a beaucoup d'autres ; on prétend, notamment, que les orchidées sont des plantes parasites. Il est exact qu'à l'état sauvage elles poussent souvent sur les arbres, mais sans les parasiter le moins du monde puisqu'elles ne se servent de leurs branches que comme support. Elles ne sont pas non plus carnivores, contrairement à la croyance populaire ; si elles attirent les insectes, c'est pour favoriser la pollinisation et non pour les dévorer comme le font les *Dionœa muscipula*, les *Sarracenia* et les *Nepenthes.*

Un autre mythe veut que l'orchidée soit une plante des forêts tropicales : en fait, on en trouve dans le monde entier, sur les dunes et dans les marais des régions tempérées comme dans la toundra désolée au-delà du cercle arctique, et au niveau de la mer comme à plus de 4 000 m d'altitude. Il y a même trois espèces australiennes dont la croissance est souterraine.

Troisième erreur, l'idée que les orchidées sont de « fragiles plantes d'appartement », difficiles à faire pousser et exigeant un matériel onéreux et des soins constants. En réalité, bien que leurs fleurs paraissent souvent délicates et qu'elles aient, il est vrai, besoin de conditions particulières pour s'épanouir, ces plantes sont très résistantes et robustes. La plupart d'entre elles, pour ne pas dire toutes, peuvent être cultivées sans serre — devant une fenêtre ensoleillée ou dans un sous-sol à la lumière artificielle ; cependant, la plupart des amateurs finissent tôt ou tard par adopter une serre, pour une question de commodité et d'espace.

Les orchidées réservent encore quelques autres surprises. Les nouveaux amateurs découvriront ainsi que leur culture ne s'est répandue qu'à une époque relativement récente. On trouve bien trace des orchidées sauvages dans les légendes et dans l'art chinois ancien et au Moyen Age en Europe — les *Cymbidium* au parfum suave étaient particulièrement appréciés en Chine, et les herboristes européens préconisaient l'utilisation de *l'Orchis* comme aphrodisiaque —, mais ces plantes n'eurent pendant des siècles que peu d'importance, commerciale ou autre, à l'exception de l'orchidée grimpante *Vanilla planifolia* qui fournissait la vanille. Au XVIIIe siècle, des explorateurs et des commandants de navires britanniques en rapportèrent quelques spécimens de terres lointaines, mais elles restèrent longtemps encore de simples objets de curiosité.

Tout changea en 1818 avec la floraison dans une serre chaude de Grande-Bretagne d'une éblouissante orchidée tropicale. Il avait fallu pour cela un heureux concours de circonstances : les jardiniers de l'époque en savaient fort peu sur les orchidées et les soins à leur donner ; de plus, c'était par pur hasard que la plante en question était arrivée en Angleterre. Dans un envoi de plantes en provenance du Brésil, William Cattley, horticulteur et importateur connu, était tombé sur d'étranges feuilles que l'on avait utilisées comme emballage, et qui étaient portées par de curieuses tiges bulbeuses. Intrigué, il en avait mis quelques-unes en pot et les avait placées dans une serre chaude. Au mois de novembre de la même année, il fut largement payé de ses peines par l'épanouissement d'une fleur somptueuse, couleur lavande tachetée de pourpre. L'événement fit immédiatement sensation ; le professeur John Lindley, botaniste éminent de l'époque, attribua à cette plante inconnue le nom de *Cattleya labiata* var. *automnalis* : *Cattleya* en hommage à l'auteur de la découverte, *labiata* en raison de la forme retournée du pétale supérieur de la corolle appelé labelle (de *labellum*, lèvre) et enfin var. *automnalis* parce que cette variété avait fleuri en automne.

Pendant longtemps, le *Cattleya* fut une fleur de luxe : elle ornait le corsage des élégantes lors des grandes premières théâtrales ou des soirées particulièrement huppées, et elle transformait un simple anniversaire ou une fête des mères en événement mémorable. Dans le début des années 1800, les spécimens rares coûtaient souvent l'équivalent de quelques

Les anciens herboristes croyaient que toutes les orchidées, dont le « Stinking Goates Stone » de cette illustration (ci-contre) du Theatrum Botanicum *de Parkinson, étaient des plantes sans graines qui naissaient du sperme perdu lors de l'accouplement d'animaux. Et on était sûr que le « Goates Stone » venait du sperme du bouc. « Non seulement elles ont l'odeur forte du bouc », écrivait Parkinson à propos de ces fleurs, « mais la plupart ont de longues queues semblables à des barbiches. »*

dizaines de milliers de nos francs actuels. Aujourd'hui, n'importe quel amateur peut se procurer pour moins de 100 francs un hybride quelconque parmi les centaines qui ont été créés depuis.

En effet, après la découverte de Cattley, les horticulteurs et les amateurs fortunés se lancèrent immédiatement à la recherche d'autres plants de Cattleya, mais également d'autres espèces d'orchidées. A l'époque, on considérait leur reproduction comme presque impossible — de nombreux spécialistes croyaient, en fait, qu'elles étaient stériles — et, pour se procurer de nouvelles plantes, il fallait aller les chercher dans la nature où elles se développaient librement. On envoya des « chasseurs » d'orchidées écumer l'Amérique du Sud, l'Extrême-Orient et d'autres régions du globe. Les épreuves qu'ils endurèrent n'ont d'égal que les ravages qu'ils infligèrent aux habitats naturels de toutes sortes de plantes. Des forêts entières furent ainsi dépouillées de millions d'orchidées sans que les protestations indignées des naturalistes et autres défenseurs de la nature y pussent rien. En 1878, un botaniste anglais pouvait encore écrire à propos des « chasseurs » : « Non contents d'emporter de trois cents à cinq cents spécimens d'une belle orchidée, ils battent tout le pays et ne laissent rien à des kilomètres à la ronde. Ce n'est plus de la cueillette, mais du pur brigandage. » Cette même année, un pépiniériste annonçait l'arrivée de deux nouveaux envois d'orchidées et proclamait fièrement que le nombre total des plantes attendues atteignait les deux millions de spécimens.

Cependant, bon nombre des orchidées ne survivaient pas au long voyage, et celles qui avaient résisté se retrouvaient à leur arrivée dans un environnement hostile, voire mortel ; les serres du genre de celles de William Cattley en étaient un exemple. Chauffées par des poêles alimentés au charbon ou au bois, ces serres n'étaient pourvues d'aucune aération, et les arrosages fréquents contribuaient à créer une atmosphère humide et étouffante. Pendant des années, il ne vint à l'idée de personne que ces pauvres plantes se seraient mieux trouvées avec un peu d'air frais et moins de chaleur. On les considérait comme des hôtes de forêt tropicale et donc habituées à une chaleur moite. On oubliait qu'elles poussaient aussi fréquemment au flanc des montagnes, dans un air frais, au milieu des nuages et non au niveau de la mer.

L'ORCHIDÉE LA PLUS AROMATIQUE
Pour parfumer le cacao, les Aztèques utilisaient surtout les gousses de graines d'une orchidée grimpante qu'ils appelaient tlilxochitl. Les conquérants espagnols la rebaptisèrent vanilla ou vaynilla, qui signifie « petite gousse » et qui est d'une prononciation plus aisée. Plusieurs espèces de quelque quatre-vingt-dix orchidées du genre Vanilla *ont donné des produits très appréciés ; la plus commune est la* Vanilla planifolia *mexicaine. De nos jours, la vanille non synthétique vient de plantations d'orchidées où les ouvriers effectuent manuellement la pollinisation de mille à deux mille fleurs par jour ; les abeilles qui s'en chargent dans la nature ne pourraient suivre un tel rythme.*

LES PLANTES AÉRIENNES Les premiers horticulteurs à s'être lancés dans la culture des orchidées commettaient une autre erreur grossière. Les quelques succès qu'ils avaient enregistrés se limitaient presque exclusivement aux types dits terrestres, dont les racines poussaient en terre. Mais la plupart des nouvelles orchidées tropicales ou subtropicales étaient épiphytes, c'est-à-dire qu'elles se fixaient sur les branches d'arbres et se nourrissaient de l'humidité et des débris organiques qu'elles trouvaient dans cet habitat. Quand les « chasseurs » expédièrent en Europe des plantes encore attachées à une branche, on en conclut au début qu'il s'agissait de plantes parasites. Il devint vite évident qu'elles trouvaient en fait les matières nutritives qui leur étaient nécessaires dans l'air, dans l'eau de pluie et dans les débris de feuilles en décomposition pris dans les branches. On se rendit compte du même coup que les orchidées épiphytes s'adaptaient très mal à la mise en pot dans une terre tassée qui convenait en revanche aux plantes à racines terrestres. On utilisa donc une terre plus légère, plus meuble, permettant aux racines des fleurs épiphytes de se mouvoir librement — et les résultats s'améliorèrent. Cependant, les orchidées qui ne fleurissaient pas ou mouraient après une ou deux floraisons étaient si nombreuses que leur culture faillit bien être abandonnée.

En partie à cause de la concurrence effrénée qu'ils se livraient et du secret entourant la chasse aux orchidées, les horticulteurs n'avaient aucune des connaissances nécessaires à la culture de ces plantes. En fait, ces fleurs, même dans une région donnée, croissent dans des conditions climatiques très différentes, comprenant de fortes variations de températures, d'humidité, de précipitations, de vents; même sur un seul arbre, certaines poussent près du faîte, en plein soleil et en plein vent, et d'autres près du sol où elles bénéficient de moins d'air et de moins de lumière. Mais les tâtonnements finirent par faire connaître les besoins de ces plantes. Suivant l'exemple de Joseph Paxton, jardinier en chef du duc de Devonshire, les horticulteurs se mirent à ouvrir leurs serres chaudes, à les aérer et à y maintenir des conditions différentes de lumière, de température et d'humidité pour les différentes espèces. Les orchidées des climats froids comme les Odontoglossums, qui avaient toujours péri dans une atmosphère tropicale recréée artificiellement, se mirent à prospérer. Et l'on apprit progressivement à classer chaque espèce selon les températures qui leur convenaient le mieux — fraîche, moyenne et

DES CARACTÈRES TRÈS DIVERS

Les caisses d'orchidées envoyées d'Amérique du Sud en Europe durant les grands ramassages du début du XIXe siècle contenaient souvent des insectes passagers clandestins. Les cancrelats, en particulier, ravageaient les fleurs durant le voyage, inspirant ce dessin au caricaturiste George Cruikshank, qui montre un collectionneur se lamentant: « C'est une bien triste chose, en vérité, que d'attendre des épiphytes et de recevoir des cancrelats! »

chaude. Ce classement s'est perpétué, ce qui simplifie aussi bien le travail des amateurs que des professionnels.

En dépit de ces progrès, les orchidées, jusqu'à la fin du siècle dernier, restèrent intouchables pour tous ceux qui n'avaient pas les moyens de s'offrir serre et jardinier, pour ne pas parler du prix d'achat de la plante elle-même. Les grandes collections d'orchidées sauvages devenaient de plus en plus rares, en partie en raison des protestations des amoureux de la nature, et en partie parce que les « chasseurs » en trouvaient de moins en moins. On savait obtenir de nouveaux plants en divisant en deux, trois ou plus, les spécimens âgés, mais cela ne suffisait pas à accroître notablement la production ; en outre, il fallait parfois compter plusieurs années avant que chaque division donnât des fleurs. En dépit d'essais répétés, on n'était toujours pas parvenu à propager les orchidées en semant des graines, comme pour les autres plantes. Le mystère de leur reproduction persistait malgré des efforts des scientifiques pour faire germer des graines.

Pendant longtemps encore, le secret de cette germination demeura caché dans la structure de la fleur, unique en son genre. Sa partie extérieure est constituée par trois pétales et trois sépales. Deux des pétales, appelés latéraux, flanquent le troisième, appelé labelle et qui est totalement différent ; c'est lui qui fait en général toute la beauté de la fleur avec ses couleurs et ses taches somptueuses. Sa forme varie considérablement, depuis le gracieux labelle retourné du Cattleya jusqu'à l'espèce de bourse qui caractérise le Paphiopedilum. Les trois sépales qui se déploient sous les pétales servent de protection au bouton à fleur ; quand la fleur s'ouvre, ils grandissent et se colorent. Dans certaines espèces, les sépales sont à peu près semblables aux pétales latéraux ; dans d'autres, ils sont différents. Le sépale supérieur, appelé aussi dorsal, peut parfois être aussi remarquable que le labelle lui-même.

UNE ÉTRANGE ARCHITECTURE

A l'intérieur de cette enveloppe florale, le mystère s'épaissit car les organes internes de l'orchidée ne ressemblent en rien à ceux de l'immense majorité des autres plantes. Les parties reproductrices ne sont pas séparées comme chez les autres fleurs, mais soudées en ce que l'on nomme la colonne, ou gynostème, caractéristique principale de la famille des Orchidacées. Au sommet de la colonne, l'anthère, organe mâle, porte son pollen en petites masses appelées pollinies. Au-dessous apparaît le stigmate, organe femelle muni d'une cavité peu profonde où doit être apporté le pollen pour permettre la propagation par graine.

Au milieu du XIXe siècle, on considérait généralement que les fleurs d'orchidées, comme bien d'autres merveilles de la nature, avaient été créées dans leur splendeur par Dieu pour le plaisir de l'homme. Le grand naturaliste anglais Charles Darwin en doutait quelque peu, et pensait plutôt qu'il devait y avoir une raison logique à l'évolution extraordinaire qu'avaient suivie les orchidées. Non loin de sa demeure du Kent, il découvrit un jour un endroit qu'il baptisa le Banc des Orchidées, où poussaient, parmi les arbres, divers types de ces plantes ; il se mit en

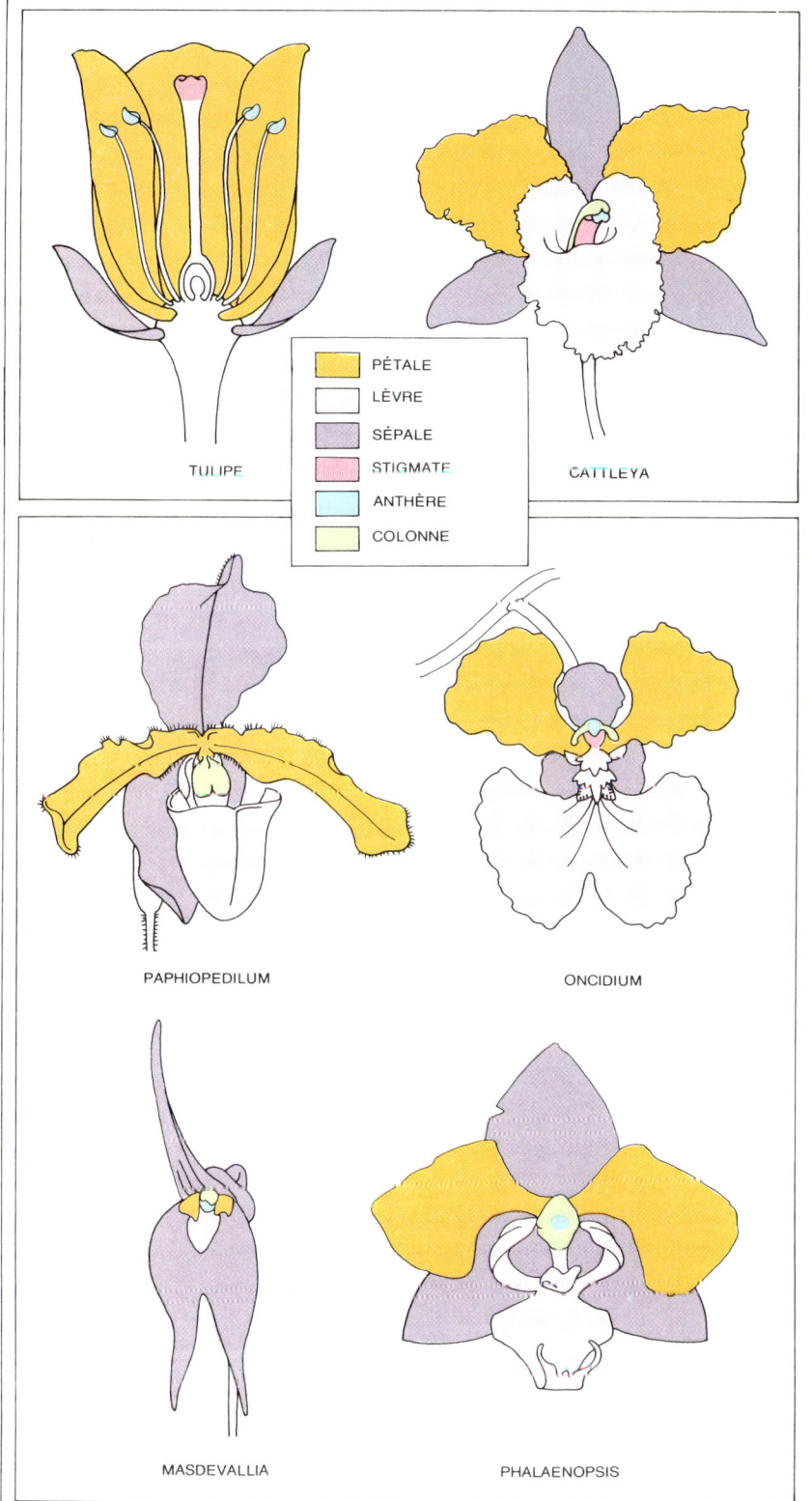

Une fleur perfectionnée

Les orchidées possèdent les fleurs les plus perfectionnées du règne végétal : leurs organes reproducteurs mâle et femelle sont soudés en une structure cylindrique, la colonne ou gynostème, au centre de la fleur, alors que la plupart des autres plantes, la tulipe par exemple, sont dotés d'organes de reproduction séparés les uns des autres.

Au sommet de la colonne des orchidées se trouve l'anthère, organe mâle qui porte de deux à huit pelotes, ou pollinies, contenant chacune des millions de grains de pollen. Juste au-dessous de l'anthère, les stigmates à la surface convexe poisseuse retiennent les pollinies durant la pollinisation. Sous les stigmates s'ouvre l'ovaire, dans lequel se développe la capsule de graines.

La colonne est entourée de trois sépales qui enveloppent le bouton à fleur durant sa formation, et de trois pétales. L'un d'eux, le labelle, est généralement plus grand et plus remarquable que les autres.

Sépales et pétales sont parfois difficiles à distinguer dans l'orchidée. Chez certaines fleurs, les pétales sont éclipsés par les sépales, et les sépales inférieurs peuvent être soudés comme chez le Paphiopedilum et le Masdevallia. Chez d'autres espèces, le labelle est orné de crêtes extraordinaires, de queues, de cornes, d'ailes ou de dents : c'est le cas de l'Oncidium et du Phalaenopsis, plus particulièrement.

UN FEUILLAGE FONCTIONNEL
Il existe trois types fondamentaux de feuilles d'orchidées. Celles du premier type sont plissées ou repliées, et se rencontrent sur les plantes originaires d'endroits humides et ombragés. Elles sont en général plus grandes et plus minces que celles des autres espèces afin d'offrir une plus grand surface au soleil. Mais elles ne peuvent emmagasiner d'eau ni résister à la sécheresse. Celles du deuxième type de feuilles sont courtes et charnues, et caractérisent les orchidées originaires de régions sèches, fraîches et assez ombragées. Elles peuvent stocker de l'eau, mais se déshydratent si la chaleur est trop intense. Celles du troisième type appartiennent aux orchidées originaires de régions ensoleillées et sèches ; elles sont coriaces et emmagasinent beaucoup d'eau.

devoir d'étudier la manière dont la pollinisation s'effectuait par les insectes. Bientôt, il demanda de l'aide, et les botanistes John Lindley et Joseph Hooker lui envoyèrent des spécimens rares qu'il disséqua pendant que les membres de sa famille et ses amis continuaient d'observer la pollinisation sur le terrain, capturant la nuit au besoin des papillons chargés de pollen. Le résultat de plusieurs années de travail se concrétisa par un traité magistral publié en 1862 qui, à la surprise et à la grande joie de son auteur, connut un immense succès non seulement auprès des savants, mais également dans le grand public. Intitulé *Les Divers Artifices par lesquels les Orchidées sont fécondées par les Insectes*, il valut finalement à Darwin le prix Copley de la Société royale britannique, et fournit aux darwinistes un de leurs meilleurs arguments en faveur de la doctrine évolutionniste.

Darwin y démontrait que les orchidées s'étaient presque parfaitement adaptées à une pollinisation par les abeilles, les mouches, les moustiques, les papillons, les papillons de nuit, les oiseaux-mouches et les chauves-souris ; les instincts et certains des organes de ces derniers s'étaient modifiés aussi de manière à pouvoir recueillir leur nourriture dans des fleurs bien déterminées, assurant ainsi la perpétuation de chaque espèce d'orchidées sans rien laisser au hasard *(pages 16-21)*. L'exemple le plus frappant qu'il en donnait était sans doute celui de l'Étoile de Bethléem *(Angraecum sesquipedale)*, fleur d'une blancheur neigeuse en forme d'étoile originaire de Madagascar, munie d'un curieux éperon qui retombe comme un fouet de 30 cm de long. En examinant un spécimen qu'on lui avait envoyé, Darwin nota que la partie inférieure de l'éperon était remplie sur 4 cm de nectar, et en conclut qu'il devait exister dans le pays d'origine de la plante un genre de sphinx doté d'une trompe d'au moins 25 cm de long. Les entomologistes les plus éminents se gaussèrent de lui, mais il tint bon. Quarante ans plus tard, on découvrit effectivement à Madagascar un papillon nocturne conforme à sa description, auquel on donna un nom comportant à juste titre l'adjectif *praedicta*. Mais nul n'a encore pu le voir fécondant une fleur d'Angraecum.

LES PREMIERS HYBRIDES

En étudiant les orchidées, les botanistes en apprirent bientôt assez pour commencer à les hybrider, croisant deux plantes à caractéristiques différentes pour retrouver celles-ci réunies dans le nouveau produit ainsi créé. Le premier hybride obtenu par l'homme — un croisement de deux espèces de Calanthe réalisé par l'horticulteur britannique John Dominy — fleurit en 1856. On pouvait donc créer de nouveaux produits à partir d'une plante que l'on avait crue stérile à une certaine époque. Et il se révéla que l'on pouvait opérer des croisements non seulement entre des espèces voisines appartenant à un même genre, mais également entre des espèces de genres différents ; cela ne s'était encore jamais fait en horticulture ; c'était aussi extraordinaire que de croiser un merle avec un chardonneret. Au cours des années, on apprit à effectuer des pollinisations croisées entre plusieurs genres (jusqu'à cinq) et, avec un choix possible entre des milliers d'espèces, le nombre des combinaisons réalisables était astronomique. John Lindley, spécialiste des orchidées, écrivit d'ailleurs à Dominy: « Vous allez rendre fous les botanistes. »

Malgré les succès obtenus dans l'hybridation, il restait encore une étape importante à franchir: apprendre à propager les orchidées de manière sûre par les graines. La seule méthode donnant quelque résultat consistait à placer la graine mûre au pied de la plante mère dans un lit de sphagnum, et à espérer que tout se passerait bien. Cela réussissait quelquefois mais, le plus souvent, rien ne se passait. Les obstacles étaient en effet formidables. Les graines d'orchidées sont parmi les plus petites du monde végétal, et des spécialistes en ont compté plus de trois millions dans une capsule de *Cycnoches chlorochilum*. Elles sont assez légères pour pouvoir être emportées très haut par les courants d'air et quelques-unes retombent dans un endroit où elles ont une chance de germer. Mais elles sont aussi fragiles et n'ont aucun tégument pour les protéger ni aucune réserve de matières nutritives pour attendre la germination. Pour survivre, elles doivent atterrir sur un terrain où un certain champignon microscopique les aidera à se nourrir.

LE MYSTÈRE DU SUCRE

A la suite de cette découverte, les horticulteurs essayèrent d'introduire dans les couches de semis les champignons vivant en association avec la plante mère. Mais c'était une entreprise hasardeuse car souvent le champignon détruisait les graines, quand ce n'étaient pas des bactéries. Enfin, en 1917, le Dr Lewis Knudsen, de l'université de Cornell aux États-Unis, eut l'intuition que le véritable rôle du champignon consistait à produire des sucres utilisables par la graine en train de germer. Après de multiples expériences, il parvint à remplacer les champignons par un milieu nutritif constitué d'une substance mucilagineuse extraite d'algues marines, la gélose, ou agar-agar. La proportion des graines capables de germer s'en trouva considérablement accrue encore que la méthode exigeât beaucoup de petits incubateurs en verre hermétiquement bouchés.

Il fallut attendre les années soixante et une nouvelle découverte pour que les orchidées devinssent accessibles au grand public. Elle est due au savant français Georges Morel qui s'aperçut que les cultures de tissus pratiquées en laboratoire pouvaient être utilisées pour produire des milliers de plantes à partir d'un seul sommet végétatif d'orchidée appelé méristème. Les conséquences en furent spectaculaires. Aux États-Unis, le premier « mericlone » — plante reproduite à partir d'un fragment de tissu prélevé sur un méristème — fleurit en 1966 dans une pépinière de Kensington, dans le Maryland. C'était un double parfait de la plante mère, tout comme les autres clones qui suivirent. Aujourd'hui, grâce à cette méthode de reproduction, certaines des plus célèbres orchidées d'autrefois, ainsi que des milliers de nouveaux hybrides, sont disponibles sur le marché à des prix devenus tout à fait abordables.

Il y a un siècle, voire un quart de siècle, personne n'aurait osé prédire que les orchidées exotiques deviendraient un jour des plantes d'appartement courantes. Et cependant c'est ce qu'elles sont — et les amoureux de ces fleurs les trouvent chaque année plus belles et plus fascinantes.

Les plus astucieuses survivent

En dépit de leur apparence innocente, due sans doute à leur beauté, de nombreuses espèces d'orchidées sont en fait des expertes en fourberie, diaboliquement habiles dans l'art de leurrer les êtres qui peuvent assurer leur reproduction. Dépendant presque uniquement des insectes et des oiseaux pour la pollinisation, elles ont mis au point des artifices très ingénieux pour les attirer et les obliger, sans qu'ils s'en doutent, à leur rendre le service qu'elles attendent d'eux.

La plupart utilisent des odeurs ou des appâts laissant penser qu'elles sont riches en nectar, ce qui est souvent faux car beaucoup d'espèces n'en sécrètent que peu ou point. Quand elles ont réussi à attirer leur victime — le plus souvent un insecte —, le labelle sur lequel il s'est posé le conduit tout naturellement vers le centre de la fleur. En y pénétrant, il se frotte à une surface poisseuse et ressort en emportant, collés à son corps, les sacs de pollen appelés pollinies qui seront retenus plus tard par le stigmate gluant de la fleur suivante.

Les orchidées utilisent des astuces bien plus remarquables encore. Certaines, en particulier celles dont la pollinisation est assurée par des mouches au comportement trop fantaisiste, se servent de leur labelle comme d'un pont-levis ou d'une trappe à ressort, pour obliger l'insecte à s'engager dans une sorte de tunnel qui le fait passer dans la colle puis devant les pollinies avant qu'il ne trouve une sortie. Chez les Coryanthes, les abeilles sont intoxiquées par un produit chimique sécrété par le labelle, et tombent dans une cuvette pleine d'eau. Les ailes mouillées et incapables de voler, elles sortent de la fleur en marchant, accrochant les pollinies au passage. Plusieurs espèces de *Catasetum* lancent leurs pollinies adhésives sur les insectes qui touchent leurs antennes filiformes.

Quand le père de la théorie de l'évolution Charles Darwin décrivit pour la première fois la manière dont le Catasetum « tirait » ses pollinies comme des balles de fusil, le naturaliste Thomas Huxley se moqua de lui. « Vous espérez vraiment me faire croire ça ? », dit-il. On ignore quelle fut sa réaction lorsque Darwin entreprit d'étudier un autre artifice des orchidées, le mimétisme, poussé à un point de perfection tel que certaines espèces adoptent l'apparence de femelles d'insectes pour attirer les mâles qui, en essayant de s'accoupler, se chargent de pollinies. D'autres ondulent dans la brise comme des essaims d'abeilles, ce qui incite les véritables abeilles à les attaquer — et à emporter par la même occasion les précieuses pollinies vers d'autres plantes.

*Le parfum de miellée de l'*Epipactis gigantea
*(en haut) attire un syrphe (en bas), qui
croit trouver des pucerons pour ses larves. En
posant son œuf, il s'est chargé de pollinies.*

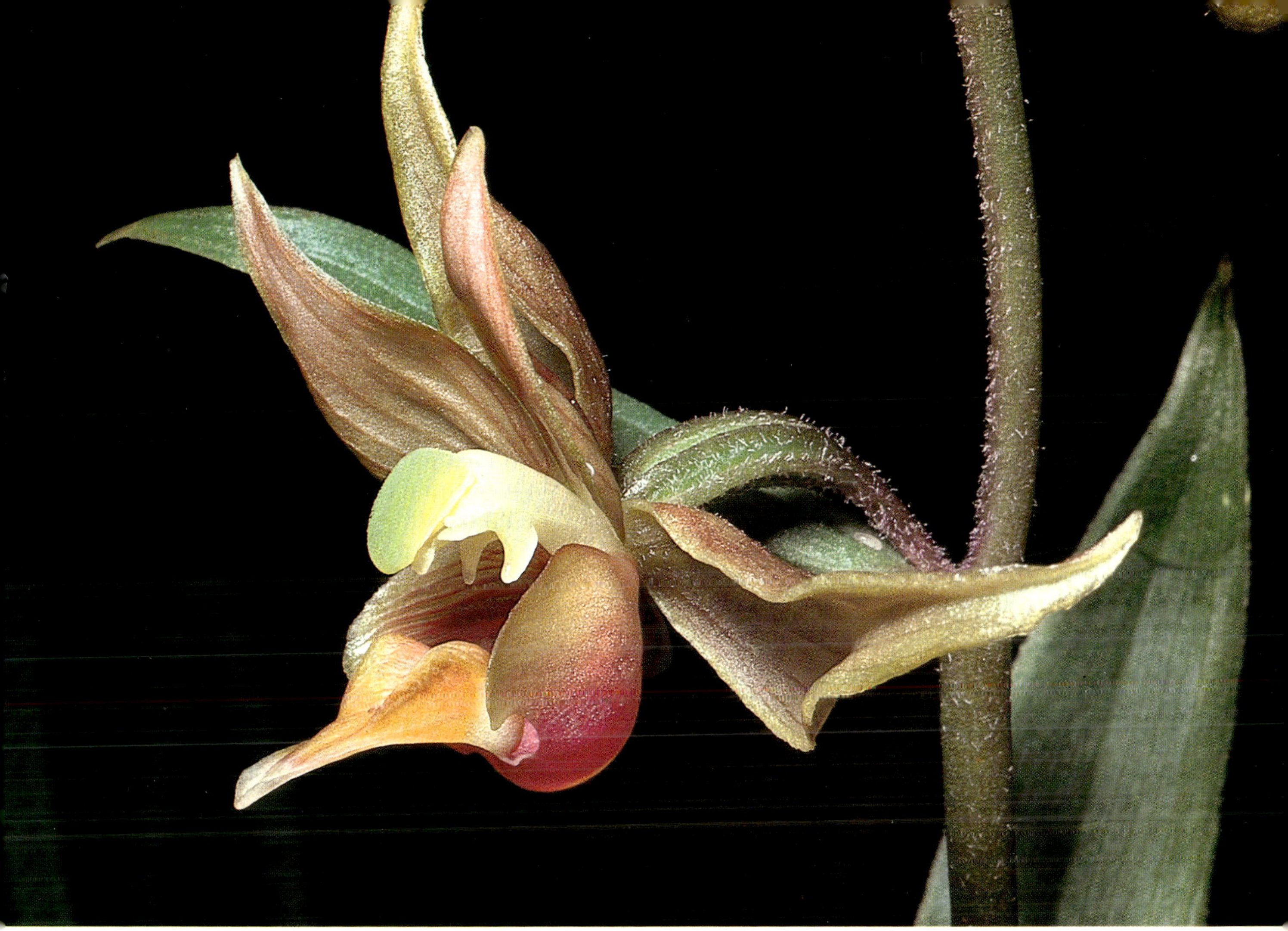

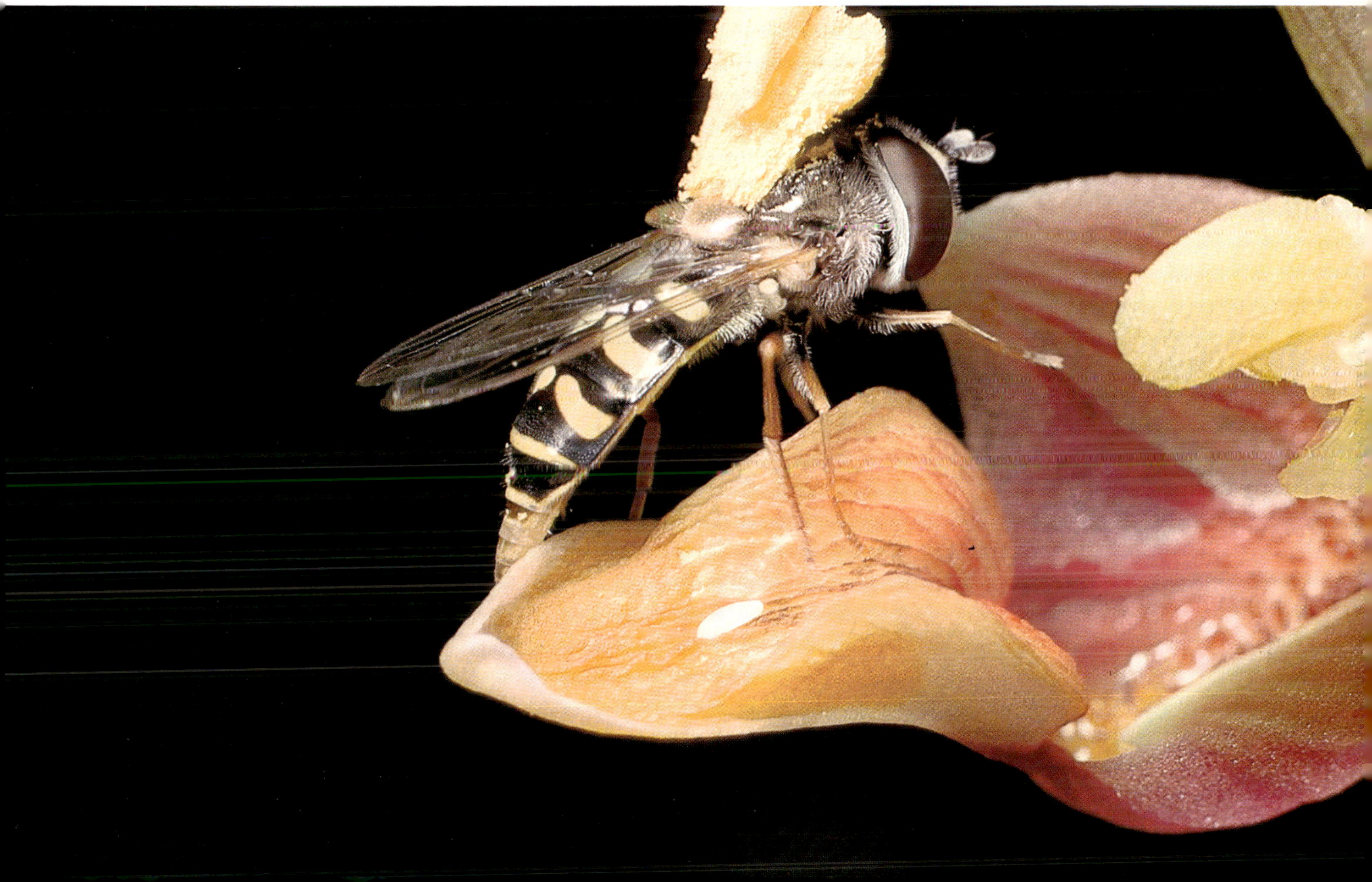

De véritables pièges à insectes

Champion de tir dans le monde des orchidées, le Catasetum saccatum *mâle attire par un parfum musqué les abeilles ; celles-ci, en touchant la détente de la fleur, déclenchent une salve de pollinies adhésives. La fleur femelle, qui a son propre arôme, a la tâche plus pacifique de récupérer les pollinies sur l'insecte en quête de nourriture. Ni la fleur mâle ni la fleur femelle ne produisent de nectar.*

Le Cypripedium acaule *s'est fait une spécialité de la chausse-trape pour assurer sa pollinisation. L'insecte, attiré par une odeur de nourriture, se pose sur le bord lisse et glissant d'un piège dans lequel il tombe. Pour en sortir, il doit franchir une sorte d'escalier qui l'oblige à passer contre les pollinies adhésives avant d'atteindre une étroite issue latérale.*

Le Stanhopea wardii, *lui, drogue les abeilles. Attirées par le parfum de cette fleur, celles-ci s'y posent, égratignant la surface délicate d'où s'échappe alors une substance qui les enivre. Elles titubent, tombent et glissent sur une sorte de toboggan le long d'une colonne où elles se chargent de pollinies qu'elles porteront ensuite à une autre orchidée.*

Maître de l'imposture, le Calopogon pulchellus *offre aux insectes un festin apparemment constitué, d'après la forme et la couleur, d'étamines chargées de pollen. Mais, quand une abeille se pose pour faire bombance, la labelle articulé cède sous son poids et la précipite sans autre forme de procès contre une colonne où elle se charge des véritables pollinies.*

Mimétisme et pollinisation

La Vénus des orchidées, le Trichoceros antennifera, *a une fleur qui ressemble de manière extraordinaire à une mouche femelle, avec un stigmate semblable aux organes génitaux de cette mouche. Le mâle abusé se précipite et, dans ses transports amoureux, se charge de pollinies qu'il s'empresse de transporter sur une autre fleur aux alentours.*

*Pour assurer sa pollinisation, l'*Oncidium stipipatum *a choisi de provoquer la colère des insectes plutôt que de les séduire. Ses fleurs semblables à des abeilles s'animent et s'agitent à la moindre brise, exactement comme un essaim. Les abeilles locales se lancent aussitôt à l'attaque pour défendre leur territoire — et, du même coup, se chargent de pollen.*

Critères de choix dans une forêt de fleurs

Les nouveaux amateurs d'orchidées se sentent souvent un peu perdus devant la multitude de fleurs qui leurs sont offertes. L'un d'eux, qui se croyait expérimenté pour avoir compulsé pendant des années des catalogues d'horticulteurs, avoue cependant : « A la neuvième page de mon premier catalogue d'orchidées, je savais que les ennuis commençaient. J'en avais déjà choisi trois, et il me restait 151 pages à consulter. »

Il n'est que trop facile de se laisser séduire par la beauté et la variété de ces plantes, aussi les débutants doivent-ils observer quelques règles de simple bon sens. Commencez par rétrécir le champ de votre quête aux espèces qui, bien sûr, vous plaisent, mais qui sont aussi adaptées à la région où vous habitez — et plus particulièrement aux conditions que vous pourrez leur assurer chez vous. Certains Vandas, par exemple, sont incontestablement somptueux et poussent très bien dans les régions chaudes, mais ils ont besoin de tant de lumière et deviennent si grands — jusqu'à 2 mètres de haut — qu'ils ne conviennent guère à un appartement, surtout dans les régions du Nord où les hivers sont peu ensoleillés. D'un autre côté, les orchidées qui demandent des températures relativement basses, comme certains de plus petits Cymbidium ou Odontoglossum, sont à peu près impossibles à cultiver dans les régions semi-tropicales sans que l'atmosphère soit artificiellement refroidie ; mais elles prospèrent en appartement et en serre froide.

Quand vous envisagez l'achat d'une orchidée, regardez pour commencer si elle est classée comme plante de température « fraîche », « moyenne » ou « chaude ». Les températures idéales pour chaque orchidée sont données dans la partie encyclopédique de cet ouvrage *(pages 85-145)*. D'une manière générale, les espèces demandant une température fraîche comme les Cymbidium, les Odontoglossum et certaines espèces de Paphiopedilum et de Cattleya prospèrent à des températures de 10 à 13 °C la nuit et de 15 à 21 °C le jour, mais supportent plus de chaleur ou de fraîcheur pendant de brèves périodes. Les espèces prospérant à des températures moyennes — catégorie la plus nombreuse comprenant la plupart des Epidendrum, des Oncidium, des Dendrobium et des Laelia — exigent de 13 à 15 °C la nuit et de 18 à 24 °C le jour. Les espèces ayant besoin de chaleur, comme les Vandas

Phalaenopsis *et hybrides de l'espèce autour d'une fontaine de serre. Se contentant d'une température nocturne de 18 °C et n'ayant pas besoin de soleil, le* Phalaenopsis *est une excellente plante d'appartement.*

et les Phalaenopsis, doivent être cultivées à des températures allant de 15 à 18 °C la nuit et de 21 à 29 °C dans la journée, afin de pouvoir se développer normalement et acquérir toute leur beauté.

Pour toutes ces catégories d'orchidées, ce sont les températures nocturnes qui sont les plus importantes, surtout en hiver quand la lumière est faible et que la fonction chlorophyllienne s'en trouve ralentie. Si l'on ne peut assurer aux plantes une baisse de température de 5 à 8 °C la nuit, comme cela se passe dans la nature, la chaleur constante les fera croître sans période de repos, les contraignant à puiser dans leurs réserves alimentaires ; elles s'affaibliront et leur floraison a toutes les chances de s'en trouver inhibée.

UNE CHALEUR AGRÉABLE

Fort heureusement, les températures moyennes demandées par la plupart des orchidées — de 13 à 15 °C la nuit et de 18 à 24 °C le jour — sont celles que les gens jugent en général agréables. On peut se contenter d'estimer la température au thermostat de réglage mais, pour plus de précision, il vaut mieux placer un thermomètre près des plantes, et le consulter de temps en temps. Le meilleur est celui du type à maxima et minima, que l'on peut acheter dans les jardineries et les quincailleries. Dans cet appareil, une colonne de mercure en forme de U indique la température du moment et enregistre en outre d'un côté le maxima atteint dans la journée et de l'autre le minima de la nuit précédente.

Grâce à cet instrument, il vous est possible de déterminer le meilleur emplacement pour vos orchidées, et d'adapter exactement les températures diurnes et nocturnes à leurs exigences. Si, dans des conditions normales, il vaut mieux commencer la culture des orchidées avec des plantes qui prospèrent à des températures moyennes, vous vous apercevrez peut-être que vous pouvez en essayer d'autres ; les catégories se chevauchent et il est possible de cultiver des orchidées de températures fraîches dans des conditions moyennes.

En choisissant une plante, assurez-vous que vous pouvez lui fournir, outre la température, les conditions d'éclairage nécessaires. En hiver, la meilleure place dans un appartement se trouve près d'une fenêtre dégagée orientée au sud. Orientée à l'est, elle reçoit en général assez de soleil le matin ; à l'ouest, cela peut également faire l'affaire, mais il sera peut-être nécessaire d'abriter la plante des chauds rayons du soleil de l'après-midi. Une exposition au nord n'assure pas suffisamment de lumière naturelle ; certains, Coelogyne, Stanhopea et Phalaenopsis pourtant peuvent le supporter. Rappelez-vous en outre qu'une majorité d'orchidées supportent d'être cultivées à la lumière artificielle, que celle-ci soit utilisée en complément, ou qu'elle assure la totalité de l'éclairage.

POURCENTAGE D'HUMIDITÉ

Les orchidées ont besoin d'un taux d'humidité assez élevé, ainsi que d'une bonne circulation d'air. La plupart se contentent d'une humidité relative de 40 à 60 p. 100, que l'on peut assurer en appartement même en hiver *(Chapitre 3)*. Cependant, si vous n'êtes pas décidé à aller jusqu'à créer un environnement spécial et parfaitement contrôlé, évitez les espèces qui demandent une humidité se situant autour de 70 p. 100.

Enfin, orientez votre choix en fonction de la saison où vous voulez avoir des fleurs. Certains aiment voir leurs plantes fleurir toutes en même temps. « Cela fait, dit l'un d'eux, une exposition étonnante, en particulier en hiver quand toutes les fleurs sont rassemblées devant une fenêtre de la salle de séjour. On éprouve le même sentiment qu'au printemps, quand brusquement apparaissent les narcisses et les tulipes dans un jardin. »

D'autres sélectionnent des plantes dont la floraison a lieu à des époques différentes afin d'en avoir toujours une en plein épanouissement — ou bien ils choisissent des variétés qui fleurissent plusieurs fois par an. Vous pouvez établir un calendrier des floraisons avec des orchidées adaptées aux conditions que vous pouvez leur assurer en consultant l'encyclopédie et le tableau des caractéristiques des pages 148-152. Ainsi, un *Paphiopedilum fairieanum* vous donnera des fleurs en automne, un *Laelia autumnalis* au début de l'hiver, un *Phalaenopsis stuartiana* à la fin de l'hiver, un *Cattleya mossiae* au printemps et un *Chysis aurea* en été.

Si vous disposez des orchidées sur un rebord de fenêtre pour la première fois, commencez de préférence avec des espèces qui fleurissent à la fin de l'automne et en hiver comme le *Paphiopedilum* ou le *Lycaste*. Même si vous limitez votre choix à des types de plantes, des conditions de culture et des périodes de floraison donnés, vous disposerez encore d'un grand nombre de variétés et d'hybrides dans chaque groupe. Il

Les Cymbidium au feuillage luxuriant dominé par des épis galbés de fleurs durables rendent en beauté ce qu'ils coûtent en soins dans leur serre froide où la température nocturne doit être soigneusement contrôlée toute l'année.

faudra vous habituer à utiliser les noms sous lesquels les plantes sont étiquetées en culture ou inscrites sur un catalogue ; ils sont compliqués mais fournissent des renseignements précis. Les spécialistes de la culture des orchidées sont propablement, de tous les horticulteurs, les plus fidèles aux noms botaniques. *Phalaenopsis* peut être utilisé en référence à une espèce en général, mais un nom latin composé est nécessaire pour identifier une plante particulière, par exemple *Phalaenopsis Parishii*. Et il serait faux de penser qu'il s'agit là d'une sorte de snobisme : avec une famille de l'importance de celle des Orchidacées, il est nécessaire que les identifications soient précises.

De nombreux noms botaniques, comme *Aerangis, Aeranthes* ou *Aerides,* ajoutent d'ailleurs au plaisir de la culture des orchidées quand on en a pris l'habitude, car ils ont une sonorité belle et même joyeuse. Ne vous inquiétez pas trop de leur prononciation, car plusieurs sont souvent admises. Veillez simplement à les orthographier correctement sur vos étiquettes et vos commandes, afin qu'aucune erreur ne soit commise que vous risqueriez de regretter.

NOMENCLATURE DES ORCHIDÉES

Comme pour toutes les plantes, les noms des orchidées sont au moins doubles ; le premier se rapporte au genre dans lequel l'orchidée a été classée. Les noms qui suivent le nom générique caractérisent une espèce particulière, un hybride, une variété ou un cultivar de l'espèce. Par exemple, *Paphiopedilum bellatulum* identifie une espèce particulière du genre *Paphiopedilum,* nom tiré du grec. *P. bellatulum,* var. *album*, est une variété blanche de l'espèce à pois pourpres.

Parmi les nombreux hybrides de *Paphiopedilum* obtenus par les horticulteurs, il existe un croisement (représenté par un signe de multiplication) entre deux espèces, comme dans *P. bellatulum* x *P. niveum* (*niveum* veut dire blanc neige). Pour plus de commodité, on a appelé cet hybride *P.* Psyché. Contrairement aux noms latins, un tel nom ne s'écrit pas en italique. Quand *P.* Psyché fut croisé avec une autre espèce, *P. insigne,* l'hybride obtenu fut baptisé *P.* Astarté en l'honneur d'une divinité sémitique, Ashtart devenue Astarté chez les Grecs ; le croisement de *P.* Astarté avec un autre hybride, *P.* Actaeus, a donné le *P.*F.C. Puddle bien connu qui fut longtemps l'un des reproducteurs hybrides les plus sûrs. (F.C. Puddle était le jardinier chef de lord Aberconway, président de la Société royale d'horticulture de Grande-Bretagne, à l'époque où son nom fut attribué à l'hybride, en 1932.) Souvent une nouvelle plante remarquable, appelée clone parce qu'elle ne peut se multiplier par reproduction sexuée, apparaît parmi les rejetons d'un croisement antérieur. Pour indiquer ses caractéristiques, comme une différence notable de couleur de la fleur ou dans ses taches, on ajoute souvent un nom sélectif placé entre guillemets : c'est le cas de *P.*F.C. Puddle « White Majesty ».

Les hybrides d'orchidées sont rares dans la nature, et nombre de croisements ont été réalisés artificiellement. Il y a eu ainsi beaucoup d'hybridations parmi les *Cattleya* et les représentants d'autres genres, pour combiner des qualités florales appréciées et d'autres caractères souhaités, comme un port compact, des floraisons répétées, la vigueur d'une plante ou la multiplicité des sommets végétatifs. Les Epicattleya sont des hybrides d'Epidendrum et de Cattleya ; les Brassolaeliocattleya sont des hybrides de Brassavola, de Laelia et de Cattleya. Quand quatre genres participent à la création d'un hybride unique, le nouveau genre créé aura un nom à désinence en « -ara ». *Kirchara*, par exemple, désigne le croisement d'un Epidendrum, d'un Sophronitis, d'un Laelia et d'un Cattleya. *Potinara* est employé au lieu de x *Brassosophrolaeliocattleya* — et c'est tant mieux pour tous les amateurs d'orchidées qui ne pourraient prononcer de tels mots facilement.

Les hybrides de trois genres peuvent aussi avoir un nom se terminant par « -ara », et les résultats de croisements entre deux ou trois genres sont souvent désignés par des abréviations. x *Sophrolaeliocattleya* s'écrit ainsi x *Slc.*, par exemple pour l'hybride x *Slc.* Jewel Box. Les clones remarquables de cet hybride sont x *Slc.* Jewel Box « Dark Waters », aux fleurs rouge sombre, et x *Slc.* Jewel Box « Scheherazade », dont la forme de la fleur rouge-orange a été sensiblement améliorée. Le signe de multiplication précédant un nom indique qu'il s'agit d'un hybride de deux genres ou davantage.

Vous trouverez parfois d'autres symboles après les noms de certaines orchidées. Par exemple, les deux plantes mentionnées plus haut ont reçu des prix de la Société américaine de l'Orchidée (sigle américain AOS) ; « Dark Waters » a obtenu le Highly Commended Certificate (HCC) — Certificat de Grand Mérite — après avoir été notée entre 75 et 79 sur 100 par un jury de spécialistes. En conséquence, toutes les plantes qui en naîtront auront droit à un pedigree et pourront être désignées ainsi : x *Slc.* Jewel Box « Dark Waters » HHC/AOS. Sa cousine « Scheherazade » a encore fait mieux : elle a obtenu entre 80 et 89 points et reçu le Award of Merit (AM) — Grand Prix du Mérite — des juges de l'AOS. La Société royale d'horticulture de Grande-Bretagne (sigle anglais RHS) lui a également attribué un prix. De ce fait, son nom peut s'écrire x *Slc.* Jewel Box « Scheherazade » AM/RHS/AOS. Vous rencontrerez à l'occasion d'autres initiales indiquant les prix décernés par l'AOS : CBM, Certificate of Botanical Merit (Certificat de Mérite botanique) ; JC, Judges' Commendation (Mention du Jury) ; AD ou AQ, Award of Distinction ou Award of Quality (Prix du Mérite ou Prix de la Qualité).

La plus haute récompense décernée par les sociétés américaine ou britannique est le First Class Certificate (FCC), Certificat de Première Classe, attribué aux orchidées qui obtiennent un total de 90 points ou davantage. C'est un prix qui n'est pas galvaudé : sur un millier de plantes distinguées parfois dans une seule année, rarement plus d'une demi-douzaine ont droit à ce Certificat de Première Classe. Aussi, lorsque vous trouverez une orchidée dont le nom s'accompagne de cette mention honorifique FCC, vous pouvez être certain qu'il s'agit d'un des meilleurs spécimens dans le genre.

LE PLAISIR DES YEUX
Un des meilleurs moyens de connaître les espèces rares d'orchidées que vous voudrez peut-être ajouter à votre collection est d'aller les voir dans les endroits où de grandes quantités sont rassemblées : les jardins botaniques qui présentent souvent d'intéressants spécimens, mais surtout les grandes expositions, comme l'exposition annuelle d'orchidées qui se tient chaque année fin février au Parc floral de Paris, et dont la réalisation est assurée par la Société française d'orchidophilie.

MENTIONS HONORIFIQUES

ACHATS SUR CATALOGUE

La meilleure manière d'apprendre à connaître les orchidées actuellement disponibles et leurs pedigrees est de demander les catalogues des principaux fournisseurs qui font de la publicité dans les publications spécialisées. Certains de ces catalogues sont gratuits, d'autres non, mais en général leur prix est déduit du montant de la première commande. Les catalogues d'orchidées sont une bonne source d'information sur la culture de ces plantes et les tendances de l'hybridation, et ils fournissent les descriptions et les prix des spécimens. On y trouve également des renseignements pour la mise en pot, sur les récipients et le matériel nécessaires. De nombreuses maisons de vente par correspondance garantissent le bon état de leurs produits à l'arrivée chez le client.

Que vous achetiez vos premières orchidées directement ou par correspondance, choisissez pour commencer des spécimens adultes sur le point de fleurir ou déjà en fleur ; vous saurez ainsi ce que vous achetez sans devoir attendre des mois ou des années l'apparition des premières fleurs ; en outre, les plantes adultes supportent mieux le changement de milieu et aussi les erreurs que vous êtes susceptible de commettre lors de votre apprentissage d'orchidophile. Évitez les plantes vendues racines nues ou les plantes sauvages fraîchement ramassées : il y a de fortes chances pour qu'elles exigent plus de soins et de temps que vous ne pouvez leur consacrer. Les semis coûtent moins cher, naturellement, et les amateurs éclairés s'en servent souvent pour compléter une collection, mais les semis aussi demandent beaucoup de soins, et vous risquez de ne pas avoir la patience d'attendre plusieurs années pour leur première floraison. Une plante plus grosse vous donnera un plaisir immédiat et, après la floraison, vous pourrez la diviser vous-même pour avoir d'autres spécimens *(Chapitre 4).*

LA COULEUR DES FEUILLES

Chez les producteurs spécialistes des orchidées, examinez soigneusement chaque spécimen. Même si un beau feuillage ne constitue pas forcément un certificat de garantie pour une plante, il est un bon indice de son état de santé. Des feuilles vert pâle sont souvent le signe d'un excellent état général. Si elles sont vert foncé, par contre, c'est que l'orchidée n'a pas reçu suffisamment de lumière. A l'inverse, si son feuillage est d'un vert jaunâtre assez pâle, c'est qu'elle a subi une exposition exagérée à la lumière, ce qui n'est pas très bon.

Cherchez aussi les bourgeons prometteurs de nouvelles fleurs ou de jeunes pousses. Les Cattleya et de nombreuses autres orchidées pouvant être cultivées en appartement sont du type sympodial *(page 29),* avec des pousses successives sur le rhizome — tige épaissie qui sort du compost ou a une croissance souterraine. Les pousses naissent de bourgeons vert pâle situés sur le sommet végétatif du rhizome ; en général, chacun donne une pousse, mais parfois deux bourgeons produisent chacun un sommet végétatif, auquel cas le rhizome se ramifie. Une grande plante qui peut avoir jusqu'à une douzaine de rameaux feuillus érigés peut produire trois et même quatre pousses, dont chacune peut encore se ramifier ; elle pourra porter plusieurs tiges de fleurs et être divisée par la suite pour donner plusieurs spécimens. (Certaines orchidées sont monopodiales — ce qui signifie qu'elles n'ont qu'un seul « pied », et poussent avec une tige dressée unique.)

Examinez ensuite les orchidées pour voir si elles ne sont pas malades ou attaquées par des insectes. Elles sont aussi résistantes que n'importe quelle autre plante, et les contrôles à l'importation éliminent les insectes comme la mouche du Cattleya et la cochenille du Dendrobium qui s'en nourrissent dans la nature. Mais certains insectes communs des jardins s'attaquent également aux orchidées. Cherchez aussi les marbrures ou zébrures marron ou noires qui peuvent trahir la présence d'un champignon parasite ; les gouttelettes brillantes autour de perforations provoquées par des bactéries ; les parties mâchées ou les petites cuvettes laissées par les pucerons, les thrips, les limaces, les escargots, les charançons ou les coléoptères ; les touffes cotonneuses blanches qui, à l'aisselle des feuilles, trahissent la présence de colonies de cochenilles des serres ; les petites protubérances luisantes qui dissimulent des coccidées ; les taches qui, sous les feuilles, indiquent une infestation de tétranyques. Bien que les plantes puissent en être débarrassées *(page 146)*, il est inutile faire entrer chez vous une orchidée infestée qui contaminerait les autres plantes que vous avez.

Inspectez enfin les racines. Celles des épiphytes (orchidées poussant sur les arbres) sont en général visibles à la surface du compost ; elles doivent être recouvertes d'un épais tégument subéreux et blanchâtre, qui absorbe l'humidité et les matières nutritives, et des points végétatifs verts doivent être visibles à leurs extrémités.

Si possible, regardez aussi les racines souterraines en écartant le compost ou même en dépotant la plante. Si beaucoup d'entre elles sont

PARASITES ET MALADIES

TIGES SIMPLES VERTICALES ET TIGES MULTIPLES HORIZONTALES

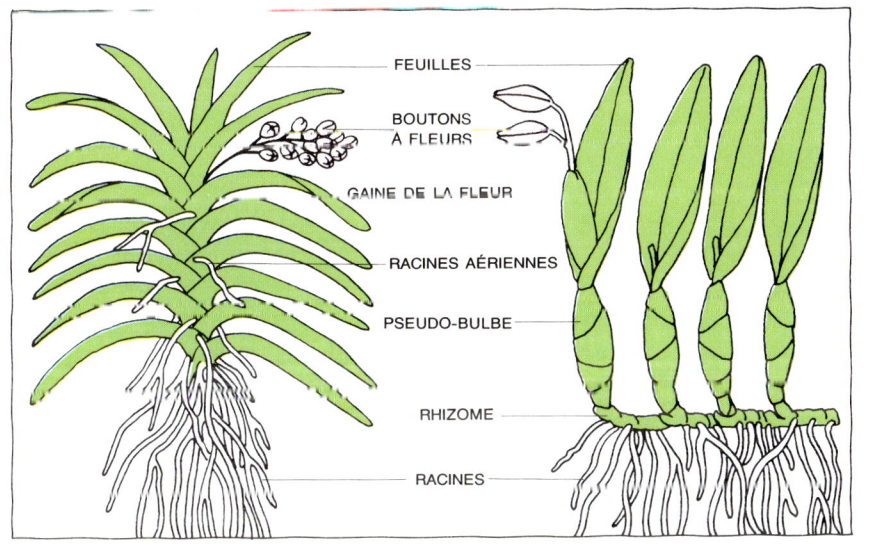

Les orchidées ont deux ports possibles : l'un vertical, l'autre horizontal. L'orchidée verticale, ou monopodiale, (à gauche) a une seule tige qui croît constamment. Les fleurs apparaissent entre les feuilles près du sommet de la plante ; des racines aériennes poussent sur la partie inférieure de la tige. L'orchidée horizontale, ou sympodiale, (à droite) produit de nouvelles pousses sur son rhizome, qui s'allonge d'un segment chaque année en formant une succession de tiges dressées épaissies appelées pseudo-bulbes ; ces « faux bulbes » ressemblent aux vrais, mais ne renferment pas d'embryons de plantes. De chacun d'eux émergent les feuilles (une ou deux), puis la gaine protégeant les boutons à fleurs.

marron ou d'une teinte noirâtre, cela signifie que l'arrosage a été trop abondant et qu'il y a un début de pourriture ; si elles sont très serrées ou s'entortillent dans le pot, c'est que vous avez trop tardé à procéder au rempotage de la plante.

Après avoir acheté une orchidée de serre, il faut faciliter son adaptation au nouveau milieu. S'il fait froid, recouvrez-la d'un sac en plastique ou de plusieurs épaisseurs de papier journal ; cela lui assurera une protection suffisante pendant le passage de la chaleur de la serre à celle de votre domicile. Que vous ayez apporté la plante vous-même ou que vous l'ayez reçue par la poste, il est conseillé de l'immerger complètement, le pot aussi, durant 15 à 20 minutes dans l'eau tiède : cela compensera toute éventuelle déshydratation et éliminera l'excédent de sels de fertilisants. L'eau fera également sortir les insectes cachés dans le compost. Laissez la plante bien s'égoutter puis mettez-la en plein soleil et n'ajoutez plus ni eau ni engrais pendant la période d'adaptation. Tenez-la à l'écart des autres plantes dans le cas où elle serait malade ou infestée. Au bout de une ou deux semaines, si elle paraît en bonne santé, vous pouvez mettre fin à cette quarantaine.

BIENVENUE AU SOLEIL Si vous cultivez vos orchidées devant une fenêtre, rappelez-vous que l'exposition au sud est généralement la meilleure, les plantes recevant quotidiennement un maximum de soleil. Pour qu'elles en profitent pleinement, ayez des rideaux mobiles afin de pouvoir dégager entièrement la surface vitrée. Certaines personnes suppriment complètement les rideaux et les remplacent par des volets de bois qui se replient de chaque côté du cadre de la fenêtre. Pour accroître l'éclairement, vous pouvez aussi peindre les murs de la pièce en blanc afin de bien réfléchir la lumière, ou border de miroirs l'encadrement de la fenêtre. Si, en été, les plantes doivent, comme c'est le cas de beaucoup, être protégées du soleil de l'après-midi afin d'éviter les brûlures, accrochez un voilage qu'il vous sera possible de tirer durant les heures les plus chaudes de la journée.

Mettez près de la vitre les orchidées qui demandent le plus de lumière, mais ne laissez pas le feuillage toucher le verre ; celui-ci peut devenir très chaud ou très froid et abîmer la plante. Placez un peu en arrière les espèces qui exigent un éclairage plus faible. Si le rebord de votre fenêtre n'est pas assez large, vous pouvez l'agrandir vers l'intérieur de la pièce avec une étagère ou en fabriquant un présentoir à plusieurs étages ; pour cela, disposez les plantes de manière qu'aucune d'entre elles ne cache le soleil aux autres. Ces présentoirs conviennent particulièrement aux portes-fenêtres. Certaines personnes tapissent littéralement les murs d'orchidées, en en mettant une rangée sur le plancher, en en disposant d'autres sur des présentoirs en escalier et en terminant par des plantes en paniers suspendus.

Si la pièce est munie de portes coulissantes en verre, ce n'en est que mieux : au printemps, lorsque la température s'élève, vous pouvez les ouvrir pendant la journée pour aérer. En été, vous pouvez sortir certaines de vos plantes, en particulier les Cymbidium.

Croissance d'un pseudo-bulbe

Les Cattleya ont un cycle de croissance et de floraison caractéristique de toutes les orchidées sympodiales (à tiges multiples). Il commence quand le bourgeon végétatif, l'œil, gonfle et forme des racines au pied de la pousse de l'année précédente (1). Il donne bientôt une pousse horizontale de 2 à 3 cm qui constitue un nouveau segment du rhizome puis il se redresse en une tige érigée épaissie, le pseudo-bulbe (2), qui emmagasine eau et nourriture.

Quand le pseudo-bulbe atteint de 7 à 10 cm de haut, une feuille ou deux, selon les espèces, émergent au sommet (3). D'abord pliées en deux par le milieu, elles se déploient en grandissant, et une gaine de fleur verte de 2,5 cm environ de diamètre et de 10 cm de long apparaît à la jonction de la feuille et du pseudo-bulbe. La gaine protège les boutons à fleurs en développement.

Les boutons floraux mettent environ six semaines pour parvenir au sommet de la gaine, et trois de plus pour atteindre leur plein développement et s'ouvrir. Sur certains Cattleya, ils se développent en même temps que les nouvelles pousses ; sur d'autres, leur croissance ne commence que plusieurs mois après la maturation de la feuille et du pseudo-bulbe.

Ce dernier durcit progressivement et son enveloppe devient sèche comme du papier pelure (4). La feuille devient également dure et épaisse avant de se faner. Après la floraison, la plante entre en repos et le bulbe mûrit, puis un nouvel œil apparaît sur le vieux pseudo-bulbe, et le cycle recommence.

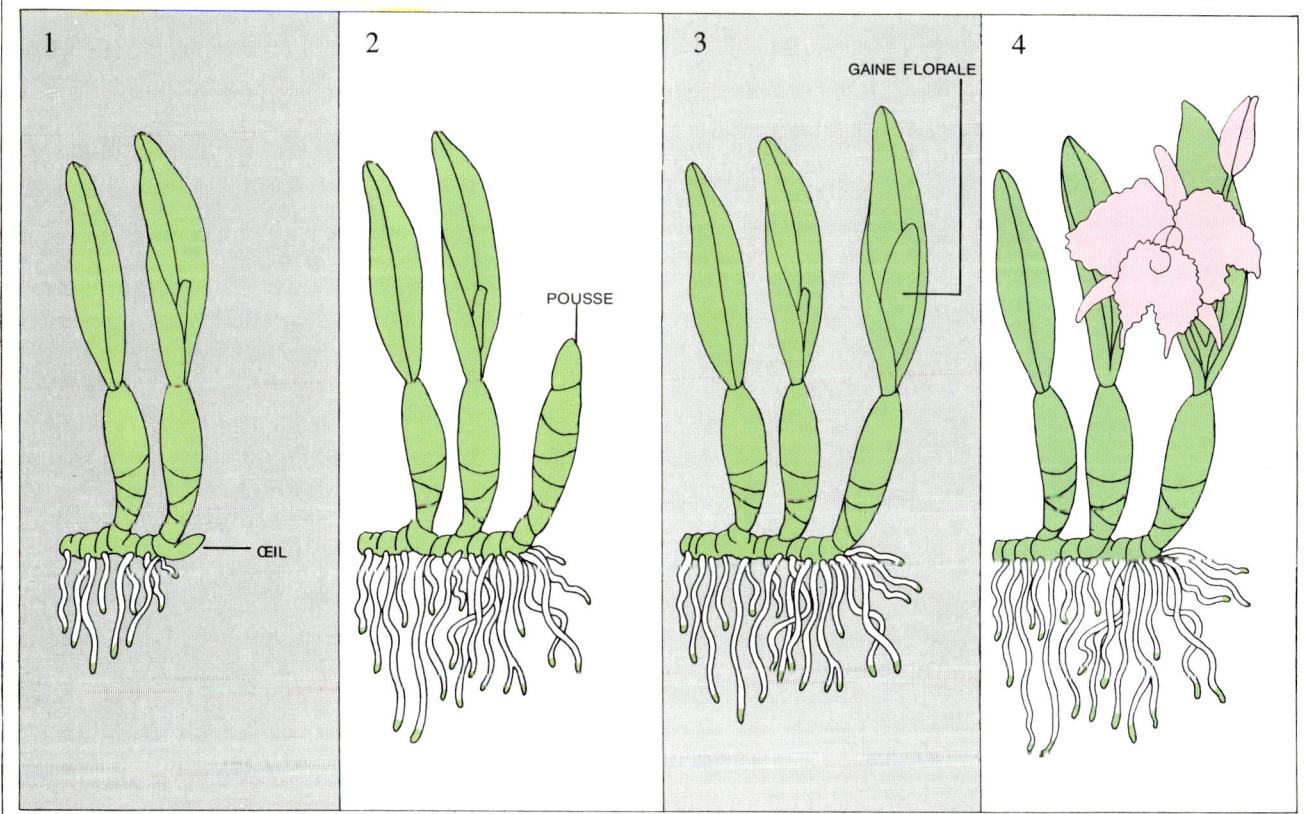

Du gonflement de l'œil (1) à l'épanouissement de la fleur (4), un Cattleya met 5 ou 6 mois pour arriver à maturité.

PLUS DE PLANTES PAR FENÊTRE

Quand l'espace est mesuré sur un appui de fenêtre, on peut suspendre les orchidées dans de petits pots sur une bande verticale de filet de plastique à fines mailles, large de 5 cm, pendu au plafond par un piton à émerillon de façon à pouvoir tourner les plantes pour un éclairement régulier. Suspendez les pots avec des porte-pots inoxydables (encadré) vendus dans le commerce, ou fabriquez-en vous-même avec du gros fil de fer. Le dispositif doit être serré sous le rebord du pot de manière que la pression exercée par celui-ci soit suffisante pour l'empêcher de glisser.

Une serre assure évidemment un ensoleillement maximal par le haut et par les côtés. Elle facilite le contrôle de la température et de l'humidité, permettant de cultiver un plus grand nombre d'orchidées, y compris les espèces les plus exigeantes, et d'obtenir de grands et robustes spécimens ayant une floraison magnifique. Il existe des serres dans une grande diversité de formes et de dimensions, y compris les plus modestes, en appentis qui s'adossent à un mur.

Si vous n'avez que peu d'orchidées, mais que votre appartement manque néanmoins d'espace et d'éclairage, vous pouvez envisager l'achat d'une serre miniature qui s'installe à l'extérieur d'une fenêtre ordinaire. Les plus petits modèles sont en verre et en aluminium ; équipés d'étagères mobiles et d'aérateurs sur le dessus, ils laissent entrer l'air frais et permettent le contrôle de la température. On peut enlever les châssis vitrés pour que les plantes soient plus visibles et plus faciles à soigner ; on installera à la place des panneaux vitrés coulissants afin de pouvoir contrôler efficacement l'environnement des orchidées. Cela peut vous être très utile si vous souhaitez cultiver des espèces qui exigent un fort taux d'humidité ambiante ou des températures nocturnes particulièrement basses.

L'atmosphère d'une mini-serre est plus difficile à contrôler que celle d'une grande serre, mais vous pouvez régler la température à l'aide de résistances chauffantes commandées par thermostat quand il fait froid, de stores de bambous refendus ou de rideaux contre le soleil quand il fait chaud, et de récipients plats remplis d'eau pour maintenir une humidité suffisante. Il vous est même possible d'installer des tubes fluorescents qui, le soir, mettront en valeur les orchidées qui ne craignent pas un éclairage ininterrompu.

La lumière artificielle peut mettre en valeur toute exposition d'orchidées et illuminer un jardin d'intérieur durant les courtes journées d'hiver ou par temps couvert. En fait, un choix judicieux d'appareils d'éclairage bien placés vous permettra de mettre des orchidées partout dans votre maison, même là où il n'y a pas de fenêtres. De nombreux amateurs ont ainsi découvert que l'on pouvait très bien cultiver des plantes — et de manière plus sûre, affirment certains — avec des éclairages installés dans des bibliothèques, sur des tables à thé roulantes, dans des cages d'escalier, des pièces de service et même des sous-sols ou des greniers pourvu qu'on leur assure une bonne aération et suffisamment d'humidité. Avec les possibilités quasi infinies qui existent dans le domaine des appareils d'éclairage de plantes, il est possible de combiner toutes les méthodes de culture en appartement. On peut placer les grandes plantes devant les fenêtres des salles de séjour, au soleil, et les plus petites en retrait, sous une lumière artificielle. Les jeunes plantes qui n'ont pas atteint le stade de la floraison, et les plantes adultes qui ne sont pas particulièrement belles après avoir fleuri peuvent être transférées au sous-sol où il sera plus facile de les soigner, de les arroser et, si besoin est, de les rempoter.

Toutefois, étant donné qu'elles doivent être placées près d'une source lumineuse, les orchidées convenant le mieux à la culture en lumière artificielle sont celles qui ne dépassent pas 30 centimètres de haut; parmi celles-ci figurent plus particulièrement les hybrides compacts d'espèces plus grandes et les orchidées miniatures.

Si vous ne possédez que quelques plantes, vous pouvez commencer leur culture à la lumière artificielle avec des appareils conçus dans ce but, depuis les plus simples qui ressemblent un peu à une lampe de bureau, jusqu'aux plus complexes qui comportent des étagères de niveaux différents et sont parfois montés sur roulettes et munis de réflecteurs, de plateaux à plantes et de minuteries incorporées.

LUMIÈRE ARTIFICIELLE

Quel que soit le genre d'appareil d'éclairage artificiel utilisé, veillez à ce qu'il soit suffisamment proche de la plante pour assurer sa croissance. On utilise souvent comme appareil de base des dispositifs à quatre tubes fluorescents de 40 watts de 1 mètre de long, en mélangeant lumière froide et lumière chaude; on les suspend à des chaînes de manière à pouvoir régler leur hauteur au-dessus des plantes. Le sommet des genres de fleurs qui demandent beaucoup de lumière, comme les Cattleya, les Oncidium et les Epidendrum, ne doit pas être à plus de 7 à 10 centimètres de la source lumineuse. D'autres, moins exigeants, comme les *Paphiopedilum* et les *Phalaenopsis,* peuvent être placés à une trentaine de centimètres de l'appareil. Toutefois, l'intensité d'un tube fluorescent est plus faible vers les extrémités, aussi doit-on placer près du centre les plantes qui ont besoin de beaucoup de lumière. En outre, comme les tubes vieillissent et donnent progressivement moins de lumière, il est conseillé de les remplacer au moins une fois par an.

CONTRÔLE PERMANENT

Pour compenser par la durée d'exposition la puissance qui manque aux tubes fluorescents par rapport au soleil, il faut généralement les laisser allumés de 14 à 16 heures par jour, et garder les plantes dans l'obscurité durant la nuit. Une minuterie peu onéreuse allumera et éteindra automatiquement les tubes aux heures choisies. Notez cependant que certaines orchidées, comme le *Cattleya percivaliana* et le *Cattleya trianaei,* sont sensibles aux variations saisonnières de la durée des jours et ne fleuriront pas normalement si vous ne réduisez pas leur éclairement à 11 ou 12 heures quotidiennes pendant la période de formation des boutons à fleurs. Ne vous inquiétez pas si, au début de vos essais de culture en lumière artificielle, certaines plantes paraissent malades: il leur faut parfois un an ou plus pour s'y adapter.

Les possibilités de culture d'orchidées à l'intérieur et sous lumière artificielle sont à peu près infinies et, chaque année, de nouveaux amateurs s'y essaient avec succès.

Une orgie de beautés sublimes

Peu d'amoureux des fleurs oseraient mettre en doute la beauté des orchidées mais, si on leur demandait quels sont leurs critères de jugement, ils donneraient certainement autant de réponses qu'il existe d'espèces de ces plantes. Pour certains, le fin du fin est la fleur minuscule dont on ne peut découvrir tous les détails qu'à travers une loupe ; pour d'autres, les plus belles sont les orchidées géantes. Quelle que soit l'espèce, ces merveilleuses plantes présentent une diversité de formes et de couleurs inégalée dans le monde végétal, d'autant que, chaque année, des centaines de nouveaux hybrides viennent agrandir la famille. Il n'y a rien d'étonnant, dans ces conditions, qu'elles aient fasciné les hommes de toutes les cultures, depuis la plus haute Antiquité jusqu'à nos jours.

En Extrême-Orient, elles étaient le symbole de la noblesse et de l'élégance, et le sage Confucius les avait sacrées « Reines des plantes odorantes ». Deux millénaires plus tard, au XVIe siècle, le botaniste allemand Hiéronymus Bock remarqua que certaines espèces offraient une ressemblance étrange avec certains oiseaux et autres animaux. Depuis, bien des amateurs ont été surpris par l'originalité du minuscule Pleurothallis, par exemple, dont les sépales marron et violets font penser aux mâchoires béantes d'un crocodile, ou d'un Oncidium qui a la forme et les couleurs d'un papillon extraordinaire *(page 39)*.

On trouve quelques-unes des plus belles envolées poétiques suscitées par les orchidées dans les réflexions de John Burroughs, chantre américain de la nature du XIXe siècle ; Burroughs s'émerveille en ces termes devant un parterre de Cypripedium en fleur découvert alors qu'il faisait une promenade en forêt : « S'agissait-il de béguins aux couleurs vives sortant du feuillage ? Ou d'un rassemblement de colombes blanches au jabot taché de pourpre étendant leurs ailes pour prendre leur vol ? Ou de flottes de petits bateaux, voiles gonflées, naviguant sur un Océan de verdure ? »

De fait, à part celles qui sont destinées à fleurir les boutonnières ou les corsages, bien peu d'orchidées ressemblent aux grands et somptueux Cattleya. Certaines, sauvages, sont de petites fleurs aux formes souvent arachnéennes. D'autres pourraient passer pour des marguerites — comme le *Coelogyne ocellata* — ou pour des tulipes *(page 45)*. En outre, il existe de nombreuses orchidées que l'on cultive uniquement pour la beauté de leur feuillage.

Comme un long flamant, une fleur de Scaphosepalum gibberosum *semble s'envoler d'une tige en zigzag dont chaque jointure marque la place d'une ancienne floraison.*

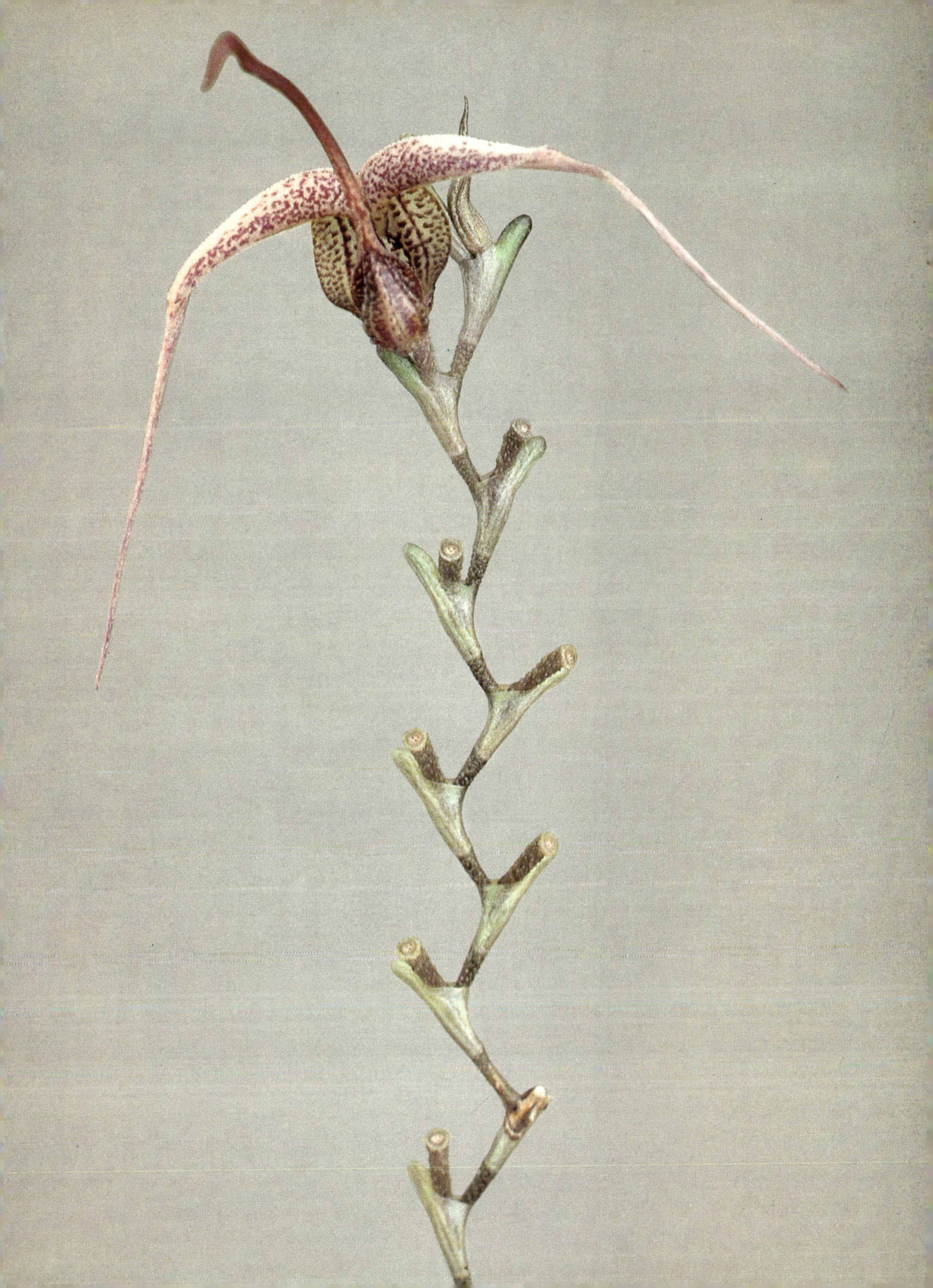

Des formes extraordinaires

Très appréciées pour leur somptuosité par les élégantes qui les portaient à leur corsage, les orchidées offrent tout un éventail de formes étranges qui sont bien mieux mises en valeur au bout d'une tige ondulant sous la brise qu'épinglées à une robe. Qu'elles évoquent une danseuse classique, un ballet futuriste d'hélicoptères ou les évolutions d'acrobates aériens, certaines orchidées font oublier qu'elles ne sont que des plantes.

Avec ses pétales fantomatiques pendants, la fleur de cet hybride de Phragmipedium *est l'une des plus grandes de la famille.*

*Le labelle orange de l'*Epidendrum pseudepidendrum *semble soulevé par les sépales en forme de rotor d'un hélicoptère.*

Les fleurs blanches odorantes d'un Cyrtorchis arcuata *africain évoquent un ballet classique.*

La barbe blanche et les yeux injectés de sang du Dendrobium pulchellum *semblent sortis de l'imagination d'un peintre.*

Semblables à des acrobates, les fleurs de Schomburgkia undulata *offrent un audacieux spectacle de voltige aérienne.*

Avec ses sépales en forme d'antennes et ses pétales mouchetés, l'Oncidium sanderæ *ressemble à un merveilleux papillon.*

Des feuilles intéressantes

Certains amateurs captivés par la beauté des fleurs d'orchidées oublient parfois, ce qui est excusable, une autre de leur séduction : leur feuillage. Feuilles et tiges parfois nattées, bulbeuses ou mouchetées gardent leur attrait même lorsque la plante est en fleur ; souvent, elles constituent le principal point d'intérêt de la plante et vont parfois jusqu'à faire oublier les fleurs sur lesquelles elles ont l'avantage d'exister toute l'année.

Le Lockhartia acuta *a des tiges recouvertes de feuilles nattées, qualité inhabituelle qui fait qu'on l'apprécie particulièrement.*

Des feuilles en forme de chausse-pied et une inflorescence jaillissent des pseudo-bulbes brillants d'un Encyclia atropurpurea.

Des feuilles recourbées et des pseudo-bulbes en quinconce donnent à Maxillaria variabilis *un aspect de sculpture.*

Les tiges serrées et les feuilles en forme de pagaie du Brassavola digbyana *constituent une forêt miniature de quelque 25 cm de haut.*

Ces trois illustrations montrent les différentes teintes de feuillage moucheté de trois espèces de Paphiopedilum. *En bas, l'hybride original P.* harrisianum *qui fut créé en 1869.*

Les feuilles isolées du Plalaenopsis veitchiana, *hybride naturel, se déploient en une symétrie presque parfaite. En haut à gauche, une inflorescence jaillit sous le feuillage.*

Des fleurs trompeuses

Si les fleurs les plus spectaculaires des orchidées, comme celles des hybrides de Cattleya, sont facilement identifiables, celles de nombreuses espèces sauvages plus petites peuvent facilement tromper un œil non averti. Certaines sont d'une forme beaucoup plus simple que celle que l'on s'attend à trouver chez une orchidée. D'autres, à cause de leur forme ou de leur disposition sur les tiges, font penser à des fleurs d'un type différent.

Très différent des hybrides plus grands, un jeune Cattleya aurantiaca *déploie ses feuilles lisses en forme de flamme.*

Blanches à l'exception du labelle jaune, les fleurs du Dendrobium infundibulum *s'ouvrent à l'extrémité de la tige.*

Une couronne de fleurs odorantes allant du rose au pourpre coiffe la tige trapue d'un Epidendrum endresii *d'Amérique centrale.*

Entourés de sépales et de pétales semblables à des feuilles, les labelles du Brassavola cordata *ont l'aspect de fleurs.*

Des chapelets de minuscules fleurs (6 mm) pendant aux tiges partant du pied d'un Pleurothallis rubens *du Brésil.*

*S'ouvrant à peine plus en plein épanouissement, la fleur unique de l'*Anguloa ruckeri *ressemble à une tulipe.*

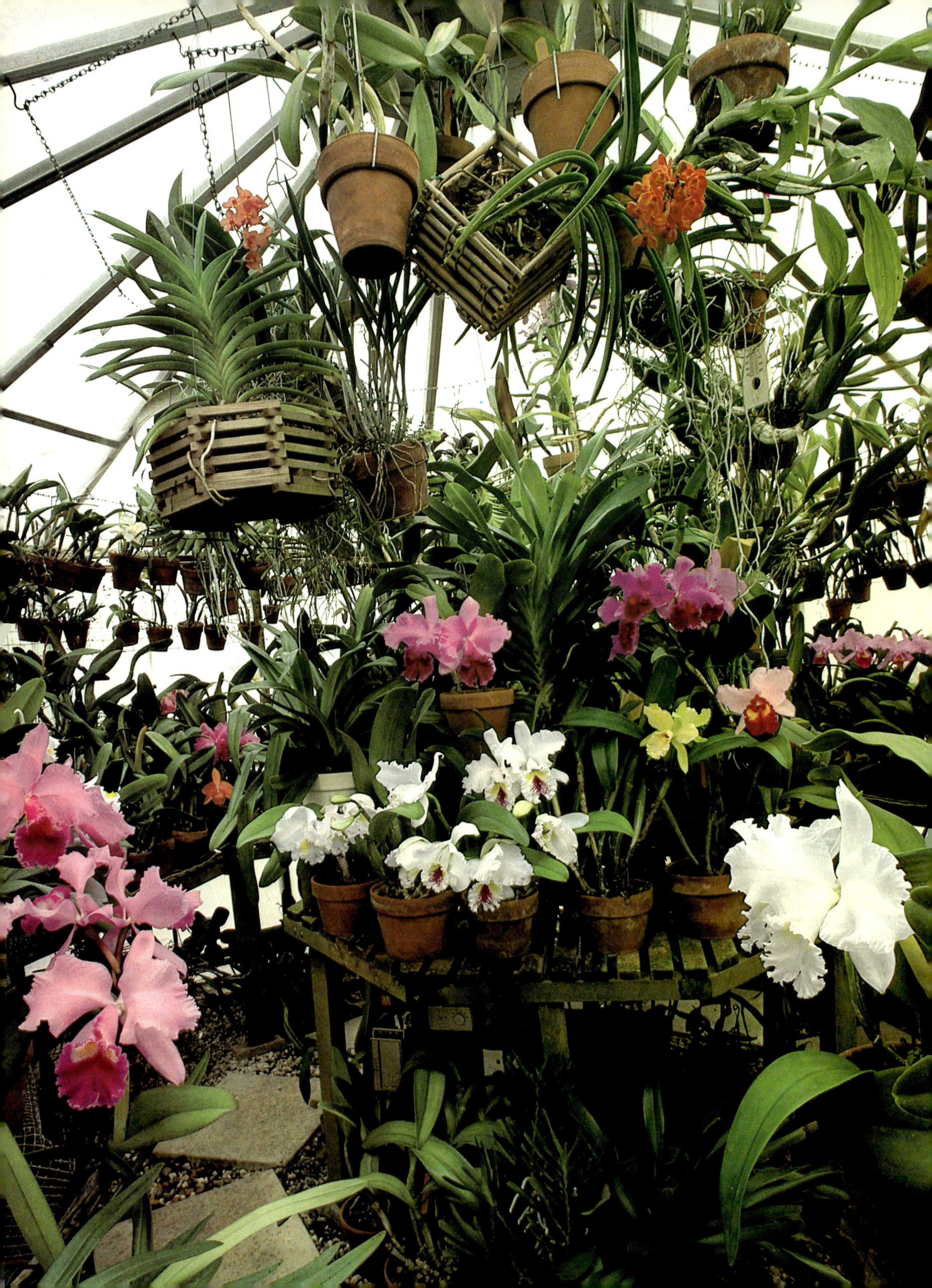

Pour obtenir une race vigoureuse 3

« Les orchidées sont si faciles à cultiver qu'il est à peu près impossible de les tuer. » C'est du moins ce qu'affirme un spécialiste auquel on peut pardonner d'exagérer un peu étant donné que sa carrière débuta avec la découverte d'un Phalaenopsis abandonné dans le sous-sol d'une maison vide. Après l'avoir rempoté, arrosé, lui avoir donné de la lumière et de l'engrais, il fut récompensé de ses peines par une magnifique floraison.

Mais il est vrai que les orchidées sont faciles à cultiver — à condition d'observer certaines règles fondamentales. Outre la nécessité de leur assurer l'éclairement et la température convenables, le plus important est de savoir que, comme la plupart de leurs propriétaires, les orchidées prospèrent dans une atmosphère fraîche et pas trop sèche, avec une bonne aération. Les ancêtres de la plupart des variétés communes actuelles venaient de régions tropicales ou semi-tropicales, où ils trouvaient non seulement beaucoup de lumière et de chaleur, mais aussi un pourcentage élevé d'humidité, des averses qui permettaient à leurs racines spongieuses de se gorger d'eau, et des vents réguliers qui les séchaient rapidement.

S'il est difficile de reproduire ces conditions, on peut s'en approcher suffisamment pour avoir de bons résultats. Dans une serre, il est possible de maintenir une humidité relative de 70 à 80 p. 100, mais elle n'est pas indispensable aux orchidées que l'on peut cultiver sur un appui de fenêtre ou sous une lumière artificielle. Toutefois, il vous faudra élever ce taux d'humidité bien au-dessus des 20 p. 100 que l'on rencontre dans de nombreux intérieurs modernes et où l'atmosphère est celle du désert. Une humidité relative de 40 à 60 p. 100 vous sera aussi bénéfique qu'aux plantes : vous éviterez le dessèchement de la peau, les sinusites et, en hiver, vous vous sentirez bien à une température moins élevée, ce qui vous permettra de réaliser d'intéressantes économies de chauffage.

Il existe de nombreuses manières d'accroître le pourcentage d'humidité pour vos plantes. Vous pouvez les rassembler pour que l'évaporation des feuilles de l'une humidifie l'atmosphère de sa voisine. Vous pouvez également les mettre dans des plateaux remplis d'eau, dont l'évaporation augmentera le taux d'humidité de l'air ambiant. Si vous avez beaucoup de plantes, fabriquez un grand conteneur peu profond en bois imputres-

Ci-contre, deux Ascocenda dans des paniers suspendus sous le dôme d'une serre octogonale où ils reçoivent le maximum de lumière. Dessous, plusieurs Cattleya en fleur, dont un hybride blanc « Elizabeth Carlson » (à droite).

cible, doublé d'une feuille de plastique épais, ou faites confectionner un plateau sur mesure.

Quel que soit le genre de récipient utilisé, il doit avoir de 5 à 8 centimètres de profondeur, afin que vous n'ayez pas à refaire le plein d'eau tous les jours ou tous les deux jours. Mais le fond des pots doit être maintenu au-dessus du niveau de l'eau pour que le drainage se fasse convenablement et que les racines ne risquent pas de pourrir. Une installation de ce genre peut se réaliser de diverses façons. Vous pouvez prendre un morceau de grillage plastifié — à larges mailles de gros fil de fer, que vous trouverez dans une jardinerie —, le couper à la dimension et en rabattre les bords de façon à obtenir une plate-forme pour y poser les pots. Vous pouvez aussi utiliser un diffuseur en plastique comme celui qui est employé dans les appareils à tubes fluorescents, et le faire couper à la dimension voulue.

Une solution encore plus simple consiste à disposer dans le fond du conteneur une couche de 5 centimètres de cailloux ; s'ils sont poreux, comme le grès ou la pierre ponce, ils s'imprégneront d'eau et augmenteront l'humidité ambiante par évaporation ; des graviers ronds de la taille d'un pois, bien lavés, feront aussi l'affaire. Pour éviter que des algues et des larves d'insectes ne se développent dans l'eau, ajoutez-y, à peu près tous les mois, une cuillerée à soupe d'un produit fongicide et insecticide. Certains amateurs installent leurs plantes sur des clayettes basses faites de lattes de bois dur ; elles ont l'avantage de faciliter la circulation de l'air.

Outre le rassemblement des plantes et l'emploi de plateaux humidificateurs, on peut vaporiser quotidiennement de l'eau sur les feuilles ; les fines gouttelettes qui s'y déposent accroissent provisoirement le taux d'humidité ambiante. On peut également ajouter un peu de fertilisant liquide à l'eau ainsi vaporisée.

DONNER DE L'HUMIDITÉ
Pour donner aux orchidées l'humidité nécessaire sans faire pourrir les racines, mettez, dans un plateau de plastique ou de métal inoxydable profond de 7 à 8 cm au moins et aussi large que l'étalement du feuillage, une couche de 5 cm de gravier, d'argile expansé ou de pierre ponce. (Celle-ci est préférable parce que, poreuse, elle facilite l'évaporation.) Ajoutez de 2 à 3 cm d'eau et maintenez-la à ce niveau. Pour plus de sécurité, posez les plantes sur des soucoupes ou sur des pots retournés, sur des briques ou sur une plate-forme de grillage dont vous replierez les bords.

Il existe dans le commerce de nombreux appareils pour cette vaporisation, des simples pulvérisateurs faits d'une bouteille de plastique souple aux pulvérisateurs à pompe. Assurez-vous toujours que l'appareil en question est propre, et n'utilisez jamais un pulvérisateur ayant contenu un herbicide. L'important, quel que soit l'appareil, est qu'il produise un fin brouillard et ne projette pas de grosses gouttes qui s'accumuleraient dans les replis à la base des feuilles et favoriseraient l'apparition de maladies. La pulvérisation est particulièrement recommandée quand il fait très chaud et que l'eau s'évapore rapidement. En règle générale, augmentez le taux d'humidité sur les plantes et autour d'elles quand la chaleur et l'intensité de la lumière s'accroissent, et inversement. La pulvérisation doit être faite bien avant le coucher du soleil — en général avant midi —, afin que les feuilles sèchent avant la nuit. L'humidité nocturne est source de maladies.

HUMIDIFICATEURS MÉCANIQUES

Pour assurer aux orchidées une atmosphère humide, de nombreux jardiniers d'appartement abandonnent les pulvérisateurs et les plateaux remplis d'eau en faveur des humidificateurs mécaniques. On peut en réaliser un de manière très simple, en suspendant à un cadre une serviette mouillée devant un ventilateur qui souffle l'eau d'évaporation en direction des plantes.

Une solution encore plus simple, mais plus coûteuse, consiste à acheter un humidificateur qui fonctionne sur le même principe, mais dans lequel le tissu et le ventilateur sont dans un appareil unique.

HUMIDIFICATEURS AUTOMATIQUES

Certains humidificateurs perfectionnés sont munis d'un hygromètre qui enclenche automatiquement l'appareil quand le taux d'humidité tombe au-dessous d'un seuil fixé, et le débranche quand le niveau voulu est atteint. De toute façon — que l'on utilise un humidificateur ou un plateau faisant office de simple saturateur —, il est utile d'avoir un hygromètre à grand cadran bien lisible pour connaître le degré hygrométrique de l'air ; suspendez-le à un mur près de vos plantes, mais ne le posez pas au milieu de celles-ci. Afin de combiner la précision de l'hygromètre et la commodité de l'automatisme, vous pouvez disposer entre l'humidificateur et la prise de courant un hygromètre indépendant muni d'un système de coupure et d'établissement du courant permettant de maintenir dans l'atmosphère le degré d'humidité nécessaire à vos plantes.

Pour entretenir un micro-climat humide autour de certaines espèces plus exigeantes, vous pouvez tendre sur un cadre une feuille de plastique transparent qui entoure la plante sur le dessus et trois côtés ; ce genre de tente conserve l'humidité, mais laisse néanmoins l'air circuler grâce au quatrième côté ouvert. Vous pouvez aussi placer les petites espèces dans des terrariums à parois de verre mais sans couvercle, dans des aquariums ou bacs spéciaux à orchidées. Phalaenopsis, Paphiopedilum et Miltonia prospèrent dans une atmosphère très humide. Ils exigent également moins de lumière que les plantes du genre Cattleya, et peuvent donc être cultivés sous des verres plus ou moins transparents.

NÉCESSITÉ DE L'AÉRATION Tous les terrariums et autres conteneurs du même genre pour orchidées risquent néanmoins d'avoir une atmosphère trop humide et confinée, favorisant l'apparition de champignons et de la pourriture ; ils risquent aussi de devenir très chauds si on les expose au soleil. Il faut pouvoir les abriter sous des rideaux de tulle si besoin est. Les meilleurs conteneurs à orchidées ont des panneaux d'aération au fond et des couvercles sur charnières que l'on peut soulever pour évacuer l'air trop chaud. On peut prévoir sur le devant, sur l'arrière ou sur les côtés des panneaux de verre coulissants ou sur charnières pour aérer les plantes ou les soigner plus facilement. Quand la position du soleil change, on peut écarter les rideaux pour assurer le maximum d'éclairage, et fermer les aérateurs pour augmenter l'humidité.

Une bonne aération, autre élément essentiel de réussite dans la culture des orchidées sur un appui de fenêtre ou à la lumière artificielle, réduit les risques de maladie et leur assure la quantité d'acide carbonique dont elles ont besoin. L'air de la pièce où sont les plantes ne doit jamais être confiné ; les jours de grande chaleur, ouvrez les fenêtres, ne serait-ce qu'un bref instant. Quand il n'est pas possible de laisser pénétrer l'air extérieur, mettez en marche — constante ou alternée — un ventilateur électrique orienté de manière à ne pas dessécher les plantes. Les bons vieux ventilateurs de plafond à grandes pales et à faible vitesse conviennent parfaitement — si la pièce est assez haute.

Quand vous avez réalisé un bon environnement pour vos orchidées, le moment est venu de vous occuper des autres éléments importants de culture, tels que pots, compost, arrosage, fertilisation et autres entrant dans le cadre des soins quotidiens. Vous pouvez cultiver vos plantes dans des pots en plastique ou en argile contenant différents mélanges, dans des paniers suspendus en grillage ou en lattes de bois, ou encore sur des morceaux de bois ou des fragments d'écorce rappelant l'habitat naturel.

CHOIX D'UN RÉCIPIENT La plupart des nouveaux venus à l'orchidophilie commencent leurs cultures dans des pots de fleurs ordinaires en argile ou en plastique. Les plantes achetées chez un orchidéiste ou par correspondance sont généralement livrées en pots de plastique remplis du mélange adéquat pouvant durer plusieurs mois. Mais, quand votre orchidée commencera à être à l'étroit, ou quand le mélange se décomposera, il faudra vous procurer un autre récipient. De quelque matériau que soit le pot et quelle que soit sa taille, il doit avoir un bon drainage. Toute orchidée, et en particulier une épiphyte, poussera mal et pourra même mourir si elle est entourée d'eau stagnante.

Les pots en plastique existant en toutes tailles et couleurs sont bon marché et faciles à garder propres. Leur légèreté est un sérieux avantage dans la manipulation des plantes et dans leur rangement, mais ils manquent un peu de stabilité avec les grandes espèces. Certains récipients en plastique transparent permettent d'examiner les racines et de découvrir rapidement si elles présentent des traces de pourriture due à un excès d'humidité. Les pots en plastique étant lisses, les racines s'accrochent difficilement à leurs parois, ce qui rend le dépotage plus facile quand il faut changer de pot ; n'étant pas poreux, ils conservent l'humidité plus longtemps que les pots en argile non vernis, ce qui les désigne tout particulièrement pour la culture des orchidées terrestres qui ont besoin d'être tenues à l'humidité. Mais, à moins qu'il n'ait plusieurs trous de drainage, ne mettez jamais une orchidée épiphyte dans un pot en plastique. Vous pouvez faire vous-même les trous supplémentaires avec un fer à souder ; il ne vous reste plus ensuite qu'à garnir le fond du pot d'un bon matériau de drainage tel que gros gravier, grillage fin froissé ou morceaux de pots en argile.

De nombreux orchidophiles préfèrent les pots de fleurs en argile parce qu'ils sont poreux et absorbent l'excès d'eau, ce qui permet aux épiphytes en particulier de sécher rapidement et de garder leurs racines fraîches ; mais il est parfois difficile de se procurer des pots en argile qui aient la taille désirée. En revanche, étant plus lourds que le plastique, ils sont plus stables, et leur couleur terre cuite convient à peu près à toutes les fleurs. On trouve également des pots spéciaux pour orchidées percés des trous sur le pourtour. Le modèle bas et large appelé demi-pot convient à la plupart des orchidées dont les racines sont peu profondes et étalées. Pour assurer un bon drainage, agrandissez le trou du fond à l'aide d'un marteau et d'un tournevis maniés avec précaution, et mettez une couche de matériau de drainage.

DIMENSIONS DES POTS

Pour vos orchidées, ne voyez pas trop grand en matière de récipient. Le compost s'assèche plus rapidement dans un petit pot que dans un grand, ce qui réduit les risques de pourriture des racines. En outre, les Masdevallia et la plupart des Dendrobium et des Oncidium semblent mieux fleurir s'ils sont un peu à l'étroit. Quand vous rempotez une plante, choisissez un nouveau pot d'un diamètre légèrement supérieur à celui de l'ancien, davantage s'il s'agit de grands spécimens ou d'espèces à croissance verticale relativement rapide comme les Phalaenopsis, et d'espèces à port étalé comme les Oncidium et les Coelogyne.

La plupart des orchidées ne poussent pas dans une terre de jardin, ni même dans les composts stérilisés pour pots vendus pour les autres plantes d'appartement. Au fil des années, les horticulteurs ont essayé toutes sortes de produits, y compris le charbon de bois activé. L'un des plus prisé a été longtemps la fibre d'osmonde ou de polypode, racines séchées de certaines fougères. De nombreux amateurs ne jurent encore que par ces fibres, bien qu'elles soient d'un emploi assez difficile et devenues rares et, par conséquent, chères. La fibre de fougère arborescente prélevée sur les fougères tropicales est un autre vieux produit sûr mais également peu accessible.

PLANTATION DANS L'ÉCORCE DE SAPIN

L'écorce de sapin broyée remplace avantageusement les fibres d'osmonde et de polypode pour la culture des orchidées, et coûte moins cher. On la trouve en différentes grosseurs : morceaux de 6 millimètres au maximum pour les semis et les plantes à racines minces comme les

Odontoglossum, morceaux moyens pour les plantes de taille courante, et gros morceaux de 2 à 3 centimètres de diamètre ou plus pour les grandes plantes à fortes racines comme les Phalaenopsis et les Vanda qui ont besoin d'un sol léger et aéré. L'écorce de sapin est d'un emploi très facile ; elle permet un drainage rapide et une bonne circulation de l'air, ne se décompose pas et ne devient pas spongieuse avant un an ou deux, sauf si elle est maintenue dans une trop grande humidité. En revanche, elle contient très peu d'éléments nutritifs, et il faut mettre régulièrement des engrais riches en azote aux plantes qu'on y cultive.

Pour faciliter l'emploi de l'écorce de sapin et lui permettre de retenir l'humidité, on peut lui ajouter un tiers de tourbe litière en mottes. Mais, pour les épiphytes, on peut utiliser un mélange comprenant $7/10^e$ d'écorce de sapin pour $1/10^e$ de tourbe en mottes, $1/10^e$ de fibre d'osmonde et $1/10^e$ de vermiculite ou de perlite. Les orchidées terrestres exigent des mélanges spéciaux adaptés à leurs besoins particuliers — par exemple 2 parties de tourbe en mottes, 2 de sable gras, 1 de vermiculite et 1 d'écorce de sapin finement broyée pour les Phaius (ou Phajus). Certains amateurs expérimentés recherchent des formules très complexes avec de nombreux additifs mais, pour tout un chacun, il serait probablement plus simple d'acheter des composts tout prêts pour orchidées, faits d'un mélange d'écorce de sapin et de sphagnum, vendus dans des sachets de différentes contenances. Ce commerce n'est pas encore courant en France, aussi faut-il inciter les jardineries et les orchidéistes à conditionner ces substrats en petites quantités.

QUAND REMPOTER Quel que soit le mélange choisi, toute plante doit être rempotée quand elle commence à être à l'étroit dans son pot ou quand le compost se décompose. Lorsque le sommet végétatif d'un rhizome passe par-dessus le rebord du pot et que les racines visibles à la surface apparaissent enchevêtrées, le moment est venu de mettre la plante dans un autre récipient. Pour vous en assurer, examinez les racines enterrées en sortant la plante de son pot à l'aide d'une spatule ou d'un bambou épointé, à la rigueur d'un tournevis. Voyez si elles ne s'entortillent pas les unes autour des autres. Examinez attentivement le compost lui-même. Les morceaux de surface peuvent sembler intacts, mais ceux qui sont au fond se seront peut-être amalgamés en une sorte de pâte qui ne peut plus sécher rapidement, et certaines des racines ont pu virer au marron ou au noir. Dans les deux cas, il est temps de procéder au rempotage.

Le meilleur moment pour le faire lorsqu'il s'agit d'une orchidée en bonne santé est celui où elle est sur le point de recommencer un nouveau cycle végétatif après avoir fleuri et être passée par une période de repos. Le choc de la transplantation est alors réduit au maximum, les vieilles racines peuvent être touchées sans danger et de nouvelles se développeront rapidement dans le compost frais. Pour déterminer exactement le moment du rempotage, attendez que les pousses du nouveau sommet végétatif atteignent près de 3 cm et que l'extrémité des racines verdisse ; ces nouvelles racines doivent juste commencer à gonfler : si elles étaient plus longues, elles pourraient se briser quand vous manipulez la plante.

Choisissez un pot assez grand pour n'avoir pas à recommencer l'opération avant deux ans environ ; les plantes comme les Cattleya qui rampent à la surface donnent en général un pseudo-bulbe par an à partir de chaque sommet végétatif, de sorte qu'il est facile de juger, d'après les pseudo-bulbes existants, l'espace qui leur sera nécessaire. Si vous utilisez de vieux pots, nettoyez-les et désinfectez-les soigneusement pour tuer les agents de maladies. Trempez et lavez les pots en argile ; rincez-les bien, puis laissez-les sécher une nuit entière.

Le rempotage n'est pas une opération compliquée. Étendez une couche épaisse de journaux sur votre table de travail et placez une poubelle à proximité. Quand vous en avez terminé avec une plante, il vous suffit d'utiliser les deux ou trois couches supérieures de papier journal pour envelopper les déchets et les jeter avant de passer à la plante suivante. Pour travailler plus facilement le mélange à base d'écorce, mettez dans une bassine la quantité dont vous pensez avoir besoin, mouillez bien, remuez et laissez reposer jusqu'à ce que le mélange soit humide mais non détrempé. Avec les doigts ou une spatule, détachez les racines qui se sont accrochées aux parois du pot. Sortez la plante à l'aide de cette spatule ; si elle se détache difficilement, passez la lame d'un couteau autour du pot. Une fois la plante dépotée, secouez-la doucement et, avec les doigts, enlevez autant du vieux compost que vous le pouvez. Coupez aux ciseaux ou au sécateur toutes les racines mortes ; raccourcissez de quelques centimètres les racines les plus longues pour qu'elles ne se brisent pas lors du rempotage. Enlevez les gaines sèches et mortes des pseudo-bulbes, ainsi que les vieux bulbes racornis en coupant le rhizome vers l'extrémité la plus vieille. Examinez les racines et les replis à la base

LE REMPOTAGE

UNE ÉTAGÈRE BIEN AÉRÉE

Pour réaliser une tablette assurant une bonne circulation d'air autour des racines, faites des cadres composés chacun de quatre madriers de 5 cm sur 10, coupés aux dimensions voulues pour les pieds. Reliez ces deux cadres en haut et en bas par deux traverses de 5 cm sur 10, et fixez à l'intérieur deux tasseaux de 2,5 cm sur 2,5, sur lesquels vous n'aurez plus qu'à clouer des lattes de 2,5 cm sur 5 espacées de 2,5 cm. Pour les toutes petites orchidées, recouvrez une partie du dessus de l'étagère avec un filet de plastique ou un grillage de fer galvanisé. Pour créer un espace de rangement, clouez des planches sur les traverses inférieures des pieds.

des feuilles pour voir s'il n'y a pas infestation par les cochenilles, les escargots et les limaces. Enlevez les cochenilles avec une vieille brosse à dents et de l'insecticide. Si vous découvrez des traces de passage d'escargots ou de limaces, saupoudrez les racines avec un insecticide, ou disposez sur les tablettes un produit anti-mollusque.

POUR UN MEILLEUR DRAINAGE   Avant de mettre la plante dans son nouveau pot, garnissez-en le fond de débris de pots en argile bien lavés (côté convexe vers le haut), d'une couche de gros gravier ou de grillage froissé. N'importe lequel de ces matériaux assurera un bon drainage tout en empêchant les fragments de compost d'être entraînés à l'extérieur par le trou de drainage. Mettez dans le pot deux poignées du mélange à base d'écorce, puis placez la plante de façon que le point de jonction entre les racines et le rhizome — la tige épaissie — se trouve à environ 1 centimètre en dessous du bord du pot, ou 2 à 3 centimètres pour les grands pots. Si la plante est sympodiale (c'est-à-dire à tiges multiples) comme la plupart des orchidées, placez-la de manière que la plus vieille extrémité du rhizome touche le bord du pot — afin que les nouveaux pseudo-bulbes aient la place de pousser à l'autre bout. S'il s'agit au contraire d'une orchidée monopodiale dressée, mettez-la au milieu du pot comme une autre plante d'appartement.

Tenant l'orchidée d'une main, ajoutez de l'autre du mélange autour des racines. Quand le pot est aux deux tiers plein, tassez le substrat en tapotant le pot une ou deux fois sur la table de travail. Ajoutez encore du mélange en le pressant avec les doigts cette fois autour des racines. Si vous rempotez une grande orchidée ou plusieurs petites, il est préférable d'utiliser un petit morceau de bois pour tasser le compost. Ce bois doit être arrondi à un bout pour tasser, et en forme de coin à l'autre bout pour pouvoir être utilisé comme un levier ; en enfonçant cette extrémité pointue sur tout le pourtour du pot, vous repousserez le mélange vers le centre avant de le tasser en surface avec le bout arrondi. Ne recouvrez pas le rhizome (ou la rosette de feuilles qui forme une couronne sur certaines espèces d'orchidées comme les Phalaenopsis), car cela pourrait provoquer des maladies qui mettraient vos plantes en danger.

Très souvent, les orchidées fraîchement rempotées n'ont pas suffisamment de racines pour se tenir droites et, comme les pseudo-bulbes des espèces sympodiales ont tendance à ramper, vous serez obligé de les munir d'un tuteur jusqu'à ce qu'ils soient convenablement établis. Vous pouvez utiliser pour cela une pince à rhizome qui se fixe au bord du pot, ou bien fabriquer vous-même un tuteur avec un morceau de gros fil de fer inoxydable dont vous replierez le bout pour éviter de vous y blesser accidentellement — ou bien utilisez un bambou. Attachez de la ficelle souple, du raphia ou un lien plastique au tuteur, et passez-la sans serrer autour des pseudo-bulbes afin de les maintenir dans une position verticale jusqu'à ce que les racines soient assez fortes pour les tenir ainsi elles-mêmes.

Avant de vous occuper de la plante suivante, prenez les précautions nécessaires pour éviter la propagation d'éventuelles maladies. Enveloppez tous les déchets du premier rempotage dans un journal et jetez-les, puis lavez-vous les mains à l'eau chaude et au savon. Stérilisez tous les outils dont vous vous êtes servi — couteau, ciseaux, sécateur — en les passant à la flamme d'une lampe à pétrole, d'un brûleur à gaz de cuisinière ou d'un chalumeau. Les spécialistes ont en général toute une série de bâtons pour tasser le mélange, qu'ils jettent après usage, ou bien ils emploient des outils en métal faciles à stériliser. Outre les pots eux-mêmes, tous les instruments qui seront utilisés à nouveau pour le rempotage doivent être stérilisés.

Quand vous avez terminé vos rempotages, mettez à chaque plante une étiquette avec son nom botanique, la date du rempotage et toutes les autres indications utiles ; placez-la ensuite en pleine lumière et arrosez-la *très légèrement* pendant deux semaines ou plus, jusqu'à ce que les nouvelles racines soient bien établies. Une légère vaporisation une ou

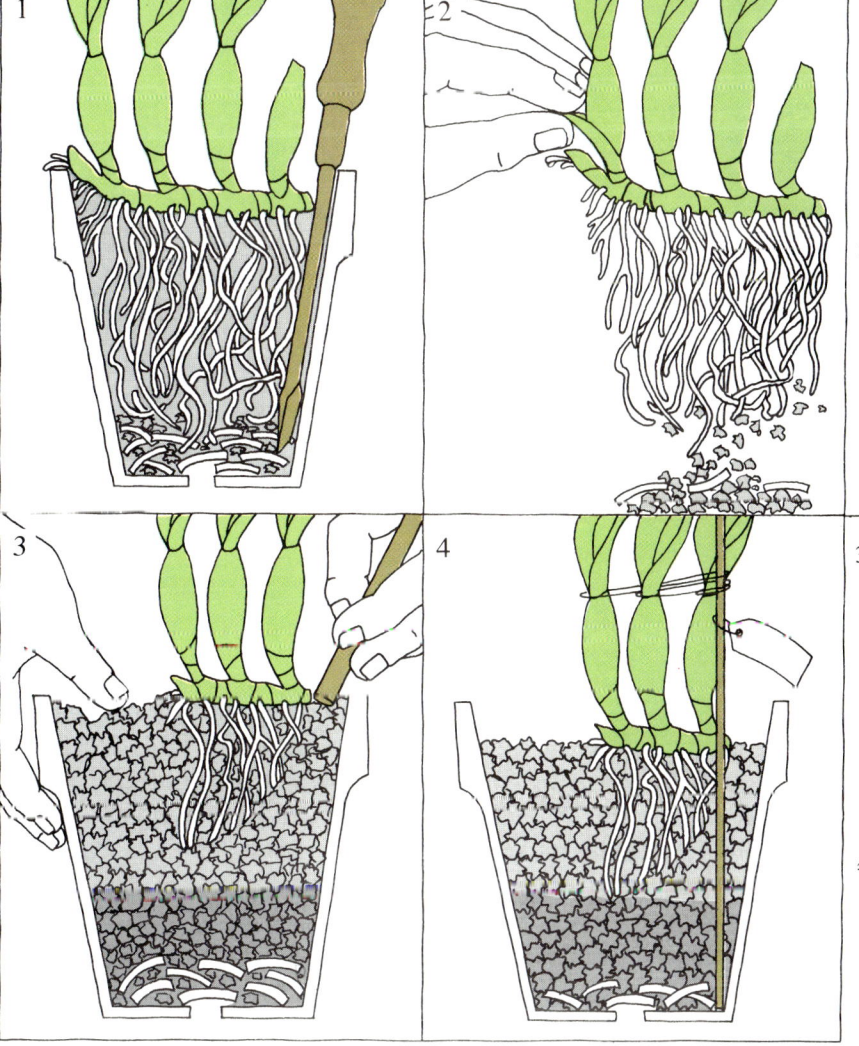

REMPOTAGE SANS CHOC

1. *Pour rempoter une orchidée à tiges multiples quand elle est à l'étroit ou qu'il faut changer le compost parce qu'il s'est décomposé, attendez l'apparition des jeunes pousses. Arrosez et, le lendemain, dépotez avec un tournevis stérilisé.*

2. *Secouez la plante et lavez les racines. Coupez au sécateur stérilisé celles qui sont mortes ; raccourcissez les autres d'un tiers et coupez les vieux bulbes racornis. Enlevez la gaine extérieure morte des pseudo-bulbes, et lavez ceux-ci à l'insecticide dilué en frottant avec une brosse à dents. Mettez du fongicide sur les parties coupées.*

3. *Prenez un pot propre assez grand pour contenir la plante pendant deux ans, et couvrez-en le fond de tessons lavés. Ajoutez une couche de compost frais. Placez l'orchidée avec les vieilles pousses contre la paroi du pot. Le rhizome doit être à 1 cm en dessous du bord du pot. Mettez du compost autour des racines et tassez-le soigneusement avec vos doigts et un bâton.*

4. *Maintenez les pseudo-bulbes droits avec une ficelle (ou un raphia) fixée à un tuteur. N'arrosez pas avant une semaine ou deux.*

55

deux fois par jour est tout ce que les orchidées fraîchement rempotées peuvent absorber. Quand les nouvelles racines seront fortes, vous pourrez arroser légèrement et, quand la plante reprendra sa croissance normale, le moment sera alors venu de lui donner l'éclairage, l'eau et l'engrais que son espèce exige.

ESPACE POUR RACINES VAGABONDES

Certaines orchidées épiphytes se trouveront mieux de n'être pas enfermées dans des pots, mais installées dans des paniers suspendus qui leur assurent beaucoup d'air et donnent à leurs racines toute la place nécessaire pour se développer; vous pouvez aussi reproduire encore mieux leur mode de croissance dans la nature en les accrochant à des morceaux de bois. Par exemple, on mettait autrefois dans des pots à orchidées aux parois percées de trous Stanhopea, Gongora, *Chysis aurea* et *Rodriguezia venusta* dont les inflorescences sont naturellement pendantes; on préfère maintenant pour ces espèces des paniers ronds en grillage ou des cages à barreaux de bois remplies d'un matériau retenant l'humidité, comme le sphagnum à longues fibres. Ces récipients sont vendus dans les jardineries, mais vous pouvez aussi très facilement les fabriquer vous-même *(page 59)*.

Les plantes comme *Brassavola nodosa*, *Encyclia tampensis* et *Angraecum distichum* produisent des masses de racines aériennes à vrilles qui doivent sécher rapidement; le mieux est souvent de les attacher à des morceaux de fibre de fougère arborescente, d'écorce de chêne-liège, de branches d'arbres, voire à des bardeaux de cèdre accrochés à un mur avec du fil de fer. Pour fixer une plante sur un support de ce genre, étalez ses racines sur une couche peu épaisse de sphagnum humide ou de fibre d'osmonde, recouvrez-les légèrement de ce même matériau pour les protéger et attachez la plante à son support par plusieurs tours lâches de fil de nylon ou de fil de fer plastifié. Quelques espèces, comme les Laelia, *Broughtonia sanguinea* et *Brassavola digbyana* n'ont besoin que de peu de sphagnum et peuvent même s'en passer complètement; on peut donc les attacher directement sur leur support. Quand les racines ont suffisamment poussé pour y maintenir solidement la plante, enlevez le fil de nylon ou le fil de fer.

LE DANGER DE L'EAU

La méthode d'arrosage et de fertilisation des orchidées, la fréquence de ces opérations dépendent de la manière dont elles sont cultivées — en pot ou sur support —, des caractéristiques et des cycles de croissance des espèces et de l'environnement qu'elles trouvent chez vous. Toutefois, les orchidées meurent le plus souvent d'un excès d'arrosage.

La raison en paraît évidente si vous examinez soigneusement les plantes. La plupart des orchidées cultivées en appartement sont des épiphytes habituées à être desséchées entre les averses par le vent qui balaie la cime des arbres. Beaucoup ont acquis des pseudo-bulbes qui leur servent de réservoir d'eau et de matières nutritives dans lequel elles puisent quand besoin est. Les pseudo-bulbes, comme leur nom l'indique, ne sont pas des bulbes, mais des renflements des tiges aériennes qui peuvent être effilés comme des crayons ou presque sphériques. Si l'on arrose trop une orchidée épiphyte, elle ne peut absorber l'excès d'eau ; si cette eau stagne autour des racines en raison d'un mauvais drainage, celles-ci meurent progressivement par manque d'air, ce qui diminue encore les possibilités d'absorption d'eau par la plante. Les pseudobulbes commencent alors à se racornir et la plante meurt dans l'abondance, comme étouffée par cette profusion même.

La règle la plus sûre pour la plupart des orchidées est donc la suivante : en cas de doute, n'arrosez pas. Vérifiez régulièrement le mélange non seulement en examinant la surface, qui peut paraître faussement sèche avec sa couleur pâle, mais en y enfonçant un doigt. On peut même enfoncer jusqu'au fond du pot un bâtonnet en bois pour voir si le mélange y est humide. Si c'est le cas, n'arrosez pas. S'il est sec et friable, alors vous pouvez lui donner de l'eau. Il est difficile de déterminer le moment exact où le mélange est sur le point d'être sec. Si vous le laissez se dessécher complètement, il sera difficile de le saturer à nouveau, et vous serez obligé d'arroser à plusieurs reprises ou d'immerger entièrement le pot dans un bac ou dans l'évier. Mais l'expérience vous permettra assez rapidement de déterminer, au seul poids du pot, s'il faut ou non arroser.

ARROSEZ DE JOUR

Lorsque vous arrosez, faites-le abondamment, à deux reprises si c'est nécessaire, et jusqu'à ce que l'eau sorte par les trous de drainage. Cela entraînera en outre les sels des fertilisants et évitera que leur accumulation n'endommage les racines fragiles. Le meilleur moment pour arroser, comme pour pulvériser, est le matin ou au début de l'après-midi, afin que les plantes puissent absorber complètement l'humidité durant le jour. Évitez d'arroser par temps nuageux. Vous pouvez utiliser l'eau du robinet, à moins qu'elle ne soit anormalement salée ou alcaline — ce qui

SUPPORTS NATURELS POUR PLANTES D'APPARTEMENT

On peut donner aux orchidées épiphytes l'air et la place dont leurs racines ont besoin en les plaçant sur des supports naturels — morceaux de branches et de racines d'arbres, plaques de liège ou fibre de fougère arborescente. Dans ce dernier cas, faites dans la fibre un trou assez grand pour la plante. Avec les autres supports, couvrez les racines de fibre d'osmonde ou de sphagnum pour maintenir l'humidité, puis attachez la plante au support avec du fil de nylon ou de la ficelle jusqu'à ce que les racines soient établies. Pour suspendre les plantes, passez un fil de fer dans le support ; s'il s'agit de branches, vissez-y un piton. Pendez de côté les supports d'orchidées à croissance horizontale.

57

est rarement le cas. Mais évitez d'employer de l'eau adoucie par des adoucisseurs ; les sels de sodium utilisés pour cela sont toxiques pour les plantes, même en petite quantité, et ils éliminent d'autres sels minéraux comme le calcium et le magnésium qui rendent l'eau « dure » mais sont bénéfiques aux plantes. Si votre eau est fortement chlorée, laissez-en reposer une certaine quantité dans un récipient peu profond afin que le chlore s'évapore. L'eau de pluie est également bonne pour l'arrosage et convient particulièrement bien aux pulvérisations ; mais assurez-vous qu'elle est propre. De l'eau très froide peut être nuisible, en particulier pour le genre *Phalaenopsis*. Utilisez de l'eau à la température de la pièce.

Pour savoir quand arroser, rappelez-vous que les petits pots se dessèchent plus vite que les grands, et les pots en argile plus vite que ceux en plastique. Bien sûr, les plantes ont besoin de moins d'eau quand l'air est humide que quand il est sec. Il leur en faut également moins en hiver quand la température est plus fraîche et l'ensoleillement plus réduit, et davantage durant les longues journées d'été lorsque la végétation est très active et qu'elles peuvent être exposées au vent desséchant devant une fenêtre ouverte ou sur une terrasse. Les plantes qui ont une période de repos entre les floraisons, comme certains Dendrobium et Cattleya, ne doivent être que très légèrement arrosées ou même pas du tout durant cette période ; recommencez l'arrosage à la reprise de la végétation. Les orchidées en paniers suspendus remplis de sphagnum ont besoin de plus d'eau que les orchidées en pot, et celles cultivées sur un simple support encore plus ; il est nécessaire d'immerger périodiquement ces dernières et, par temps chaud, de les arroser par pulvérisation pour que leurs racines ne se dessèchent pas. Il est facile de donner un bain aux petites plantes suspendues ; pour les plus grosses, imbibez-les bien sur place en plaçant dessous des plateaux humidificateurs remplis de cailloux qui recueilleront l'excès d'eau.

LE BON ENGRAIS   Bon nombre des règles d'arrosage des orchidées s'appliquent également à leur fertilisation. En été, les plantes en pleine lumière ont besoin de plus d'engrais que sous la pâle lumière de l'hiver, et celles qui sont en période végétative en exigent plus que celles au repos. La plupart des spécialistes utilisent un engrais contenant de l'azote, du phosphore et de la potasse dans les proportions variables selon les besoins. Les plantes cultivées dans de l'écorce de sapin exigent davantage d'azote, pour compenser celui qu'absorbent les bactéries et les champignons dans le processus de décomposition de l'écorce ; les engrais qui leur conviennent le mieux sont des préparations solubles à fort pourcentage d'azote. On les trouve chez les spécialistes sous forme liquide et en granulés à action prolongée, ces derniers convenant particulièrement aux plantes adultes. L'azote favorisant la pousse du feuillage, ces engrais azotés sont également utilisés pour activer la croissance des petites plantes et des semis. Aux États-Unis, le mode d'emploi indique les quantités d'engrais et d'eau à donner aux plantes, à intervalles d'une dizaine de jours pendant la période végétative ; mais de nombreux spécialistes préfèrent réduire considérablement les prescriptions — utiliser une fois sur trois par exemple la moitié de la dose conseillée pendant la période végétative et sous un fort éclairage, et les trois quarts quand les jours sont courts ou bien le ciel couvert.

Les orchidées cultivées sur support n'ont pas besoin de supplément d'azote; on peut les nourrir en pulvérisant sur les feuilles, tous les quinze jours et en période végétative seulement, un engrais liquide spécial. Il faut arroser auparavant les plantes si besoin est: l'engrais pourrait endommager des racines sèches. En aucun cas, ces pulvérisations ne doivent être effectuées sous l'action des rayons solaires.

Certains mélanges spéciaux pour pots conçus pour les orchidées, en particulier les Paphiopedilum, contiennent des fertilisants « retard » (qui sont libérés progressivement); *lisez bien les indications du fabricant avant d'ajouter d'autres éléments nutritifs.*

Pour fertiliser comme pour arroser, mieux vaut se montrer un peu chiche. Si vous mettez à une plante moins d'engrais qu'il est conseillé ou si vous oubliez de le faire une fois, rien de grave ne se produira. En revanche, si vous lui appliquez trop généreusement des fertilisants, vous risquez d'encourager l'apparition de nombreuses pousses tendres, vertes et faibles aux dépens des fleurs. Il n'y a pas non plus grand inconvénient à changer de type d'engrais de temps à autre. Quel que soit celui que vous employez, n'en abusez pas et rincez abondamment vos plantes à l'eau pure toutes les trois ou quatre semaines afin d'éviter l'accumulation des sels qui risqueraient d'endommager le fragile système radiculaire.

Dans de bonnes conditions de culture et avec une fertilisation judicieuse, vos orchidées n'auront généralement que peu d'ennuis; cependant, même dans une collection bien soignée, il arrivera que des plantes

DIAGNOSTIQUER LES MALADIES

RÉALISER UNE CAISSE A CLAIRE-VOIE

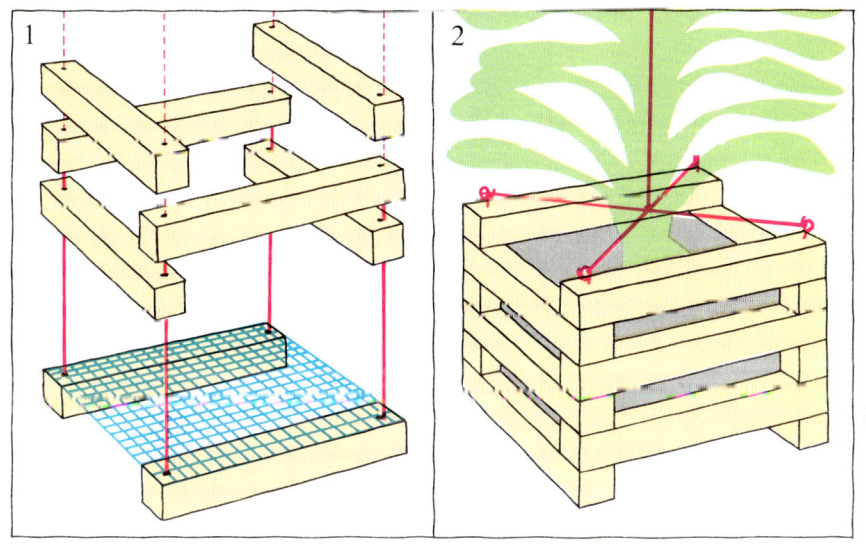

1. *Pour faire une caisse à claire-voie destinée à une orchidée épiphyte, utilisez des liteaux de bois de 2,5 cm de côté, percés à égale distance de leurs extrémités et disposés comme dans le croquis ci-contre. Pour le fond, agrafez aux liteaux du bas un morceau de filet de nylon ou de grillage fin. Assemblez les liteaux en les enfilant sur quatre ronds de fer galvanisés. Rabattez le bout des ronds sur les liteaux inférieurs et faites une boucle au-dessus des liteaux du haut.*

2. *Plantez l'orchidée un peu à côté du centre. Reliez les boucles avec deux fils de fer en diagonale et attachez à leur point de jonction un autre fil de fer de suspension.*

fleurissent peu ou pas du tout, ou donnent d'autres signes de maladies. Il y a trois grandes catégories de maladies ; commencez par regarder ce qui ne va pas dans son environnement. Le jaunissement de certaines feuilles peut par exemple faire partie du processus normal de vieillissement des plus vieilles parties de la plante. Sur de nouvelles pousses, il peut indiquer un excès de lumière ou une insuffisance d'azote, une température trop basse ou un excès d'arrosage avec, pour conséquence, une diminution des fonctions des racines. Vérifiez ces hypothèses en plaçant le « malade » à un endroit moins éclairé ou en le laissant sécher ; ces petites modifications peuvent suffire parfois à le remettre en bonne santé.

En second lieu, regardez si la plante n'est pas infestée par des parasites communs comme des acariens, des cochenilles à carapace et cochenilles de serres, des limaces ou des escargots. Une fois l'identification faite, utilisez les insecticides correspondants *(page 146)* en vous rappelant qu'il faut suivre scrupuleusement les indications du fabricant.

Si vous ne découvrez ni défaut dans l'environnement, ni infestation, recherchez les symptômes d'une maladie qui peut être microbienne, virale ou fongique. L'une des plus communes des maladies fongiques est la pourriture noire qui se développe lorsque de l'eau stagne dans les replis du sommet végétatif d'une plante ; des taches noires apparaissent sur les jeunes pousses et gagnent peu à peu le rhizome. La plupart des affections cryptogamiques peuvent être guéries par le séchage du feuillage, l'excision des tissus atteints et un traitement des tissus demeurés sains avec un fongicide.

ÉTAGÈRES DE GRILLAGE EN ESCALIER

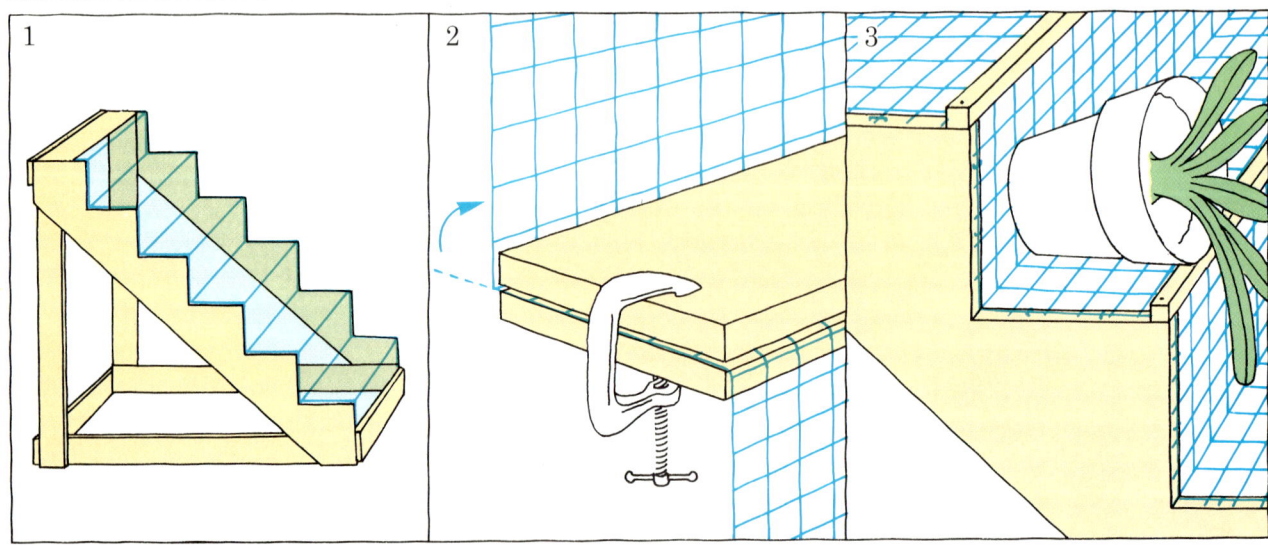

Pour faire des étagères en escalier, prenez sept planches de 2,5 × 10 × 90 cm. Assemblez-en quatre pour la base, faites les montants avec deux autres que vous relierez au sommet avec la septième. Des planches de 2,5 cm sur 30 feront les côtés.

Faites des marches avec un grillage de fil de fer plastifié de 1,80 m de long sur 0,90 m de large. Serrez-le entre deux planches de 2 × 15 × 90 cm et pliez-le afin de lui donner la forme souhaitée d'une marche d'escalier.

Agrafez les marches au cadre et clouez des baguettes de 3,5 cm de côté sur les bords ; elles maintiendront le grillage et les pots d'orchidées, comme les Phalaenopsis que l'on pose souvent sur le côté pour éviter la pourriture.

LES REDOUTABLES VIRUS

Les maladies virales posent un problème beaucoup plus grave et inquiètent à juste titre les orchidophiles. Certains virus signalent leur présence par l'arrêt de la croissance de la plante ou l'apparition de taches sur le feuillage. D'autres sont plus discrets et ne se manifestent par aucun symptôme particulier mais, lorsque la floraison tant attendue se produit, les fleurs sont parfois déformées ou couvertes de taches, à moins que leurs couleurs ne soient délavées. Il arrive que des plantes soient de simples vecteurs de virus sans en être autrement affectées elles-mêmes. Étant donné qu'il n'existe pas de remèdes contre les maladies virales, la meilleure défense est une hygiène rigoureuse. Ces affections se transmettent d'une plante infectée à une autre par la sève, aussi les spécialistes prennent-ils grand soin de stériliser leurs outils et les pots après chaque intervention sur un sujet donné, et se gardent-ils de toucher leurs plantes lorsqu'ils font une tournée d'inspection. Résistez à la tentation de toucher vos orchidées, ou de les tailler afin de maintenir leur port, pour la plupart des espèces, c'est parfaitement inutile et vous risquez, avec vos bonnes intentions, de transmettre un virus d'une plante à une autre. Quand il est nécessaire d'enlever des feuilles flétries ou des fleurs fanées, faites-le, mais stérilisez soigneusement les outils que vous avez utilisés et lavez-vous bien les mains avant de passer à la plante suivante.

Il vous sera sans doute difficile de ne pas oublier ces précautions indispensables pendant la période excitante de la floraison. Contentez-vous cependant de suivre l'exemple des spécialistes et de contempler sans y toucher les fruits de votre travail; le processus de la floraison est impressionnant, et vous aurez le souffle coupé à voir les bourgeons s'ouvrir peu à peu, prendre forme et couleur. Attendez qu'un beau spécimen soit en plein épanouissement et posez-le alors à une place d'honneur sur une table ou au-dessus d'une cheminée. Si ses fleurs sont parfaitement formées, elles ne souffriront nullement d'une réduction provisoire de la lumière.

Il peut vous arriver de vouloir couper quelques fleurs pour faire un bouquet ou pour offrir à un ami. Là aussi, attendez qu'elles aient atteint leur plein épanouissement, en général deux jours au moins après qu'elles se sont ouvertes. C'est alors qu'elles se parent de leurs plus éclatantes couleurs. Utilisez une lame de rasoir neuve ou stérilisée si elle vous a déjà servi pour une autre plante. Coupez aussi bas que possible sur la tige, et en biseau afin d'avoir un maximum de tissu vasculaire exposé pour une bonne absorption de l'eau. Mettez immédiatement cette tige dans un récipient d'eau tiède (veillez à ce que la fleur ne soit pas en contact avec l'eau), et placez-le en un endroit frais, peu éclairé ou dans un réfrigérateur dont la température ne doit pas être inférieure à 7°C.

Pour faire durer une orchidée destinée à orner une robe du soir, renforcez la tige avec du fil de fer de fleuriste et introduisez-la dans une petite fiole remplie d'eau destinée à cet usage (tube à orchidée), ou dans de la ouate enveloppée dans du plastique transparent. Entourez le tout de ruban à fleurs. Mise dans un endroit frais et humide, la fleur d'orchidée peut tenir deux semaines ou davantage et conserver tout son éclat.

Un spectacle permanent à l'intérieur

Les orchidées sont des plantes d'une résistance étonnante. Avec un peu de soins, de nombreuses espèces prospèrent en appartement, leurs fleurs compliquées et souvent odorantes se déploient gracieusement pour le plaisir de tous. Bien loin d'exiger que l'on transforme la pièce où elles se trouvent en une forêt tropicale humide et inhabitable, la plupart des orchidées préfèrent un environnement qui est très sain pour les êtres humains : un taux d'humidité de 40 p. 100 ou davantage, des températures nocturnes situées entre 13 et 15 °C, beaucoup de lumière et d'air frais, atmosphère que l'on peut créer facilement avec l'aide d'un humidificateur, de quelques lampes, d'un petit ventilateur et d'un thermostat réglé assez bas.

On fait généralement plus attention aux récipients qui contiennent des orchidées qu'aux pots de plantes vertes d'appartement ; s'ils sont choisis avec discernement, ils peuvent apporter une note décorative supplémentaire. Les orchidées épiphytes peuvent être présentées dans des caisses à claire-voie suspendues faites de teck ; vous pouvez aussi, pour leur donner un aspect plus naturel, les fixer à des branches d'arbre sciées ou à des morceaux de liège. Les espèces terrestres peuvent être plantées en plates-bandes comme celle du solarium de droite, ou dans des pots disposés comme au hasard sur un banc de bois. Vous n'avez que l'embarras du choix ; même une coquille d'escargot peut contenir une orchidée miniature.

Bien que les orchidées exigent des récipients pourvus de gros trous de drainage, cela ne signifie pas nécessairement que vos tapis et vos parquets risquent d'être inondés. Il vous suffit pour cela de placer sous les plantes un plateau étanche rempli de gravier qui recevra l'eau en excès et, par évaporation, redonnera aux orchidées le supplément d'humidité qui leur est nécessaire. Lorsqu'il y a beaucoup de plantes, elles sont généralement dans une véranda ou une serre attenante dont le sol peut être recouvert de briques ou de carreaux ne craignant pas l'eau — vous pouvez d'ailleurs évacuer cette eau par un écoulement dissimulé.

Les orchidées récompensent leurs propriétaires attentionnés par une floraison spectaculaire qui surpasse celle de la plupart des autres plantes d'appartement : le Paphiopedilum, par exemple, conserve ses fleurs pendant quatre à six semaines. Et, en ayant des espèces qui fleurissent à des saisons différentes, on peut d'un bout de l'année à l'autre profiter de leur merveilleuse beauté.

Les fenêtres de ce solarium s'ouvrent automatiquement quand il fait trop chaud pour les orchidées. Dans la plate-bande, on voit un Cattleya, un Cymbidium et plusieurs Phalaenopsis.

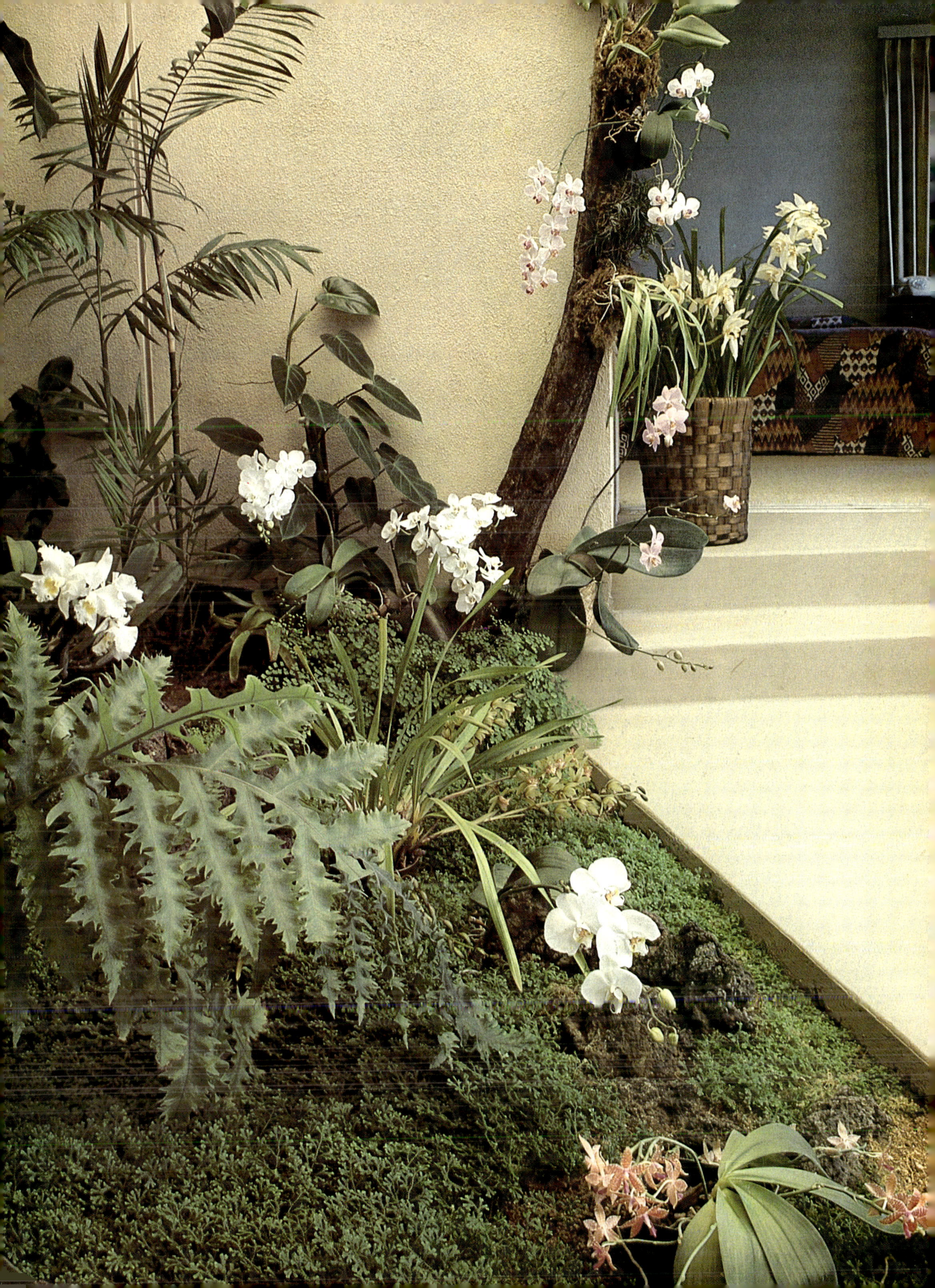

Exposition sur fenêtre ensoleillée

Une fenêtre ensoleillée fournit un emplacement idéal pour de nombreuses orchidées, et même les Cattleya qui exigent beaucoup de lumière peuvent fleurir si on les met près des vitres d'une fenêtre exposée au sud. Un rideau de tulle ou une jalousie protégeront éventuellement les plantes durant l'été lorsque le soleil frappe très fort. Quand la température est douce, vous pouvez ouvrir la fenêtre pour leur donner un peu d'air frais.

Des panneaux vitrés ferment cette véranda remplie d'orchidées. Un humidificateur dissimulé dans un coin contrôle l'humidité ambiante.

Cette fenêtre a été agrandie pour contenir plus d'orchidées ; des plateaux pleins de gravier mouillé élèvent le taux d'humidité.

65

Une porte-fenêtre ouvre une salle à manger sur une pièce à orchidées fermée par du treillage. Un tube humidificateur est fixé en haut.

Des pièces au charme exotique

Quand elle est reliée à une maison, une serre à orchidées peut être plus qu'un simple laboratoire à plantes. Construite à l'extérieur d'une baie ou d'une grande fenêtre, elle accroît singulièrement les dimensions d'une pièce et offre un spectacle qui mérite qu'on s'y attarde. Les espèces qui exigent des températures de 13 à 15°C la nuit et de 18 à 24°C le jour conviennent plus particulièrement à cette culture en serre.

Une serre de 3 m de large installée contre une fenêtre cache la maison voisine. Les trois mille orchidées qu'elle contient, que l'on voit ici de l'intérieur, ne reçoivent la lumière que par le toit fait de larges panneaux de verre plein.

Des orchidées épiphytes installées sur des branches d'arbres recréent l'atmosphère d'une forêt tropicale dense dans cette serre qui donne

sur une chambre à coucher. Un hygromètre au-dessus de la porte indique le pourcentage d'humidité qui règne autour des plantes.

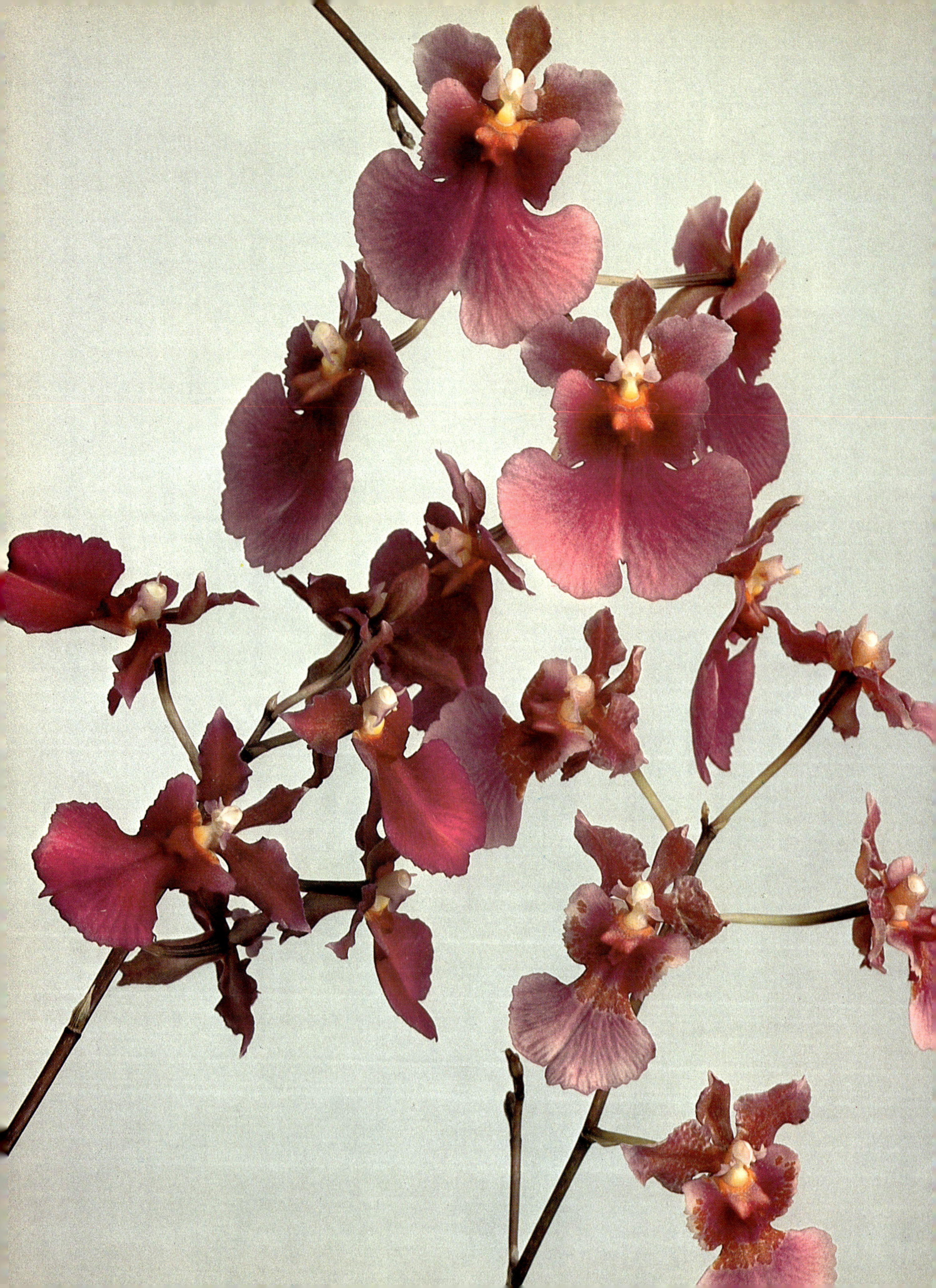

Pour avoir une belle collection 4

Les orchidophiles passionnés ont le désir constant, parfois impérieux, d'acquérir de nouvelles plantes. L'un d'eux confesse qu'il s'agit d'un véritable fanatisme. « Je me suis arrêté de fumer, dit-il, afin d'économiser de l'argent pour mes orchidées, et je me contentais d'un sandwich à midi pour la même raison. Je me suis même mis au régime et, quand j'avais réussi à perdre deux kilos, je m'offrais une plante. » Il avoue même avoir parfois puisé dans l'argent du ménage quand il trouvait une orchidée à laquelle il ne pouvait résister.

Il est possible que vous n'en arriviez jamais là, mais il y a de fortes chances pour que, si vous cultivez quelques orchidées, vous en vouliez davantage. Heureusement, il existe plusieurs manières d'augmenter une collection sans se mettre à la diète. Vous pouvez par exemple procéder à des échanges avec d'autres amateurs, vous spécialiser dans un type de plantes et obtenir des spécimens peu courants en échange d'espèces communes que vous avez en abondance. L'expérience aidant, vous achèterez moins de plantes adultes au profit des plus petites, qui sont moins chères, et en créerez de nouvelles à partir de celles que vous possédez. Finalement, vous en viendrez sans doute à prendre les choses au début et à découvrir la joie de réaliser vous-même la pollinisation de vos spécimens, ce qui vous permettra de reconstituer le cycle normal de croissance des orchidées, et de les multiplier à partir de graines.

Il est impossible de connaître tous les membres actuels de l'immense famille des orchidées, et encore moins tous les nouveaux hybrides ; aussi, la plupart des amateurs se spécialisent-ils. Certains ne cultivent que des Cymbidium, des Paphiopedilum ou des Oncidium, simplement parce qu'ils les trouvent remarquables. D'autres bâtissent leur collection sur un certain thème, par exemple les espèces célèbres à l'origine de l'histoire des orchidées, ou celles qu'appréciait particulièrement Nero Wolfe. D'autres encore préfèrent avoir des espèces différentes dont les fleurs offrent toutes les nuances d'une même couleur. L'un de ceux-ci a entrepris ainsi une collection de fleurs pourpres et possède aujourd'hui plus de soixante-quinze plantes dont les fleurs vont du violet le plus pâle à un pourpre si foncé qu'il en est presque noir — pas tout à fait, hélas, ce qui l'empêche de réaliser le rêve de tout orchidophile.

Bien qu'ils soient tous issus des graines d'une même capsule, ces trois hybrides apparentés à un Oncidium possèdent des caractères différents. Les fleurs de celui du haut ont des pétales plus grands et plus beaux.

Certains amateurs passionnés abandonnent progressivement les modernes hybrides à grandes fleurs somptueuses pour des types moins courants d'orchidées types dits botaniques, comprenant des plantes minuscules, qui se contentent fort bien de l'espace très limité que leur offrent les terrariums ou les jardins miniatures sous lumière artificielle, et d'autres espèces si petites qu'il faut les regarder à la loupe.

MULTIPLICATION VÉGÉTATIVE Pour accroître leur collection d'orchidées, la plupart des amateurs ne se contentent pas d'acheter de nouvelles plantes, mais reproduisent celles qu'ils possèdent par multiplication végétative, procédé facile et fort peu onéreux. Il permet de conserver aux plantes adultes des dimensions pratiques, et fournit de nouveaux spécimens que l'on pourra au besoin échanger contre d'autres — ce qui ne présente pas de difficultés car nombreux sont les amateurs heureux de se procurer des espèces qu'ils n'ont pas — ou tout simplement offrir à des amis.

Certains collectionneurs pourraient organiser des ventes au cours desquelles ils se débarrasseraient de leurs espèces en double à des prix avantageux. D'autres encore pourraient s'associer pour cultiver en commun un spécimen rare, l'un d'eux s'occupant de la plante jusqu'à ce qu'elle soit assez grande pour être divisée et l'autre ayant alors le droit de prendre la division ou la plante mère selon les conventions. Pour faciliter les rapports entre les orchidophiles, il est souhaitable d'appartenir à la Société française d'orchidophilie, dont le bulletin permet de maintenir le contact avec les différents membres.

DIVISION DES PSEUDO-BULBES La multiplication par division est la plus simple des méthodes de propagation, et l'une de celles qui permettent d'obtenir rapidement des plantes capables de fleurir. Mais l'orchidée doit être bien établie avant d'être soumise à cette opération ; les fleurs sympodiales doivent avoir au moins six beaux pseudo-bulbes afin que chaque division en compte trois. (Chaque pseudo-bulbe peut donner une plante, mais celle-ci risque de ne pas fleurir avant plusieurs années si elle n'en compte qu'un seul.)

Le meilleur moment pour diviser une orchidée est la période normale de rempotage, après la floraison et la période de repos, alors que la reprise de la végétation va avoir lieu. Si de nouvelles racines sortent juste à la base du premier pseudo-bulbe, il est assez facile de ne pas les endommager lors de la division. Mais, si elles sont déjà relativement longues, attendez qu'elles aient de 10 à 12 centimètres, afin qu'elles soient capables de produire des pousses latérales si vous les brisez. Arrosez abondamment la plante un jour avant de procéder au dépotage, pour que celui-ci soit plus facile ; sortez-la du pot avec une longue spatule ou un tournevis faisant office de levier. Si elle ne vient pas, passez une lame de couteau sur le pourtour du pot. Nettoyez les racines puis choisissez l'endroit où vous devez couper le rhizome, de manière à laisser trois ou quatre pseudo-bulbes sur chaque division. Pour éviter la propagation d'éventuels virus, stérilisez les lames du sécateur avant de couper le rhizome. Séparez les morceaux en dégageant avec précaution les racines emmêlées. Coupez les parties mortes et raccourcissez les racines trop longues, mais veillez à ne pas abîmer les jeunes qui ne peuvent pas encore se ramifier. Épandez du fongicide sur les surfaces de coupe. Rempotez alors la division où se trouvent les plus jeunes pseudo-bulbes, tuteurez-les et munissez-les d'une étiquette. La floraison intervient normalement lors du nouveau cycle végétatif.

Les pseudo-bulbes plus anciens de la première partie du rhizome peuvent donner de nouvelles pousses à partir de leurs bourgeons dormants. Mais ils sont moins vigoureux que les jeunes que vous avez rempotés, et la floraison peut ne se produire qu'au bout de deux ans. Ils n'ont en outre que peu de racines, et il faut leur en faire venir de nouvelles avant de les rempoter. Placez pour cela la division dans du sable humide et du sphagnum, à l'abri du soleil, et humidifiez-la au pulvérisateur une ou deux fois par jour. De nouvelles racines se

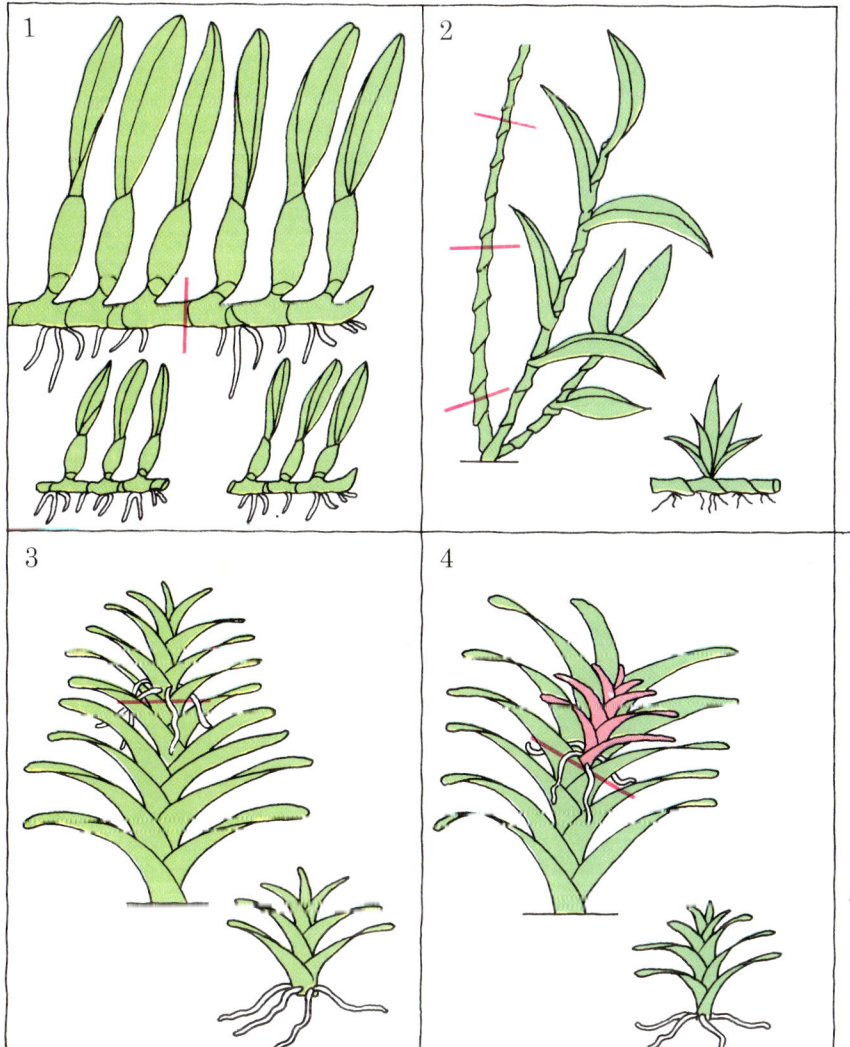

MÉTHODES DE PROPAGATION

1. *Toute orchidée produisant une série de pseudo-bulbes peut être propagée par division. Au début de la saison végétative, coupez le rhizome en segments d'au moins trois pseudo-bulbes chacun. Mettez du fongicide sur les sections. Démêlez les racines et rempotez les segments.*

2. *Une orchidée ayant de longs pseudo-bulbes effilés peut être propagée par bouture. Après la floraison, coupez une vieille tige en segments ayant plusieurs bourgeons. Placez les boutures sur du sphagnum, maintenez à l'ombre puis rempotez.*

3. *Les orchidées à racines aériennes peuvent être propagées par mise en pot du sommet de la plante. Pour faire apparaître les racines aériennes, entaillez la tige à moitié avec un couteau propre sous trois ou quatre feuilles. Saupoudrez l'entaille d'une poudre hormonale. Quand les racines ont de 2 à 5 cm, coupez le sommet et plantez-le. La plante mère continuera sa croissance.*

4. *On peut multiplier certaines orchidées en plantant les plantules qui se forment sur les hampes ou aux articulations des tiges. Coupez la plantule en préservant ses racines et mettez-la en pot.*

formeront et un bourgeon dormant doit normalement commencer à gonfler. C'est le moment de rempoter — sans oublier de tuteurer.

BOUTURES D'EXTRÉMITÉS

Certaines orchidées peuvent être propagées par prélèvement de boutures au sommet des plantes adultes. Les espèces monopodiales à tige verticale, comme les Vanda, et les espèces sympodiales à port élevé, comme certains Epidendrum, atteignent souvent une telle taille qu'il est bon d'en couper un segment — ne serait-ce que pour les empêcher de devenir trop encombrantes. Ces plantes produisent souvent des racines aériennes sur leurs tiges. Lorsque c'est le cas, coupez la tige immédiatement au-dessous de ces racines, en laissant suffisamment de feuilles au-dessus et au-dessous de la section. Plantez ensuite le segment coupé dans de l'écorce finement broyée ou mélangée à de la tourbe et du sable. Mouillez les racines aériennes, ce qui les rendra plus souples et vous permettra de les replier dans les pots avec moins de risques de les briser.

Si ces racines aériennes n'apparaissent pas, vous pouvez encourager leur pousse en faisant une légère incision en biseau sur la tige, juste sous une feuille, et en la saupoudrant d'hormone à enraciner. Quand les racines apparaissent, coupez la tige au-dessous et plantez la partie sectionnée. Laissez la partie inférieure dans son pot, à moins que le moment de la rempoter ne soit venu ; elle produira de nouvelles pousses et fleurira à nouveau en temps et en heure.

PROPAGATION PAR PLANTULES

Les Epidendrum, les Dendrobium, les Vanda et certains Phalaenopsis sont encore plus complaisants et produisent souvent de petites plantules qui jaillissent aux articulations de la tige et sont bientôt pourvues de leur propres racines aériennes. Quand celles-ci atteignent environ 2 centimètres de long, vous pouvez prélever une plantule — une torsion énergique est en général suffisante — et la planter dans un petit pot rempli d'écorce de sapin humide. Saisissez-la par la couronne et disposez l'écorce autour d'elle en tassant avec délicatesse pour éviter de briser les racines fragiles. Tenez les plantules à l'abri de la trop grande lumière et vaporisez de l'eau dessus tous les jours, ou placez-les, avec le pot, sous un châssis de multiplication ou dans des sacs de plastique pour leur conserver l'humidité. Pulvérisez à l'occasion une solution fertilisante faible, diluée à 75 p.100 : cela accélérera la croissance. Mais n'exagérez pas. Quand les plantules seront bien établies, soignez-les comme des plantes adultes, mais n'espérez pas pour autant les voir fleurir avant plusieurs années.

On peut également provoquer l'apparition de plantules sur les vieux pseudo-bulbes des Dendrobium à feuillage caduque après la disparition de celui-ci, et sur les vieilles inflorescences des orchidées du type de celles des Phalaenopsis après la fanaison des fleurs. Coupez le pseudo-bulbe ou l'inflorescence en morceaux d'environ 5 centimètres de long et pourvus d'au moins un bourgeon renflé. Posez ces morceaux à plat dans un récipient sur un lit de sphagnum humide et de sable ; mettez le récipient à l'abri du soleil et pulvérisez quotidiennement de l'eau. Au bout de deux mois environ, quand les bourgeons ont donné des plantules pourvues de racines d'environ 2,5 centimètres de long, coupez-les et plantez-les dans de petits pots.

Même si vous propagez personnellement vos plantes, ne négligez pas les autres manières peu onéreuses d'augmenter votre collection. Les orchidéistes offrent à l'occasion des divisions de bulbes anciens de beaux hybrides ou de grandes plantes qui ont été utilisées pour fournir des fleurs coupées, ou encore des lots intéressants de surplus.

Une des méthodes les plus économiques d'accroître une collection est d'acheter de jeunes plantes bien établies mais qui sont encore loin d'avoir atteint l'âge de la floraison. On les vend en général en pots de 5 centimètres de diamètre qu'il faut maintenir à une température d'au moins 16 °C. Plus une orchidée est près du moment où elle va fleurir, plus elle est chère. Si vous êtes disposé à attendre, achetez donc une plante jeune dont le prix est intéressant. Aux États-Unis, sur certains catalogues, l'âge approximatif des plantes est indiqué par la longueur des feuilles, sur d'autres par la dimension des pots (par leur diamètre en centimètres au rebord). Bien que certaines espèces d'orchidées aient une pousse plus rapide que d'autres, on peut évaluer assez correctement le temps que mettra une plante à parvenir à maturité d'après les normes établies pour les Cattleya très appréciés des amateurs. Un jeune Cattleya vendu dans un pot de 5 centimètres doit fleurir en principe au bout de quatre ans, au bout de trois ans seulement si le pot a 6 centimètres de diamètre ; un pot de 7 à 8 centimètres indique que la floraison aura lieu deux ans plus tard ; un de 10 centimètres qu'elle se produira dans un an et demi ; un pot de 12 à 13 centimètres atteste que la plante doit fleurir au bout d'une période de six mois à un an et, si enfin le pot a 15 centimètres, c'est que l'orchidée qu'il contient est sur le point de fleurir.

La qualité d'une orchidée aussi a une influence sur son prix. Un rejeton d'hybride couronné par un jury et sur le point de fleurir vaudra bien évidemment beaucoup plus cher qu'une plante dont il faudra attendre deux ans la floraison.

Il existe de nombreuses orchidées superbes à des prix très raisonnables si vous les acquérez quand elles sont encore petites. Le plus sûr est d'acheter des hybrides de bonne souche dont un fort pourcentage fera honneur au nom de la famille. Il existe d'autres semis, provenant en général de nouveaux croisements, qui n'ont pas de nom qui leur soit propre et sont désignés par ceux de leurs parents, celui de la plante mère venant en premier avec un « x » indiquant qu'il s'agit d'un croisement — par exemple *Blc.* Jane Helton « Paul McKinley » x *Blc.* Lester MacDonald « Kelly » AM/AOS. L'horticulteur américain ne peut parfois que se livrer à une estimation de ce que seront les fleurs du nouveau produit. Par exemple, le croisement ci-dessus avait été réalisé « dans l'espoir d'obtenir quelques beaux Cattleya verts ». Mais, précisait l'horticulteur, certains rejetons « seront jaunes avec un labelle rose ». Vous prenez donc un risque en achetant ce semis. Il peut évidemment remporter un prix un jour, mais c'est peu probable. Néanmoins, les plants anonymes acquis

VIEUX BULBES, PLANTES NOUVELLES

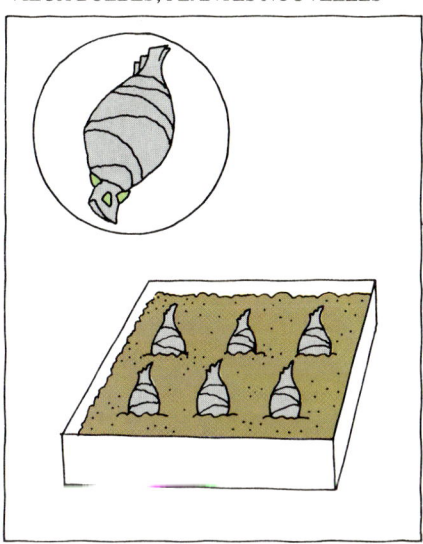

Pour propager des Cymbidium à partir de vieux pseudo-bulbes au repos — les plus éloignés du sommet végétatif de la plante —, détachez ceux-ci avec un couteau stérilisé. Pour produire une nouvelle pousse, chaque bulbe doit avoir au moins un bourgeon (vert sur l'encadré). Plantez plusieurs de ces pseudo-bulbes dans un germoir rempli de sphagnum humide et de sable. Lorsque de nouvelles racines apparaissent, retirez les pseudo-bulbes et plantez-les dans des pots individuels.

CHOIX DES JEUNES PLANTES

chez des horticulteurs réputés peuvent se révéler d'excellentes affaires et produire des fleurs d'autant plus appréciées qu'il vous aura fallu attendre leur épanouissement pour connaître leurs formes et leurs couleurs.

En commençant plus près du début du cycle, vous pouvez acheter de jeunes plants cultivés en terrines. Il vous faudra les mettre en pots individuels, les soigner et les transplanter au fur et à mesure de leur croissance, mais ils vous récompenseront eux aussi par leurs fleurs le moment venu. On trouve aussi parfois, encore à meilleur compte, de minuscules semis vendus par trente, cinquante et même davantage dans des récipients en verre. Généralement limités aux hybrides les plus courants et destinés aux orchidéistes qui ont besoin de grandes quantités de plantes à cultiver pour la revente, ces semis, lorsqu'on peut se les procurer, constituent une bonne affaire pour tout amateur réussissant bien ses cultures et voulant de nombreux spécimens d'une seule espèce.

SEMIS EN FLACONS Un excellent moyen d'agrandir une collection d'orchidées est d'acheter un flacon de semis cultivés dans de l'agar-agar. Les horticulteurs estiment qu'il s'agit là de la méthode la plus efficace et la plus économique, mais elle ne doit être utilisée que par des amateurs très expérimentés ; en effet, les jeunes semis demandent beaucoup de soins et il peut falloir attendre longtemps — de quatre à sept ans — avant que les plantes ne fleurissent. Mais cela même peut parfois constituer un agrément. Un passionné d'orchidées avait ainsi acheté à l'occasion de la naissance de sa fille un flacon de trente-cinq plants dont il distribua une partie par la suite à ses amis quand les semis eurent grandi. Quelques années plus tard, il invita lesdits amis à venir fêter l'anniversaire de sa fille — avec leurs plantes — et eut la satisfaction de découvrir que « certaines fleurs étaient aussi belles qu'elle ».

(suite page 80)

Le Miller's Daughter

Bien que le premier hybride d'orchidée dont la pollinisation ait été réalisée de main d'homme ait fleuri en 1856 dans une serre d'Angleterre, les problèmes de germination des graines freinèrent de façon considérable les croisements jusqu'à la fin du XIXe siècle et, en 1890, deux cents hybrides seulement avaient été enregistrés.

Avec les techniques modernes de germination, ce nombre fut porté à plus de trente-cinq mille vers la fin des années soixante-dix, des centaines de nouvelles hybridations fascinantes étant réalisées chaque année par des amateurs aussi bien que par des professionnels ; cela a permis de très intéressantes études de génétique, les arbres généalogiques des nouvelles plantes ayant été établis avec la plus grande précision.

Les pages suivantes retracent l'histoire du Miller's Daughter, hybride de Paphiopedilum *créé en 1971 et couronné, dont les origines remontent aux années 1880. Ses fleurs portent certains traits de ses aïeux (ci-contre) — les mouchetures rouge pâle de* P. niveum *(en haut à droite) par exemple, et la forme ronde de* P. bellatulum *(en haut à gauche).*

Ces six espèces de Paphiopedilum *ont été croisées et ont produit quelques-uns des trente-huit hybrides ancêtres du Miller's Daughter.*

Ancêtres

P. BELLATULUM

P. NIVEUM

P. VILLOSUM

P. DRURYI

P. SPICERIANUM

P. INSIGNE

Grands-parents

P. BRADFORD « WESTGATE »

P. CHILTON AM/RHS

P. F. C. PUDDLE FCC/RHS

P. CHARDMOORE 'MRS. COWBURN' FCC/RHS

Parents

P. CHANTAL « ALOHA »

P. DUSTY MILLER « MARY » AM/RHS

Le Miller's Daughter descend d'une longue lignée d'orchidées collectionnant les prix, dont le Dusty Miller ci-dessus aux formes parfaites. La plus célèbre d'entre elles est peut-être F. C. Puddle, connue pour sa propension à donner des rejetons blancs.

Rejetons

P. MILLER'S DAUGHTER « CARMEN » AM/RHS

Avec ses pétales d'un blanc satiné, sa forme ronde, sa forte tige et son labelle en œuf, cette orchidée est le couronnement de quelque quatre-vingt-dix ans de croisements. Mais le Miller's Daughter est utilisé lui-même pour d'autres hybridations.

Si vous achetez de ces semis en flacon, veillez à ce qu'ils soient en bon état, mais ne vous inquiétez pas si certains se sont déplantés. Si vous avez du mal à extraire les autres du flacon, versez-y de l'eau tiède et videz ensuite le tout : les semis doivent sortir avec l'eau mais, si certains restent collés dans le flacon ou sont trop gros pour passer par l'orifice, enveloppez le récipient dans plusieurs couches de journaux et brisez-le. Rincez les semis à l'eau tiède et démêlez leurs racines avec précaution, puis plongez-les dans un bain fongicide-bactéricide doux qui les protégera d'une maladie fongique qui risquerait de les affecter très vite. Préparez une terrine à semis en la choisissant large et peu profonde. Emplissez-la d'un matériau de drainage surmonté d'une couche d'écorce finement broyée, ou encore avec un mélange à semis composé par exemple de trois quarts d'écorce et d'un quart de sable ; ou bien d'un mélange en parts égales d'écorce, de sable et de tourbe passée au tamis fin. Stérilisez le mélange et le récipient en les plaçant une heure dans un four à 150°C. Imbibez le mélange, refroidi, avec une solution fongicide.

Pour repiquer les jeunes plantes, faites de petits trous dans le compost à 2,5 centimètres d'intervalle, avec un mini-plantoir ou un quelconque objet effilé, soigneusement stérilisé. Posez les racines des plantules dans les trous ainsi pratiqués et tassez légèrement le mélange autour. Placez la terrine dans un endroit à l'ombre et veillez à ce que la température ambiante ne descende pas au-dessous de 16°C.

Humectez quotidiennement les repiquages en vaporisant de l'eau pour maintenir un taux élevé d'humidité, ou couvrez-les d'une feuille de plastique transparent tendue sur des piquets. Mettez une ou deux fois par semaine une solution faible d'un tiers de cuillerée à café de fertilisant pour environ quatre litres d'eau. Au bout de quelques semaines, placez les terrines sous une forte lumière indirecte ou sous des tubes fluorescents pendant 14 à 16 heures par jour. En l'espace de huit mois à un an, ils seront assez grands et vous pourrez les transplanter dans de petits pots.

CRÉATION D'UNE NOUVELLE ORCHIDÉE

Le fait d'avoir obtenu des orchidées à partir de semis peut vous donner la confiance nécessaire pour commencer leur reproduction tout à fait au début du cycle. Seuls quelques amateurs très avertis se lancent dans la méthode de multiplication végétative par fragments de méristème ; elle consiste à prélever, en opérant au microscope, de minuscules morceaux de tissu au sommet des jeunes pousses, à les mélanger dans des éprouvettes montées sur des agitateurs rotatifs, puis à les redisséquer par la suite en milieu stérile après croissance ; ce procédé exige non seulement un équipement complexe, mais encore de la patience et de la dextérité. La reproduction à partir de graines est heureusement plus simple et plus accessible.

La première opération dans la propagation par graines, la pollinisation, est également la plus facile. Ce qui, dans la nature, exige une collaboration très au point entre l'insecte et la fleur se réalise très aisément de main d'homme. Il est conseillé de commencer par un Cattleya dont les grandes fleurs ont des organes reproductifs très visibles.

Attendez qu'une fleur soit bien ouverte puis, à l'aide de brucelles stérilisées ou d'un bambou épointé, tapotez une anthère au sommet de la colonne au-dessus d'une feuille de papier sur laquelle vous recueillerez les touffes de pollen appelées pollinies. Si toute l'anthère tombe sur le papier, il vous faudra libérer les pollinies de leurs petites gaines. Il ne vous reste plus alors qu'à les placer sur le stigmate de la même fleur ou sur celui d'une autre plante compatible. Pour rendre l'opération plus aisée, touchez avec le bout des brucelles ou du bambou le revêtement poisseux du stigmate, puis posez-le sur l'une des pollinies. Introduisez celles-ci dans la cavité du stigmate remplie de liquide, une de chaque côté, et la pollinisation est assurée.

MOMENT DE LA CUEILLETTE

Au bout de un jour ou deux, la fleur ainsi fécondée va se faner. Quand cela s'est produit, coupez les sépales et les pétales flétris pour réduire autant que possible les risques d'infection, mais sans toucher à la colonne. Au bout de une semaine ou deux, en regardant attentivement, vous verrez le sommet de la colonne commencer à gonfler et l'ovaire situé à la base devenir plus gros. Cela est dû au fait que les grains de pollen ont lancé vers les ovules des tubes capillaires qui leur apportent le noyau spermatique. La fécondation intervient dans les deux ou trois mois ; au bout de six mois, la capsule de graines aura atteint la taille d'un petit citron. Au neuvième mois à peu près, elle commencera à jaunir et à se fissurer. Avant que les graines puissent s'en échapper, coupez la capsule et placez-la dans un bocal de verre non fermé jusqu'à ce qu'elle

DU FLACON AU GERMOIR

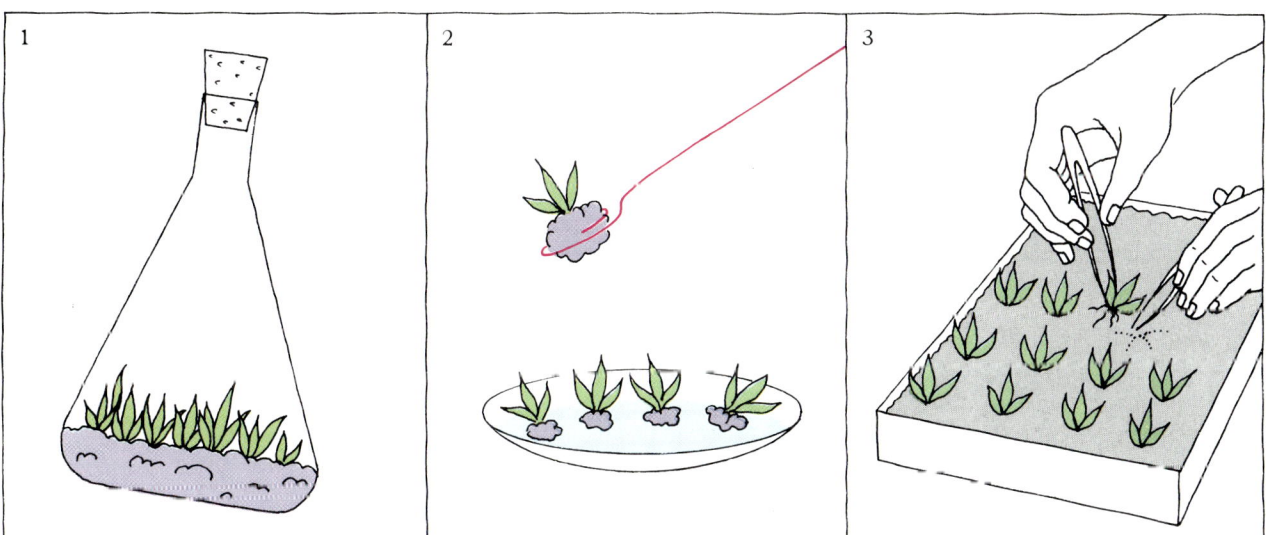

1

On peut parfois acheter des semis d'orchidées plantés en flacons remplis d'agar-agar. Pour les transplanter, versez un peu d'eau tiède dans le flacon afin de séparer les racines de l'agar-agar sans endommager les plants fragiles.

2

Versez les semis du flacon dans un récipient peu profond plein d'eau en les tirant avec un fil de fer courbé si besoin est. Lavez-les bien pour enlever tout l'agar-agar des racines ; rincez avec une solution de fongicide.

3

Classez les semis par tailles. Plantez chaque groupe dans un germoir distinct rempli de fine écorce où vous aurez fait de petits trous à 1 cm d'intervalle. Tassez légèrement autour des racines. Mettez en pots individuels au bout d'un an.

soit complètement ouverte. Secouez-la alors au-dessus d'une feuille de papier pour faire tomber les graines, repliez le papier en forme d'enveloppe et inscrivez dessus le nom de l'hybride et la date de la collecte des graines. Mettez le tout dans un bocal propre, hermétiquement fermé, dans lequel vous aurez préalablement jeté deux cuillerées à soupe de chlorure de calcium pour absorber l'humidité, puis placez le tout dans un réfrigérateur.

L'étape suivante, la germination de la graine, est difficile à réaliser par un amateur moyen, mais vous pouvez envoyer vos graines à des orchidophiles avertis qui, après examen pour juger de leur viabilité, les cultiveront en flacons stériles sur de l'agar-agar et vous renverront, six mois ou un an plus tard, des semis en pleine santé prêts à être transplantés. Si vous ne vous en sentez pas capable et préférez attendre au besoin un an de plus, ces mêmes orchidophiles effectueront eux-mêmes la transplantation.

LE RÊVE ÉTERNEL Outre le plaisir qu'apporte la propagation par ses graines d'une orchidée, cette méthode permet d'espérer parvenir un beau jour, par des croisements judicieux, à créer une nouvelle variété sensationnelle. Mais ne vous emballez pas, vous n'avez que peu de chances d'y aboutir. L'hybridation est une science complexe et il existe déjà des milliers d'orchidées hybrides.

Néanmoins, il est toujours possible aux orchidophiles d'exalter la beauté d'une fleur ou son parfum, d'accroître son originalité, d'obtenir des floraisons plus abondantes ou plus longues, ou encore plus fréquentes. Les combinaisons possibles sont à peu près infinies ; et il y a toujours une chance pour qu'un nouveau croisement donne un produit inattendu. En outre, comme cela s'est produit souvent par le passé, il est

ESSAI DE CRÉATION D'UN HYBRIDE

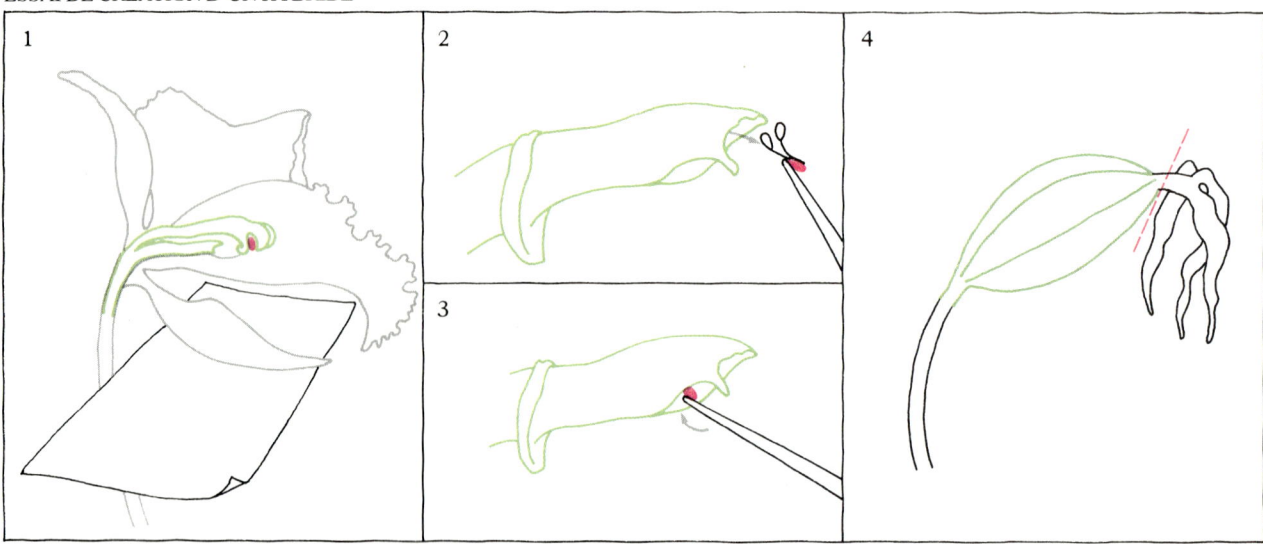

Dans le croisement de deux orchidées, vous devez prendre la plus petite fleur comme réceptacle du pollen de la plus grande. Opérez après plusieurs jours de floraison. Recueillez soigneusement les pollinies sur une feuille de papier.

Avec un mince bambou, enlevez l'anthère du sommet de la colonne de la petite fleur. Soulevez le dessus de l'anthère du donneur et enlevez les pollinies avec un autre bambou (2). Appuyez-les sur le stigmate de la petite fleur (3).

Quand la fleur fécondée se fane, enlevez sépales et pétales. L'ovaire grossit et arrive à maturité en neuf à douze mois. Récoltez les capsules de graines encore vertes ou jaunes ; les graines seront libérées après par la dessication.

très possible que cette nouvelle création soit le fait non d'un professionnel mais d'un amateur doué d'autant d'imagination que de tenacité.

Toutefois, il est sage de tenir compte des expériences précédentes. Il peut être tentant de prendre deux plantes que l'on aime et de placer le pollen de l'une sur le stigmate de l'autre, simplement pour voir ce qui va arriver. Mais n'espérez pas l'impossible. En premier lieu, seules les orchidées ayant des similitudes génétiques peuvent être croisées entre elles avec des chances de succès ; par exemple, on peut hybrider un Cattleya avec un Laelia, mais pas avec un Paphiopedilum. Par ailleurs, même si le croisement réussit, vous pouvez très bien découvrir après plusieurs années d'attente impatiente que vous n'avez abouti qu'à produire une fleur insignifiante. Deux belles plantes robustes ne donnent pas obligatoirement une belle descendance, et l'association de leurs gènes peut fort bien créer au contraire un sujet aux caractères indésirables. C'est particulièrement vrai en ce qui concerne les croisements d'hybrides, dont les descendants peuvent être affligés de diverses tares.

Pour réaliser une bonne hybridation, il est important que la qualité des parents ait été prouvée par de nombreux croisements. John Dominy avait réalisé la première pollinisation croisée en 1856 ; il fallut attendre vingt ans pour qu'un autre hybride fût créé — par quelqu'un d'autre. Vers 1890, deux cents croisements seulement avaient réussi.

Vers 1895, le nombre d'hybrides s'accrut si rapidement que des horticulteurs britanniques Frederick Sander & Fils en dressèrent un registre. Ce travail remarquable fut poursuivi par la famille Sander jusqu'en 1961, date à laquelle la Société royale d'horticulture britannique prit le relais. Elle a, depuis, enregistré tous les nouveaux hybrides et publie des bulletins périodiques pour tenir le registre à jour.

En consultant la *Liste des hybrides d'orchidées des Sander* — que l'on peut se procurer dans des librairies spécialisées ou auprès des associations d'amateurs d'orchidées —, il est possible de trouver les ancêtres d'un hybride connu jusqu'aux origines, ou de voir quels croisements ont déjà été effectués sur un hybride donné. Certaines plantes sont meilleures génitrices que d'autres et transmettent mieux leurs caractères à leurs descendants. *Phalaenopsis* Cast Iron Monarch ou *Paphiopedilum* F.C. Puddle, par exemple, sont bien connues et particulièrement appréciées de tous les horticulteurs spécialisés.

LA BONNE GÉNÉALOGIE

Des parents ayant fait leurs preuves accroissent considérablement les chances d'obtenir une nouvelle orchidée remarquable — et l'on sait évidemment aussitôt si tout croisement envisagé a été ou non réalisé auparavant. Mais il reste encore à ce jour à créer certains hybrides que l'on a jusqu'à maintenant en vain tenté d'obtenir ; par exemple, un Cattleya parfaitement rouge, ou un Paphiopedilum d'un blanc pur. Et les incurables romantiques chercheront sans doute encore longtemps les croisements qui permettraient de faire naître la merveilleuse et insaisissable orchidée noire qui n'existe encore que dans le monde imaginaire de l'écrivain Nero Wolfe.

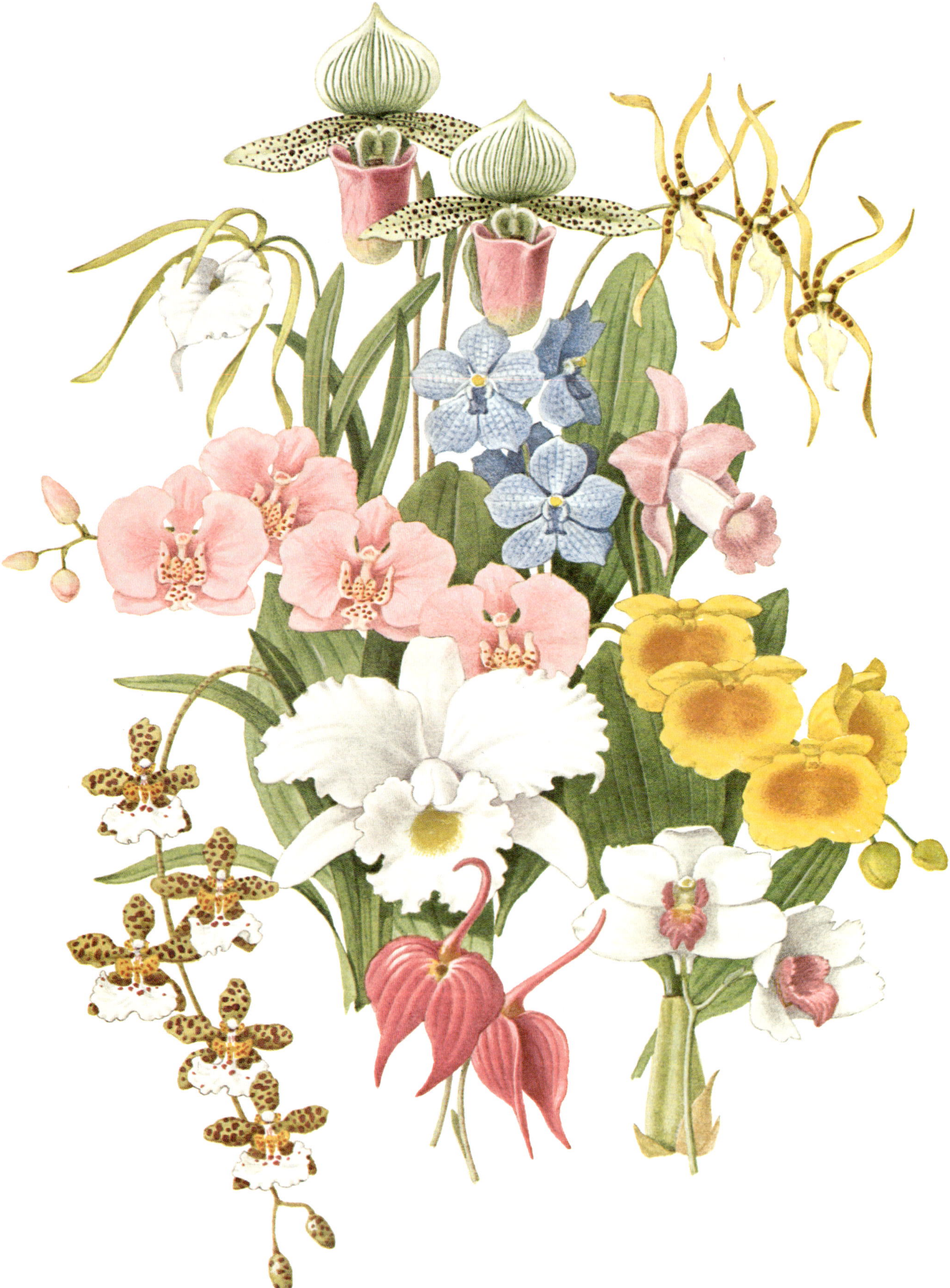

Encyclopédie illustrée des orchidées 5

Bien qu'exotiques, de très nombreuses orchidées prospèrent et fleurissent en appartement. Dans cette encyclopédie figurent des espèces originaires des forêts tropicales et exigeant une atmosphère chaude et humide, et d'autres venant de régions montagneuses qui demandent un milieu frais et humide. Cependant, la grande majorité des orchidées s'adaptent aux températures et à l'humidité moyennes qu'on peut leur assurer dans un intérieur. Afin de vous permettre d'identifier les espèces en fonction de leurs besoins, les températures, l'éclairement et l'humidité souhaitables sont indiqués pour chaque espèce. Si la serre est indispensable pour qu'une plante prospère, cela est également noté dans la rubrique correspondante.

Le port, aussi important pour la culture d'une orchidée que son habitat, est précisé. Les espèces terrestres, par exemple, déploient leurs racines dans le sol alors que les épiphytes, accrochées aux arbres et aux rochers, ont des racines aériennes qui absorbent les éléments nutritifs et l'humidité. On peut cultiver ces dernières dans des mélanges sans terre composés d'écorce calibrée, de sphagnum et de charbon de bois, les suspendre dans des paniers ou même les accrocher à des plaques d'écorce ou de fibre de fougère arborescente. Les orchidées terrestres, en revanche, se cultivent dans des mélanges terreux. Il faut, dans chaque cas, des fertilisants différents dont la composition est également fournie pour chaque plante. Ainsi une orchidée épiphyte installée sur une plaque exige un engrais équilibré contenant en proportions égales des composés d'azote, de phosphore et de potasse, alors que la même orchidée, si elle est plantée dans de l'écorce de sapin, elle aura besoin d'un fertilisant plus riche en azote.

L'encyclopédie cite quatre-vingt-cinq genres d'orchidées, mais un bon nombre de rubriques décrivent plusieurs espèces et variétés, ou hybrides. Le nom de genre, en majuscules, est donné en tête, les noms d'espèces qui suivent sont en italique et les noms d'hybrides artificiels sont en caractères ordinaires. Les quelques noms vulgaires (ils sont très peu nombreux) qu'ils portent en français figurent entre parenthèses et, dans l'index, référence est faite pour chacun au nom botanique.

Dans ce groupe d'orchidées, certaines sont représentées dans les pages qui suivent, d'autres y sont simplement décrites. Ces dernières sont Masdevallia coccinea, *rouge (en bas au milieu);* Phalaenopsis Dianne Rigg *(au centre à gauche);* Vanda Rothschildiana, *veiné de bleu (au centre);* Brassia lanceana, *tacheté de brun (en haut à droite) et, en dessous,* Laelia pumila, *à long labelle bicolore.*

Aerangis rhodosticta

Aeranthes grandiflora

A

AERANGIS
A. citrata; A. rhodosticta

Les fleurs cireuses des Aerangis sont crème ou jaunes, et chacune est caractérisée par un éperon souvent plus long qu'elle-même. L'Aerangis est une plante épiphyte à tige unique, généralement petite.

A. citrata fleurit à la fin de l'hiver et au printemps. Portée par une tige de 10 cm, l'inflorescence se courbe gracieusement vers le sol; elle a de 20 à 40 cm de long et porte de nombreuses fleurs jaune pâle de 18 à 25 mm de diamètre munies d'éperons de 2 cm de long. Les feuilles persistantes, charnues, au nombre de six à dix, ont de 7 à 10 cm.

A. rhodosticta a de très courtes tiges et des feuilles pendantes charnues atteignant 15 cm de long. Son inflorescence spectaculaire, longue de 38 à 40 cm, porte de six à vingt-cinq fleurs blanc-crème de 2 cm, à colonne rouge. Ces fleurs qui restent longtemps épanouies apparaissent sur la plante depuis l'automne jusqu'au printemps.

CULTURE. Les Aerangis se trouvent bien de températures allant de 16 à 18°C la nuit, et de 21 à 27°C le jour. Ils exigent une lumière solaire indirecte ou filtrée pendant la plus grande partie de l'année, mais un ensoleillement direct ou de 14 à 16 heures par jour de lumière artificielle pendant l'hiver. Attachez les plantes à des plaques de liège ou de fibre de fougère arborescente, ou plantez-les dans un mélange à volume égal de fibre d'osmonde et de sphagnum enrichi d'un peu de vermiculite pour le rendre perméable. Si vous n'avez pas de fibre d'osmonde, utilisez uniquement du sphagnum.

Rempotez quand la plante est à l'étroit ou que le mélange se décompose et sèche mal. Quand les racines sont établies, maintenez le mélange bien humide et assurez de 50 à 60 p. 100 d'humidité atmosphérique avec une bonne aération. Tous les trois arrosages, mettez aux plantes en pot un fertilisant étudié pour les orchidées, riche en azote, et aux plantes attachées à une plaque, un fertilisant doux, également tous les trois ou quatre arrosages. Dans les deux cas, diluez le fertilisant à 50 p. 100.

Reproduisez en plantant les rejetons quand ils ont des racines.

AERANTHES
A. grandiflora (Madagascar)

Le nom générique de cette orchidée arachnéenne vert pâle qui signifie « fleur aérienne » lui vient de ce qu'elle semble flotter dans l'air. L'Aeranthes a une tige unique dressée; les fleurs coriaces, luisantes, apparaissent au sommet, et les inflorescences ainsi que les racines aériennes jaillissent de nœuds situés sur la partie inférieure de la tige. Les fleurs odorantes et durables se distinguent par leur base large et l'extrémité effilée de leurs sépales et de leurs pétales.

Parmi les espèces cultivées, *A. grandiflora* porte des feuilles atteignant 25 cm de long. Une ou deux fleurs cireuses de 10 à 15 cm de diamètre croissent sur une hampe filiforme en arceau de 15 à 25 cm de long. Les sépales et les pétales plus courts, effilés, forment une étoile à cinq branches, et le labelle large a la forme d'une langue charnue. L'espèce fleurit de l'été à l'hiver.

CULTURE. *A. grandiflora* prospère dans une atmosphère tropicale humide à une température de 16 à 18°C la nuit et de 21 à 27°C le jour. Mettez la plante à un endroit où elle bénéficie d'un ensoleillement abondant mais tamisé, ou assurez-lui de 14 à 16 heures de lumière artificielle quotidienne. Maintenez le taux de l'humidité atmosphérique à au moins 50 à 70 p. 100. Gardez la plante elle-même humide, même en hiver, mais assurez-lui un bon drainage pour éviter le pourrissement des racines.

Les meilleurs résultats sont obtenus en cultivant *A. grandiflora* dans des paniers remplis de fibre d'osmonde ou sur des plaques de liège ou de fibre de fougère arborescente. En pot, employez un mélange de 7 volumes d'écorce tamisée pour 1 volume de fibres d'osmonde et 1 de sphagnum, ou encore 3 parties de sphagnum et

2 parties d'osmonde. Mettez tous les trois arrosages un fertilisant liquide dilué à 50 p. 100 ; pour la culture en panier et sur plaques, utilisez un engrais « retard » en granulés. Rempotez tous les deux ans dans un nouveau mélange.

Quand la tige monte et perd ses feuilles basses, multipliez par division au début de la période végétative.

AERIDES
A. japonicum ; A. odoratum ; A. vandarum

Les Aerides, plantes épiphytes, produisent de longues grappes de petites fleurs odorantes et durables.

A. japonicum (Japon) est une petite espèce très jolie à tige unique portant trois ou quatre feuilles courtes et coriaces. Au début de l'été, près d'une douzaine de fleurs à texture cireuse, qui durent plusieurs semaines, apparaissent au bout d'une hampe cintrée. Chaque fleur blanche ou blanc verdâtre de 2 à 3 cm de long a des sépales et des pétales ovales ; les sépales latéraux ont des raies pourpres et le labelle est blanc avec des taches pourpres.

A. odoratum (Inde, Chine) a une tige centrale qui peut atteindre 1,50 m de haut et porte des rameaux serrés. La base est enveloppée dans des feuilles luisantes en forme de lanière de 20 à 25 cm de long et de 5 cm de large. En été, et au début de l'automne, plus de vingt fleurs cireuses de 2 à 5 cm font fléchir sous leur poids les hampes qui peuvent atteindre 60 cm de long. Les fleurs blanches odorantes sont parfois constellées de taches allant du magenta au pourpre, et le labelle est bordé de pourpre. La base de ce labelle est un eperon en forme de corne, et la colonne a une minuscule tête d'oiseau.

A. vandarum (Inde) a des fleurs odorantes blanc pur de 3 à 5 cm de diamètre à pétales tordus et ondulés. Il fleurit en automne et en hiver.

CULTURE. Cultivez les Aerides en pleine lumière naturelle ou assurez-leur de 14 à 16 heures de lumière artificielle par jour. Maintenez pour *A. japonicum* une température de 13 à 16°C la nuit, et de 18 à 24°C la journée, avec une humidité ambiante d'environ 50 p. 100.

A. odoratum et *A. vandarum* poussent mieux dans une serre où la température est réglée entre 16 et 18°C la nuit et entre 21 et 27°C le jour, en particulier pendant la période végétative. Maintenez une humidité ambiante élevée — environ 70 p. 100 — en plaçant les plantes sur des plateaux humidificateurs, en les vaporisant quotidiennement à l'eau et en employant un humidificateur. Aérez bien pour éviter les champignons. Arrosez bien toutes les espèces durant la période végétative en assurant un bon drainage pour éviter le pourrissement des racines. Réduisez le plus possible arrosage et humidité ambiante en hiver.

Cultivez en pot dans un mélange étudié pour les orchidées ou dans 7 volumes d'écorce tamisée pour 1 de fibre d'osmonde ou de sphagnum et 1 de vermiculite. Si vous n'avez pas de fibre d'osmonde, doublez la quantité de sphagnum. Prenez de grands pots pour que les racines qui croissent vite ne soient pas à l'étroit. Vous pouvez aussi cultiver les Aerides dans des paniers remplis de fibre d'osmonde ou de morceaux de fibre de fougère arborescente. Apportez tous les trois arrosages un fertilisant riche en azote aux plantes en pot, un fertilisant doux à celles cultivées en panier, mais dilué dans les deux cas à 50 p. 100. Rempotez uniquement quand le mélange commence à se décomposer au bout de trois ou quatre ans, car les racines sont fragiles et peuvent se briser facilement.

Rajeunissez quand la tige monte et perd ses feuilles basses. Au début de la période végétative, lorsque les extrémités vertes des racines s'allongent, coupez la partie supérieure en laissant des racines de chaque côté de la section. Mettez avec précaution les racines aériennes de la partie supérieure dans un nouveau pot et enrobez-les de mélange spécial. Le pied des plantes peut également produire des rejetons.

Aerides odoratum

AERIDES RETUSUM Voir *Rhynchostylis*

Angraecum sesquipedale

ORCHIDÉE-TULIPE
Anguloa Clowesii

ANGRAECUM
A. distichum, ou *Mystacidium distichum*; *A. sesquipedale*

Le genre *Angraecum* comprend plus de deux cents espèces de tailles, de structures et de ports différents. Épiphytes, les Angraecum ont une tige unique dressée, et la plupart des espèces portent des fleurs blanches ou vert pâle en forme d'étoile et à éperon retombant.

A. distichum (Sierra Leone) est une espèce naine à tige de 7 à 12 cm de haut. Bien soigné, il fleurit abondamment en automne, produisant jusqu'à une centaine de fleurs blanches de 6 mm à odeur de narcisse, qui tiennent environ deux semaines. La floraison peut se poursuivre toute l'année. Des feuilles imbriquées de 6 mm, charnues, vert brillant, recouvrent la tige.

A. sesquipedale (Madagascar) fleurit en hiver, souvent à la Noël; il porte de deux à quatre fleurs odorantes et durables par hampe. En forme d'étoile, de couleur ivoire, elles ont jusqu'à 18 cm de diamètre et des éperons pendants verdâtres de près de 30 cm de long. La tige, longue de 60 à 90 cm, porte des feuilles foncées en arceau, souvent poudrées de blanc, d'environ 30 cm de long et atteignant 5 cm de large.

CULTURE. Les Angraecum, que l'on peut cultiver sur un rebord de fenêtre, poussent bien pour la plupart à la lumière solaire indirecte ou sous 14 à 16 heures d'éclairage artificiel par jour. La température idéale est de 13 à 16°C la nuit, et de 18 à 24°C le jour. On peut élever les Angraecum dans des paniers remplis de fibre d'osmonde ou de morceaux de fibre de fougère arborescente, sur des plaques de liège ou de fibre de fougère, ou dans des pots remplis d'un mélange à volume égal de fibre d'osmonde, de sphagnum, de vermiculite et d'écorce tamisée. Le mélange doit être maintenu constamment humide mais avoir un bon drainage, et le pot doit être placé sur un plateau humidificateur pour maintenir un taux d'humidité de 60 p. 100.

Tous les trois arrosages, ajoutez un fertilisant azoté aux plantes en pot et un fertilisant universel pour plantes d'appartement à celles cultivées en panier ou sur plaques, mais dilué dans les deux cas à 50 p. 100.

Pour multiplier, sectionnez et replantez les rejetons enracinés. Ou encore, quand une plante a des racines aériennes longues d'au moins 20 cm, divisez-la en laissant plusieurs racines de chaque côté de la section. Mettez en pot la partie coupée et continuez à soigner la plante mère qui refleurira au bout de trois ans.

ANGRAECUM ARCUATUM Voir *Cyrtorchis*
ANGRAECUM FALCATUM Voir *Neofinetia*

ANGULOA
A. Clowesii; *A. ruckeri*. (Tous deux aussi appelés Orchidées-tulipes.)

Leurs sépales réunis en forme de coupe valent parfois aux Anguloa le nom d'Orchidées-tulipes. Ils ont en outre un labelle articulé qui se balance à la moindre brise. De longues feuilles caduques et une hampe florale jaillissent de chaque pseudo-bulbe.

A. Clowesii (Colombie) a les hampes longues de 20 à 30 cm qui portent des fleurs cireuses et isolées, d'un parfum agréable, à sépales couleur jaune citron à jaune d'or et à pétales qui dissimulent presque entièrement un petit labelle blanc pelucheux. Il fleurit en fin de printemps. La coupe a jusqu'à 8 cm de profondeur et de 5 à 8 cm de diamètre. De deux à quatre feuilles plissées, longues de 45 à 60 cm, partent du sommet de chaque pseudo-bulbe.

A. ruckeri (Colombie, Venezuela) ressemble à *A. Clowesii*, mais ses feuilles sont plus petites et ses fleurs plus grandes. De couleur vert olive à jaune extérieurement, ces fleurs odorantes ont des pétales rouge vif à l'intérieur. *A. ruckeri* fleurit régulièrement du printemps à l'été.

CULTURE. Placez les espèces d'Anguloa dans un endroit frais et ombragé. Cultivés à l'intérieur, il leur faut de 14 à 16 heures par jour de lumière artificielle. Maintenez une température de 10 à

13°C la nuit et de 18 à 21°C le jour, avec une humidité ambiante d'environ 50 p. 100. Arrosez généreusement les plantes pendant la période végétative, mais ne leur donnez plus d'eau durant plusieurs semaines après la fin de la floraison, jusqu'à reprise de la croissance des racines. Cette période de repos est indispensable au déclenchement de la floraison.

Plantez les Anguloa en pot dans un mélange bien drainé composé de 2 volumes de tourbe en mottes, 2 de sable gras, 1 de vermiculite et 1 d'écorce fine de sapin, ou encore dans un compost fait à volume égal de sphagnum, de polypode, de terreau de feuilles et de terre de jardin. Pendant la période végétative, mettez tous les trois arrosages un engrais universel équilibré pour plantes d'appartement, dilué à 50 p. 100.

Multipliez en divisant les touffes de pseudo-bulbes lors d'un rempotage, mais veillez à laisser trois ou quatre pseudo-bulbes sur chaque division.

ANOECTOCHILUS Voir *Haemaria*

ANSELLIA
A. africana (Orchidée-léopard)

A. africana (Angola, Congo) doit son nom vulgaire d'orchidée-léopard aux taches et aux zébrures marron de ses fleurs jaunes ; il fleurit facilement et c'est une jolie plante, même en dehors de la période de floraison. De la masse dense formée par ses racines aériennes dressées jaillissent des pseudo-bulbes qui ont de 60 à 90 cm de haut. De quatre à sept feuilles coriaces, atteignant 30 cm de long et 3 de large, se déploient le long de chaque pseudo-bulbe semblable à un jonc. Du printemps à l'été, les aisselles des feuilles produisent de longues hampes ramifiées qui ploient sous le poids de nombreuses fleurs (jusqu'à cent cinquante) qui ont de 2 à 5 cm de long et qui restent épanouies jusqu'à un mois durant.

CULTURE. Cette orchidée tropicale a besoin d'un fort ensoleillement ou de 14 à 16 heures de lumière artificielle par jour. Pendant la période végétative, maintenez la température entre 16 et 18°C la nuit et entre 21 et 27°C le jour. Au cours de cette même période, imbibez bien le compost d'eau, puis laissez-le sécher modérément avant d'arroser à nouveau. Maintenez une humidité ambiante élevée — de 50 à 70 p. 100 — en plaçant le pot sur un plateau humidificateur, en pulvérisant quotidiennement de l'eau sur la plante et en employant un humidificateur dans la pièce. Évitez l'apparition de champignons par une bonne aération. Quand les pseudo-bulbes parviennent à maturité, diminuez un peu l'arrosage et l'humidité ambiante pour avoir le plus grand nombre de fleurs possible.

Plantez dans un compost de 7 volumes d'écorce, 1 volume de vermiculite et 1 de tourbe en mottes ou de sphagnum. Tous les trois arrosages, mettez un fertilisant spécial pour orchidées riche en azote et dilué à 50 p. 100.

Multipliez par les rejetons qui se forment aux articulations de la tige, ou par division des touffes de pseudo-bulbes au rempotage.

ARACHNIS
A. flos-aeris (Orchidée-scorpion) a neuf synonymes, dont *Epidendrum flos-aeris*

Cette orchidée épiphyte très prisée est caractérisée par des sépales latéraux incurvés vers l'intérieur et un éperon en forme de bourse à la base du labelle. A l'état sauvage, la robuste tige centrale d'*A. flos-aeris* s'enroule autour des arbres parfois jusqu'à 5 m de haut ; elle porte des feuilles de 10 à 18 cm et des hampes florales de 1,20 à 1,50 m de long ; la floraison a lieu presque toute l'année. Cultivée, la plante produit de huit à quinze fleurs au parfum musqué sur chaque hampe à l'automne. Jaune pâle brillant, ces fleurs atteignant 10 cm de long et 8 cm de diamètre sont marquées de taches et de zébrures marron.

CULTURE. *A. flos-aeris* exige beaucoup de soleil pour fleurir. Maintenez-le à une température de 16 à 18°C pendant la nuit et de 21 à 29°C dans la journée. Le taux d'humidité ambiante de 50 à

ORCHIDÉE-LÉOPARD
Ansellia africana

ORCHIDÉE-SCORPION
Arachnis flos-aeris

70 p. 100 qui lui est nécessaire peut être obtenu par l'emploi d'un humidificateur, en plaçant le pot sur un plateau humidificateur et en vaporisant quotidiennement de l'eau sur la plante elle-même. Mais c'est en serre que les meilleures conditions de culture de cette orchidée sont réalisées. Une bonne aération est nécessaire pour éviter l'apparition de champignons, étant donné que la plante doit être arrosée abondamment toute l'année. Choisissez un grand pot permettant le développement des racines et remplissez-le d'un mélange de 7 volumes d'écorce, 1 de fibre d'osmonde, 1 de vermiculite et 1 de tourbe en mottes. Mettez, tous les trois arrosages, un engrais pour orchidées riche en azote mais dilué à 50 p. 100. Rempotez tous les deux ans pour remplacer le mélange par un compost neuf.

Quand la plante commence à perdre ses feuilles basses, divisez-la au début de la période de reprise de la végétation en laissant plusieurs racines de chaque côté de la section. Humectez les racines de la partie supérieure et enroulez-les dans un nouveau pot, puis enrobez-les de mélange frais. Le pied peut également produire de nouvelles pousses si vous le recouvrez d'une couche de sphagnum.

x ASCOCENDA

x *A.* Meda Arnold ; x *A.* Tan Chai Beng ; x *A.* Yip Sum Wah

Les Ascocenda sont le résultat de croisements très appréciés entre les genres *Ascocentrum* et *Vanda* : du premier, ils ont la taille peu élevée et les belles couleurs éclatantes, et du second les fleurs plus grandes. Celles-ci, qui atteignent de 2 à 8 cm, avec des sépales et des pétales plats et de petits labelles en forme de coupe, apparaissent en grappes sur des hampes qui partent des nœuds de la base de la tige centrale qui a une vingtaine de centimètres de long.

x *A.* Meda Arnold produit parfois des fleurs allant de l'orange au rouge et au mauve, parfois pures mais quelquefois tachetées. Chez x *A.* Tan Chai Beng, elles sont bleues à pourpres et, chez x *A.* Yip Sum Wah, peut-être le plus connu des Ascocenda, elles vont du rose au rouge en passant par l'orange, et sont parfois mouchetées. Parfaits pour la culture à petite échelle, les Ascocenda commencent souvent à fleurir dans des pots de 10 à 12 cm et ont au minimum une floraison au printemps et en été, dont chacune donne des fleurs qui peuvent tenir jusqu'à un mois sur les branches.

CULTURE. Bien que les Ascocenda s'adaptent à des conditions de culture très variées, ils fleurissent mieux s'ils ont beaucoup de lumière et de chaleur. Mettez-les à la lumière solaire indirecte ou assurez-leur de 14 à 16 heures d'éclairage artificiel par jour. Maintenez la température entre 16 et 18°C la nuit et entre 21 et 27°C le jour.

Donnez-leur beaucoup d'humidité — de 50 à 70 p. 100 — en employant un humidificateur et en vaporisant fréquemment de l'eau sur les plantes posées sur un plateau humidificateur. Maintenez le compost humide et bien drainé. Veillez à assurer une bonne aération.

Plantez les Ascocenda dans des caisses en teck ou tout autre bois dur, garnies de fibre d'osmonde ou de fougère arborescente, ou bien dans des pots remplis d'un compost à base d'écorce ou composé à volume égal de fibre d'osmonde, de vermiculite et de sphagnum pour 5 volumes d'écorce tamisée. Mettez aux plantes en pot tous les trois ou quatre arrosages un fertilisant riche en azote et aux plantes en caisses un engrais pour plantes d'appartement, dilué à 50 p. 100 dans les deux cas. Rempotez quand le mélange commence à se décomposer, c'est-à-dire généralement au bout de trois ou quatre ans.

Multipliez au début de la période végétative en divisant la tige de manière à laisser quelques racines aériennes de chaque côté de la section ; humectez les racines de la nouvelle plante et enroulez-les dans un pot ou une caisse. Enrobez-les de compost en tassant bien. Le pied de la vieille plante peut également donner de nouvelles pousses.

x *Ascocenda* Meda Arnold

ASCOCENTRUM
A. ampullaceum, appelé aussi *Saccolabium ampullaceum*; *A. miniatum*; *A.* Sagarik Gold

D'innombrables fleurs éclatantes dans tous les tons de rouge, de jaune et d'orangé donnent tout leur attrait aux Ascocentrum, orchidées épiphytes compactes.

A. ampullaceum (Inde, Malaisie) produit, au printemps et au début de l'été, une tige atteignant 25 cm de haut et portant une ou plusieurs inflorescences dressées de 15 cm composées de fleurs durables rose foncé de 12 à 18 mm de diamètre. Les feuilles coriaces, serrées, ont de 12 à 15 cm de long et 18 mm de large.

A. miniatum (Java), espèce naine, porte sur une tige dressée, du printemps au début de l'été, de vingt à quarante fleurs allant du jaune orangé au rouge orangé vif. Des feuilles charnues de 7 à 20 cm de long cachent la tige qui atteint généralement moins de 10 cm de haut.

A. Sagarik Gold possède une tige légèrement plus longue que *A. miniatum*, et ses fleurs sont d'un ton plus soutenu. Il doit son nom à l'horticulteur thaïlandais qui réalisa l'hybridation de cette espèce avec *A. curvifolium*.

CULTURE. Les Ascocentrum, qui ont besoin de beaucoup de lumière et de chaleur, se trouvent mieux cultivés en serre ou ils bénéficient de tout l'ensoleillement voulu. A défaut, cultivez-les sous lumière artificielle dispensée de 14 à 16 heures par jour. La température idéale est de 16 à 18°C la nuit, de 21 à 29°C le jour, avec une humidité ambiante d'au moins 50 p. 100. Vous pouvez les planter dans des caisses remplies de fibre d'osmonde ou de fougère arborescente, ou bien dans des pots avec un mélange à volume égal de vermiculite, de fibre d'osmonde ou de sphagnum pour 5 volumes d'écorce tamisée.

Arrosez assez souvent pour éviter la dessication du mélange. Mettez aux plantes en pot, tous les trois arrosages, un fertilisant riche en azote, et aux plantes en caisse un engrais « retard » en granulés. Dans les deux cas, diluez le fertilisant à 50 p. 100. Rempotez quand le mélange commence à se décomposer et que le drainage devient insuffisant.

Multipliez en sectionnant les rejetons et en les replantant, quand ils ont produit plusieurs racines.

ASPASIA
A. epidendroides (Panama), appelé aussi *A. fragans* et *Odontoglossum aspasia*

Le feuillage persistant de couleur foncée de l'orchidée épiphyte *A. epidendroides* en fait une plante éventuellement d'intérieur appréciée durant toute l'année; facile à cultiver, il donne des fleurs durables. Ses pseudo-bulbes de 5 cm d'épaisseur et de presque 15 cm de haut portent à leur sommet deux feuilles coriaces atteignant environ 30 cm de long. Au printemps et en été, une ou deux hampes jaillissent du pied de chaque pseudo-bulbe et portent chacune de deux à douze fleurs de 3 à 4 cm de long, qui tiennent de cinq à sept semaines. Leur couleur varie du blanc au vert avec des marques lavande à marron. Le labelle est généralement blanc avec des marques lavande ou pourpres; son centre est de couleur jaune.

CULTURE. *A. epidendroides* a besoin d'une température de 13 à 16°C la nuit et de 18 à 24°C dans la journée quand il est en période végétative; en hiver, la température doit être abaissée et se situer entre 10 et 16°C pendant la journée. La plante doit être maintenue dans une humidité ambiante de 50 à 70 p. 100. Elle se contente d'un éclairement relativement faible et on peut la cultiver sur un rebord de fenêtre ou sous une lumière artificielle douce de 14 à 16 heures par jour.

Attachez *A. epidendroides* sur une plaque de liège ou mettez-le en pot dans un mélange à volume égal de fibre d'osmonde et de sphagnum avec un peu de vermiculite destinée à ameublir le mélange, pour 7 volumes d'écorce tamisée. Pendant la période végétative, maintenez le mélange humide sans qu'il soit détrempé, puis laissez la plante se reposer pendant un mois sans que

Ascocentrum ampullaceum

Aspasia epidendroides

le mélange ne se dessèche complètement. Mettez aux plantes en pot, tous les trois arrosages, un fertilisant riche en azote, et, à celles qui sont montées sur plaques, un engrais équilibré pour les plantes d'appartement. Dans les deux cas, diluez-le à 50 p. 100. Rempotez les Aspasia quand de nouvelles racines apparaissent si le mélange commence à se décomposer et se draine mal.

Profitez de ces rempotages pour multiplier vos plantes en les divisant en touffes, dont chacune doit comporter trois ou quatre pseudo-bulbes pour bien s'établir.

B

BARKERIA
B. spectabilis, appelé aussi *B. lindleyana*, *Epidendrum lindleyanum* et *E. spectabile*

Les Barkeria possèdent bon nombre des caractéristiques des Epidendrum et étaient primitivement classés dans ce genre. Ce sont des orchidées épiphytes produisant des touffes de pseudo-bulbes dont chacun est couronné par plusieurs feuilles étroites un peu charnues. Les fleurs ont des couleurs et des formes de labelle variées, et sont disposées sur tous les Barkeria en épis terminaux au bout de longues tiges.

B. spectabilis, originaire du Mexique, du Guatemala, du Honduras et de Costa Rica, est une espèce changeante. Il a des pseudo-bulbes fuselés atteignant 15 cm de long et des feuilles vertes très étroites et effilées, souvent zébrées de pourpre. Bien charnues, elles durent peu et tombent rapidement. Les fleurs inclinées ont de 5 à 8 cm de diamètre et peuvent varier en teinte du blanc presque pur au violet foncé. Le labelle est généralement moucheté de violet foncé. La floraison, qui débute en hiver, se poursuit au printemps.

CULTURE. Les Barkeria prospèrent en serre sous une forte lumière solaire indirecte, mais peuvent être également cultivés sous éclairage artificiel si celui-ci est assuré de 14 à 16 heures par jour. La température minimale nocturne de 13°C doit s'élever le jour et atteindre de 18 à 21°C. Assurez une humidité ambiante de 50 à 75 p. 100, et aérez bien la serre pendant les journées de forte chaleur.

Plantez dans un compost spécial pour orchidées ou dans le genre de mélange employé pour les Epidendrum ; arrosez légèrement au bout de deux ou trois jours et maintenez les plantes dans une atmosphère humide jusqu'à ce que les nouvelles racines poussent bien. A partir de là, arrosez abondamment en laissant toujours sécher le compost entre deux arrosages. Mettez tous les trois arrosages aux plantes bien établies un fertilisant liquide riche en azote dilué à 50 p. 100, durant la période végétative. Une période de repos en automne avec moins d'eau et plus de lumière assurera une floraison régulière.

Rempotez tous les deux ans et multipliez alors par division en touffes.

BIFRENARIA
B. harrisoniae (Brésil)

Dans les forêts tropicales, les Bifrenaria poussent sur les arbres et les rochers moussus ; ils produisent souvent de grosses touffes de pseudo-bulbes obliques luisants qui portent des feuilles coriaces et de grandes et belles fleurs.

B. harrisoniae ne donne souvent sur ses plus jeunes pseudo-bulbes que deux hampes florales portant chacune une ou deux fleurs blanc-crème de 7 à 8 cm à labelle duveteux pourpre ou marron à bords jaune vif. Ces fleurs durables à odeur agréable s'épanouissent au printemps ou au début de l'été. Les feuilles persistantes atteignant 30 cm de long et 12 cm de large ont l'air vernies et jaillisssent des touffes de pseudo-bulbes en forme d'œuf de 5 à 8 cm de haut.

CULTURE. Assurez à *B. harrisoniae* une température de 18 à 24°C le jour, de 13 à 16°C la nuit en période végétative l'été, et 3 ou 4 heures d'ensoleillement direct ou de 14 à 16 heures de

Barkeria spectabilis

lumière artificielle par jour. Arrosez fréquemment pour que le mélange contenu dans le pot soit toujours humide, et maintenez constamment une humidité ambiante qui ne soit pas inférieure à 50 p. 100.

Quand de jeunes pseudo-bulbes arrivent à maturité, placez vos plantes dans un endroit plus frais et plus ombragé pour provoquer la floraison. Arrosez juste assez pour éviter le dessèchement des pseudo-bulbes. Plantez en pot dans un mélange du commerce pour orchidées composé de 7 volumes d'écorce, 1 de fibre d'osmonde, 1 de vermiculite et 1 de tourbe en mottes (ou de 2 si vous n'avez pas de fibre d'osmonde).

Mettez, pendant la période végétative et tous les trois arrosages, un fertilisant riche en azote dilué à 50 p. 100. Rempotez pendant la période de repos, mais seulement lorsque c'est nécessaire parce que les plantes sont à l'étroit ou que le mélange se décompose ou se draine mal.

Multipliez par division après la floraison en laissant quatre ou cinq pseudo-bulbes par touffe.

BLETIA Voir *Bletilla*

BLETILLA
B. striata (Chine, Japon), appelé aussi *Bletia hyacinthina*

Les Bletilla sont des orchidées terrestres à racines tubéreuses produisant des touffes de fleurs lancéolées fortement nervurées. Des hampes florales minces, ressemblant par leur forme à celles des Cymbidium, apparaissent en été. Des neuf espèces originaires d'Extrême-Orient, seul *B. striata* est couramment cultivé. C'est une plante parfaite pour les débutants car elle est très résistante, facile à cultiver et très attrayante. Elle produit des feuilles en arceau, plissées, longues de 30 cm, et des hampes encore plus longues portant plusieurs fleurs rose violacé de 4 à 5 cm de diamètre à labelle plus foncé en forme de carène. Les feuilles tombent à l'automne et la plante entre en période de repos jusqu'au printemps suivant.

CULTURE. Les Bletilla peuvent résister à l'extérieur dans beaucoup de régions tempérées d'Europe s'ils sont plantés profondément dans des endroits abrités et s'ils sont protégés en hiver. Le sol doit être riche en humus et humide, mais bien drainé. *B. striata* fait également une bonne plante en pot pour les serres froides où il ne gèle pas. Il doit être légèrement à l'ombre en été et bien aéré. Tous les composts spéciaux pour plantes en pot conviennent, mais un mélange à base de tourbe est à conseiller. On peut aussi employer de la terre de gazon allégée par du sable et enrichie de terreau.

Arrosez abondamment et mettez un fertilisant liquide tous les quinze jours en période végétative. Quand les feuilles jaunissent en automne, diminuez l'arrosage et maintenez le compost tout juste humide.

Multipliez par division des tubercules en période de repos ou, mieux, au printemps.

BRASSAVOLA
B. cordata; B. cucullata; B. digbyana, appelé aussi *Ryncholaelia digbyana; B. glauca*, appelé aussi *Ryncholaelia glauca; B. nodosa*

Les Brassavola, orchidées épiphytes, ont des pseudo-bulbes minces portant à leur extrémité une seule feuille charnue et une fleur aux pétales étroits et effilés et au labelle large en forme de cœur. Il peut y avoir une seule fleur, ou jusqu'à sept en grappe, par hampe. L'époque de la floraison varie selon les espèces.

B. cordata a des pseudo-bulbes de 6 à 12 cm et des feuilles de 40 cm. De trois à six fleurs odorantes vert pâle apparaissent de l'été à l'automne. Chacun a environ 4 cm de diamètre et un grand labelle serrant la colonne comme une mâchoire.

B. cucullata a un aspect fantomatique avec ses fleurs aux pétales effilés blanc-crème semblables à des rubans pendants, et ses sépales longs de 10 cm.

Bifrenaria harrisoniae

Bletilla striata

Brassavola digbyana

Brassavola nodosa

B. digbyana (Honduras) est caractérisé par le labelle étonnamment large et froncé de sa fleur solitaire qui apparaît au printemps ou en été et que l'on apprécie pour sa taille (18 cm de diamètre), son aspect brillant et l'arôme de citron qu'elle dégage la nuit. Les sépales et les pétales sont d'un vert jaunâtre assez pâle ; le labelle, de 7 à 10 cm de large, est blanc avec une tache vert jaunâtre à la base et une bordure dorée à la partie inférieure. La plante peut atteindre jusqu'à 45 cm de haut.

B. glauca (Mexique) possède des feuilles et des pseudo-bulbes d'un vert pâle, souvent couverts d'une poudre blanche. En automne ou au printemps, des fleurs solitaires odorantes de 8 à 10 cm de diamètre apparaissent. Leurs sépales vert pâle et leurs pétales forment une étoile en arrière du labelle blanc dont les bords ont un aspect cireux.

B. nodosa est connu pour l'agréable parfum qu'exhalent la nuit ses fleurs arachnéennes de 5 à 8 cm, au labelle blanc et aux sépales et pétales verdâtres ou blancs ; elles apparaissent solitaires ou en grappes de deux à six sur chaque hampe. Cette orchidée ne fleurit parfois qu'à la fin de l'été ou en hiver mais, dans des conditions idéales, la floraison a lieu toute l'année et la plante produit jusqu'à cinquante fleurs.

CULTURE. Les Brassavola prospèrent à une température de 13 à 15°C la nuit, de 18 à 24°C le jour, et dans une humidité ambiante de 40 à 60 p. 100 et de 40 à 70 p. 100 durant l'été. En période végétative, les plantes ont besoin de 3 à 5 heures de soleil par jour sur une fenêtre orientée au sud ou de 14 à 16 heures de lumière artificielle. Vous pouvez cultiver les Brassavola sur des plaques de liège suspendues ou les mettre en pots remplis de compost spécial pour orchidées ou d'un mélange composé de 7 volumes d'écorce tamisée, 1 de fibre d'osmonde, 1 de vermiculite et 1 de tourbe en mottes, ou de 2 volumes de tourbe si vous n'avez pas de fibre d'osmonde.

Placez les pots au-dessus d'un plateau humidificateur, mais arrosez légèrement tant que les plantes ne sont pas bien enracinées. Laissez ensuite le compost devenir presque sec avant d'arroser abondamment. Pendant une quinzaine de jours après la floraison, laissez les plantes au repos en les arrosant juste assez pour empêcher le compost de se dessécher complètement.

Apportez aux plantes en pot tous les trois ou quatre arrosages un fertilisant azoté et, à celles qui sont montées sur plaques, un engrais doux pour les plantes d'appartement, en le diluant dans les deux cas à 50 p. 100.

Rempotez quand le compost commence à se décomposer et que le drainage est mauvais, ou quand le rhizome de l'orchidée passe par-dessus le bord du pot, ce qui se produit généralement tous les deux ou trois ans.

Multipliez en divisant les plantes en touffes comportant chacune au moins trois ou quatre pseudo-bulbes.

BRASSIA

B. caudata ; *B. lanceana* ; *B. Lawrenceana* ; *B. maculata*, ou *B. guttata* ; *B. verrucosa*. (Toutes appelées Orchidées-araignées)

Les Brassia sont caractérisées par des fleurs aux longs sépales fins, semblables à des pattes d'araignée, d'où le nom d'Orchidées-araignées qu'on leur donne parfois. Elles sont épiphytes et ont des pseudo-bulbes de 7 à 15 cm portant chacun de une à trois feuilles et une ou deux inflorescences.

B. caudata (Antilles) fleurit en fin d'été, produisant une ou deux hampes en arceau de 40 à 45 cm qui portent de trois à douze fleurs de 12 à 20 cm de long. Les sépales et pétales allant du jaune au vert sont tachés de marron ; le labelle jaune, large et chiffonné, se termine en pointe ; il est moucheté de noir à la base. Les feuilles coriaces persistantes mesurent environ 30 cm de long et de large.

B. lanceana a des fleurs très odorantes atteignant 12 ou 13 cm de long, avec des sépales d'un jaune verdâtre clair, des pétales tachés de marron et un labelle couleur crème souvent moucheté de brun. Les hampes de 45 cm de long portent de sept à douze fleurs en été et en automne.

B. Lawrenceana constitue une espèce remarquable avec ses fleurs aux sépales longs de 7 cm et plus, et aux pétales marron et verts avec des labelles jaunes et verts. Odorantes, elles apparaissent en été sur de longues et gracieuses hampes.

B. maculata (Jamaïque) produit des fleurs odorantes une ou deux fois de l'automne au printemps, qui peuvent tenir six semaines. Elles ont des sépales de 12 à 20 cm de long et un labelle ondulé blanc-crème moucheté de brun ou de pourpre.

B. verrucosa (Guatemala) porte sur chacune de ses hampes en arceau de dix à quinze fleurs odorantes verdâtres, de 15 à 20 cm de diamètre, marquées de violet foncé ; les labelles blancs sont ponctués de vert. Il fleurit au début de l'été.

CULTURE. Fleurissant facilement, les Brassia poussent bien sur un rebord de fenêtre. Sous lumière artificielle, il leur faut une exposition quotidienne de 14 à 16 heures pour fleurir. Assurez-leur une température de 13 à 15°C la nuit et de 18 à 24°C le jour.

Arrosez abondamment pendant la période végétative et maintenez l'humidité ambiante à un taux élevé — de 50 à 70 p. 100. Veillez à ce qu'il y ait une bonne aération. Quand de nouveaux pseudo-bulbes arrivent à maturité, laissez reposer la plante pendant environ deux semaines en réduisant l'arrosage, en abaissant la température ambiante et en suspendant totalement la fertilisation.

Plantez les Brassia dans un compost spécial pour orchidées ou dans un mélange à volume égal de tourbe, de vermiculite et de fibre d'osmonde pour 7 volumes d'écorce tamisée. Si vous n'avez pas de fibre d'osmonde, mettez un volume de tourbe en plus ou montez vos plantes sur plaques de liège. En période végétative, mettez aux plantes en pot, tous les trois arrosages, du fertilisant riche en azote, et, à celles qui sont sur plaques, de l'engrais pour plantes d'appartement ; diluez cet engrais à 50 p. 100. Rempotez quand la plante commence à déborder du pot ou que le mélange à base d'écorce se dégrade.

Multipliez par division des plantes en ayant soin de laisser trois ou quatre pseudo-bulbes dans chaque touffe.

x BRASSOLAELIOCATTLEYA

x *B.* Ermine « Lines » ; x *B.* Fortune ; x *B.* Norman's Bay

Les Brassolaeliocattleya sont des hybrides obtenus par les croisements de trois genres : Brassavola, Laelia et Cattleya. Ils sont remarquables par leurs grandes fleurs éclatantes dont les labelles sont généralement pleins et plus foncés que les sépales et les pétales, et ont souvent des bords chiffonnés. La plupart des fleurs sont jaunes ou lavande, et beaucoup ont plus de 15 cm de diamètre ; elles tiennent environ quinze jours. Les Brassolaeliocattleya sont des plantes épiphytes qui croissent à partir de pseudo-bulbes ; chaque pseudo-bulbe ne produit en général qu'une seule feuille.

x *B.* Ermine « Lines » a des fleurs jaune pâle à sépales plus étroits que les pétales et à labelle tubulaire à la base avec des bords un peu chiffonnés. De trois à six fleurs de 10 cm de diamètre apparaissent en hiver sur chaque hampe. La plante atteint de 40 à 60 cm de haut.

x *B.* Fortune a des fleurs jaune vif de 15 cm de diamètre à labelle rose. Elles apparaissent en été et à l'automne en nombre variant de deux à quatre par hampe. La plante atteint une soixantaine de centimètres de haut.

x *B.* Norman's Bay porte des fleurs rose magenta à labelle légèrement plus foncé, veiné d'or et un peu chiffonné ; au nombre de deux à quatre par hampe, elles ont de 15 à 20 cm de diamètre et peuvent s'épanouir à n'importe quel moment de l'automne au printemps. La plante a environ 75 cm de haut.

CULTURE. Les Brassolaeliocattleya exigent une température de 13 à 15°C la nuit et de 18 à 24°C le jour. En hiver, maintenez l'humidité ambiante entre 40 et 60 p. 100 ; en été, entre 40 et 70 p. 100. Assurez une bonne aération aux plantes. Il leur faut du soleil, mais légèrement tamisé, ou de la lumière artificielle à raison de 14 à 16 heures par jour.

ORCHIDÉE-ARAIGNÉE
Brassia caudata

x Brassolaeliocattleya Norman's Bay

Broughtonia sanguinea

Plantez-les dans un mélange spécial pour orchidées semblable à celui employé pour les Cattleya. N'arrosez que quand ce mélange est presque complètement sec. Mettez, tous les trois ou quatre arrosages, un fertilisant riche en azote que vous aurez pris soin de diluer à 50 p. 100.

Rempotez quand le mélange commence à se détériorer ou que les rhizomes passent par-dessus le bord du pot. Profitez-en pour multiplier en divisant les plantes en touffes qui devront compter chacune au moins trois ou quatre pseudo-bulbes.

BROUGHTONIA
B. sanguinea

B. sanguinea (Jamaïque), plante épiphyte, a moins de 30 cm de haut et forme des touffes serrées de pseudo-bulbes de 5 cm souvent aplatis les uns contre les autres et terminés par une paire de feuilles rigides de 10 cm. Chaque hampe mince, longue de 38 à 40 cm, porte de six à douze fleurs de 2 à 5 cm d'un rouge extraordinaire ; leurs sépales sont plus étroits que leurs pétales, et le labelle veiné de noir est très plein et arrondi ; il devient tubulaire à la base qui, chez certaines fleurs, est marquée d'une éclaboussure de jaune.

La plante fleurit entre l'automne et le printemps mais, dans des conditions idéales, la floraison peut se poursuivre toute l'année. Les fleurs sont durables. Les Broughtonia sont apparentés aux Cattleya et peuvent être croisés avec eux. Les résultats obtenus sont assez satisfaisants.

CULTURE. *B. sanguinea* prospère à des températures élevées allant de 15 à 18°C la nuit et de 21 à 29°C le jour ; il a besoin toute l'année d'une humidité ambiante variant entre 40 et 60 p. 100. Dans les climats chauds, il prospère à l'intérieur en plein soleil mais, si on le cultive à l'intérieur, comme c'est indispensable dans les régions tempérées d'Europe, il est de beaucoup préférable de l'exposer à l'est ou à l'ouest.

De l'automne au printemps, quand il est en fleur, offrez-lui le maximum de lumière solaire ou de la lumière artificielle de 14 à 16 heures par jour.

B. sanguinea fleurit volontiers si on le cultive sur une plaque de liège suspendue ou de fibre de fougère arborescente, ou dans une caisse remplie de fibre d'osmonde ou de morceaux de fougère arborescente. On peut mettre les Broughtonia dans un compost du commerce pour orchidées ou dans un mélange de 7 volumes d'écorce tamisée pour 1 de tourbe en mottes et 1 de vermiculite. Mais ils sont particulièrement vulnérables à la pourriture des racines et doivent être très bien drainés. Veillez soigneusement à ne pas trop les arroser en période de repos. Donnez-leur juste assez d'eau pour maintenir le compost humide sans qu'il soit jamais détrempé. Tous les trois arrosages, mettez aux sujets cultivés sur plaques un fertilisant équilibré pour plantes d'appartement et, à ceux qui sont en pot, un engrais riche en azote ; dans les deux cas, il sera nécessaire de diluer le produit fertilisant à 50 p. 100.

Dérangez-les plantes le moins possible et ne rempotez que lorsque le rhizome sort du pot ou quand le compost commence à se décomposer.

Attendez le moment de la reprise de la végétation pour rempoter, et multipliez en divisant la plante en touffes qui devront compter chacune au moins trois ou quatre pseudo-bulbes.

BULBOPHYLLUM
B. Lobbii ; B. vitiense

Ce genre d'orchidées tropicales comprend environ neuf cents espèces, toutes épiphytes et dont la plupart ont un mode de croissance similaire ; elles s'étalent horizontalement à partir de rhizomes qui produisent des pseudo-bulbes dressés portant chacun une ou deux feuilles charnues. Les fleurs sont souvent plus étranges que belles et dégagent fréquemment une odeur forte qui, selon les espèces, est agréable ou fétide. Elles offrent une gamme quasi illimitée de teintes.

B. Lobbii (Malaisie, Java) atteint environ 30 cm de haut, et chacune de ses hampes porte une fleur solitaire de 7 à 10 cm, cireuse, odorante, dont la couleur va du jaune pâle au cuivre avec des taches et de petits points pourpres. Il produit, à partir de la fin du printemps jusqu'à la période estivale, des fleurs qui tiennent une quinzaine de jours.

B. vitiense (Fidji) fleurit en été. Ses petites fleurs ivoire et rose pâle sont disposées en épis compacts atteignant 15 cm de long ; elles émergent au milieu des feuilles oblongues très étroites jaillissant du sommet des pseudo-bulbes quadrangulaires.

CULTURE. La plupart des Bulbophyllum prospèrent à une température de 15 à 18°C la nuit et de 21 à 29°C le jour, mais les espèces dont il est question ici doivent être maintenues à des températures de 10 à 13°C la nuit et de 15 à 21°C le jour. Il faut les exposer à une lumière solaire filtrée ou les laisser dans une demi-ombre, ou encore leur assurer de 14 à 16 heures d'éclairage artificiel par jour. Quant à l'humidité, elle doit être maintenue à 60 ou 70 p. 100.

Cultivez les Bulbophyllum sur des plaques de liège suspendues ou de fibre de fougère arborescente, ou encore dans des caisses peu profondes remplies de fibre d'osmonde ou de fougère arborescente, assez grandes pour permettre le développement des rhizomes. En pot, employez un mélange du commerce pour orchidées maintenu constamment humide. Mettez de temps en temps, aux plantes en pot, un fertilisant riche en azote, et à celles qui sont montées sur plaques un engrais pour plantes d'appartement, en diluant dans les deux cas à 50 p. 100. Ne rempotez que lorsque le mélange semble se décomposer.

Multipliez en divisant les plantes en segments comportant chacun quatre pseudo-bulbes.

BULBOPHYLLUM LONGISSIMUM Voir *Cirrhopetalum*
BULBOPHYLLUM MEDUSAE Voir *Cirrhopetalum*
BULBOPHYLLUM ORNATISSIMUM Voir *Cirrhopetalum*
BULBOPHYLLUM UMBELLATUM Voir *Cirrhopetalum*

C

CALANTHE
C. vestita

En hiver, les gracieuses fleurs de *C. vestita* (Birmanie) sont appréciées pour la décoration d'un intérieur. Cette orchidée produit des épis de six à douze fleurs de 4 à 8 cm de diamètre portées sur des hampes atteignant 75 cm de long. Ces fleurs sont blanches, rouges, roses ou violettes, avec parfois des marques orange ou jaunes. Pétales et sépales, de formes et de dimensions presque identiques, se déploient en se chevauchant ; le labelle très large est divisé en quatre lobes arrondis distincts et possède une base tubulaire terminée par un éperon long de 2 à 3 cm recourbé vers l'avant. Cette orchidée terrestre a une autre caractéristique : son grand pseudo-bulbe oblique à enveloppe échancrée qui produit trois ou quatre larges feuilles plissées ; celles-ci tombent avant que la hampe florale ne sorte du pied ou quand les fleurs apparaissent. L'espèce a donné de nombreuses variétés dont l'intéressant *C. vestita* var. *regnieri*, qui a des fleurs rose pâle à labelle plus foncé, de plus petites dimensions et fleurissant plus tardivement que celles de l'espèce.

CULTURE. Les Calanthe prospèrent avec une température de 13 à 15°C la nuit et de 18 à 21°C la journée, dans une humidité ambiante de 40 à 60 p. 100. Il leur faut de la lumière solaire filtrée par des rideaux ou une lumière artificielle faible pendant 14 à 16 heures par jour. Plantez-les dans un mélange composé de 2 volumes de tourbe en mottes, 2 de sable gras, 1 de vermiculite et 1 d'écorce de sapin tamisée, ou encore dans un mélange fait de sphagnum, de polypode, de terre fraîche et de fumier composé. Arrosez avec parcimonie jusqu'à la reprise de la végétation et, à partir de ce moment-là, maintenez le mélange humide. N'humectez pas les feuilles par pulvérisation avant qu'elles ne soient

Calanthe vestita

Catasetum fimbriatum

Cattleya aurantiaca

entièrement ouvertes. En période végétative, mettez tous les deux arrosages un fertilisant équilibré que vous aurez pris soin de diluer à 50 p. 100. Réduisez la fréquence des arrosages quand les feuilles commencent à jaunir.

Quand la plante a fleuri, arrêtez arrosages et fertilisation : posez le pot sur le côté dans un endroit frais pendant trois mois ou dépotez les pseudo-bulbes, saupoudrez-les de fongicide et gardez-les dans un endroit sec à 15°C. (Il arrive parfois que la plante n'ait pas de période de repos et que de jeunes pousses apparaissent avant que les fleurs ne soient fanées. Dans ce cas, reprenez les arrosages fréquents.) Dès la reprise de la végétation, rempotez les pseudo-bulbes.

Multipliez en les séparant et en les replantant isolément ou en touffes de trois ou quatre.

CATASETUM
C. fimbriatum (Paraguay)

Les Catasetum, dont le pollen se disperse librement dans l'air, sont parmi les plus fascinantes des orchidées. Une plante peut porter des fleurs mâles et femelles, en même temps ou à des périodes différentes, mais en général sur des hampes distinctes. Ces fleurs sont très dissemblables, que ce soit par la taille, par la forme ou par la couleur — les fleurs mâles étant généralement plus contournées (labelle tourné vers le haut) que les femelles (labelle tourné vers le bas) et aussi plus nombreuses, en particulier sur les plantes cultivées.

Mâles ou femelles, elles dégagent un parfum épicé, sont jaunes ou vert pâle, tachetées de marron, ont de 4 à 6 cm de diamètre et apparaissent en grappes de sept à quinze sur des hampes en arceau de 45 cm de long. Chaque fleur possède un mécanisme qui déclenche la libération du pollen quand elle est touchée par un insecte ou par un jardinier distrait. La plante fleurit en été ou en automne, quand elle a perdu toutes ses feuilles qui ont quelque 25 cm de long.

CULTURE. *C. fimbriatum* prospère à une température de 13 à 15°C la nuit et de 18 à 24°C le jour. En période végétative, il lui faut une humidité ambiante de 50 à 70 p. 100, qui doit être abaissée pendant la période de repos. Assurez aux plantes un éclairage solaire indirect jusqu'à la chute des feuilles, et mettez-les en pleine lumière quand elles sont en fleur. En lumière artificielle, donnez-leur de 14 à 16 heures d'éclairage par jour. Dans les climats doux, on peut les sortir en été.

Cultivez les *C. fimbriatum* sur des plaques suspendues de fibre de fougère arborescente, dans des caisses remplies de fibre d'osmonde ou de fougère arborescente, ou dans des pots. Employez un mélange fait de 7 volumes d'écorce tamisée et de 1 volume de tourbe en mottes et 1 de vermiculite. Arrosez régulièrement en période végétative, après la chute des feuilles, juste assez pour empêcher les pseudo-bulbes de se racornir.

Mettez de temps en temps en saison végétative un fertilisant riche en azote aux plantes en pot, et un engrais pour plantes d'appartement à celles qui sont cultivées sur plaques ; dans les deux cas, diluez-le à 50 p. 100. Rempotez chaque année à la fin du printemps dès la reprise de la végétation.

Multipliez au moment du rempotage en séparant les pseudo-bulbes, que vous replanterez isolément ou en touffes de trois ou quatre.

CATTLEYA
C. aurantiaca ; *C.* Bob Betts ; *C. bowringiana* ; *C. citrina*, appelé aussi *Encyclia citrina* ; *C. Gaskelliana* ; *C. intermedia* ; *C.* Louise Georgianna ; *C. luteola* ; *C. Mossiae* ; *C. percivaliana*, appelé aussi *C. labiata* var. *percivaliana* ; *C. skinneri* (Fleur de saint Sébastien) ; *C. trianae*, appelé aussi *C. labiata* var. *trianae*

Les Cattleya sont particulièrement appréciés parce qu'ils sont faciles à cultiver et produisent en abondance des fleurs merveilleuses aux formes et aux couleurs extraordinaires qui tiennent jusqu'à six semaines sur la plante. A l'état naturel, les Cattleya poussent sur les rochers et les arbres. Ils atteignent de 15 cm à plus de 90 cm. Ils constituent deux groupes : l'un, unifolié, porte une seule feuille par pseudo-bulbe ; l'autre, dit bifolié, en porte deux, parfois trois.

Les pseudo-bulbes des espèces à feuille unique ont rarement plus de 30 cm de haut, mais leurs fleurs sont grandes et pleines. Les Cattleya bifoliés, au contraire, ont des fleurs plus petites, mais plus nombreuses ; leurs pseudo-bulbes peuvent atteindre quelque 90 cm de haut.

C. aurantiaca, espèce bifoliée, est une petite plante à feuilles charnues jaune verdâtre d'un ton pâle ; ses courtes hampes portent au début du printemps de nombreuses fleurs rouge orangé de 4 cm. Leurs pétales et leurs sépales sont de mêmes dimensions et le labelle à la forme d'un cœur.

C. Bob Betts est un hybride provenant du croisement de *C.* Bow Bells et de *C. Mossiae* « Wageneri ». Ses fleurs blanches arrondies, de 18 cm, à gorge jaune renflée apparaissent à des saisons diverses.

C. bowringiana (Amérique centrale), plante bifoliée, a des pseudo-bulbes qui atteignent 90 cm ; ses hampes de 18 cm portent à la fin de l'automne et en hiver de cinq à vingt fleurs rose magenta de 6 cm de diamètre.

C. citrina (Mexique), espèce bifoliée à port pleureur, a des pseudo-bulbes ovoïdes de 7 cm ; enfermés dans des écailles membraneuses ; ses feuilles sont vert glauque. Ses fleurs jaune vif, avec des labelles tuyautés bordés de blanc et longues de 7 à 10 cm agréablement parfumés, ne s'ouvrent pas entièrement, ce qui leur donne un aspect légèrement tubulaire. La floraison a lieu de mai à juillet.

C. Gaskelliana (Venezuela), unifolié, a des caractéristiques variables, mais en général ses pseudo-bulbes claviformes portent en été de deux à cinq fleurs odorantes qui offrent divers tons de pourpre ; il en existe également une variété à fleurs blanches et à gorge jaune, *C. Gaskelliana alba*. En raison de la facilité avec laquelle cette espèce se cultive, les horticulteurs l'appellent Cattleya-chou.

C. intermedia (Brésil), bifolié, a des pseudo-bulbes atteignant 45 cm de haut. Il produit en été des fleurs de 7 à 13 cm dont les sépales et les pétales sont rose pâle ou lavande avec un labelle à marques magenta. Il existe également une variété dont les fleurs sont blanc pur.

C. Louise Georgianna est le résultat d'un croisement entre *C. intermedia* et *C.* Souvenir de Louis Sander. Ses fleurs ouvertes en forme d'étoile, de 12 à 13 cm, sont blanc pur.

C. luteola (Brésil), plante unifoliée, a des pseudo-bulbes de 5 à 8 cm, qui produisent une courte hampe portant de deux à six fleurs cireuses jaunes de 5 cm, odorantes et durables. Le labelle peut être jaune ou blanc zébré de violet ou de rouge. La plante fleurit en hiver, mais a parfois plusieurs floraisons par an.

C. Mossiae (Venezuela), unifolié, produit au printemps (au mois de mai) des fleurs qui peuvent être utilisées en garniture de corsage. Atteignant 20 cm de diamètre, elles ont des sépales et des pétales couleur lavande, un labelle chiffonné et une gorge jaune. Les taches pourpre-violet se prolongent depuis le labelle jusque sur la gorge.

C. Percivaliana (Venezuela), plante unifoliée, porte des fleurs d'une douzaine de centimètres de diamètre. Pétales et sépales vont du rose violacé clair à foncé ; le lobe moyen du labelle est pourpre et sa base jaune orangée porte des zébrures d'un violet plus foncé. Les fleurs apparaissent vers le mois de février et sentent légèrement le moisi.

C. skinneri (la Fleur de saint Sébastien), plante nationale du Costa Rica, est bifolié. Il produit au printemps et au début de l'été de cinq à dix fleurs inodores de 7 à 10 cm de diamètre, dont les sépales et pétales vont du rose au violet, avec un labelle cramoisi, jaune pâle à blanc au centre.

C. trianae, plante nationale en Colombie, est unifolié. Il porte en hiver des fleurs de 15 à 18 cm à sépales étroits et ondulés et à

Cattleya Bob Betts

Cattleya citrina

FLEUR DE SAINT SÉBASTIEN
Cattleya skinneri

Caularthron bicornutum

larges pétales dont la teinte va du blanc pur au violet foncé. Le labelle est cramoisi-magenta à gorge jaune orangé.

CULTURE. Les Cattleya préfèrent une forte lumière tamisée par des rideaux ou de 14 à 16 heures de lumière artificielle intense par jour. *C. Percivaliana* exige du soleil. Assurez une température de 13 à 15°C la nuit et de 18 à 24°C le jour, avec une humidité ambiante de 50 à 60 p. 100. *C. citrina* demande des températures un peu moins élevées.

A l'exception de *C. citrina*, plantez les Cattleya en pot dans un mélange fait de 3 volumes de sphagnum, 2 de fibre de polypode ou bien d'osmonde additionnée de sphagnum. *C. citrina*, en raison de son port pleureur, se trouve mieux d'une culture sur plaque d'écorce de fougère arborescente ou de liège.

Arrosez très légèrement pendant les deux ou trois premières semaines après la mise en pot, pour favoriser l'enracinement. Quand la végétation démarre, arrosez fréquemment mais en laissant le mélange devenir presque sec entre les arrosages. En période végétative, mettez un fertilisant riche en azote aux plantes en pot et un engrais pour plantes d'appartement à celles montées sur plaques — engrais dilué à 50 p. 100 dans les deux cas. Quand les nouveaux pseudo-bulbes sont arrivés à maturité, laissez la plante se reposer pendant quinze jours en réduisant les arrosages et en supprimant les fertilisants. Rempotez au moment où de nouvelles racines se forment, si elles débordent du pot ou si le mélange commence à se décomposer et que le drainage se fait mal. Ces rempotages s'effectuent généralement une fois tous les deux ans.

Multipliez par division, en conservant pour chaque touffe trois ou quatre pseudo-bulbes.

CAULARTHRON

C. bicornutum (Guyanne), appelé aussi *Diacrium bicornutum* et *Epidendrum bicornutum*

Très apprécié pour la grâce et la beauté de ses fleurs larges de 5 à 8 cm d'un blanc très pur, *C. bicornutum* sait cependant décourager les collectionneurs amateurs d'orchidées. A l'état sauvage, sur les côtes des Antilles, ses pseudo-bulbes creux abritent souvent, en effet, des fourmis à la morsure douloureuse. Épiphyte, la plante porte de trois à cinq feuilles longues de 20 cm au sommet d'un pseudo-bulbe de 25 cm, et une inflorescence dressée atteignant 30 cm de cinq à vingt fleurs au parfum agréable. Le labelle de chacune d'elles est joliment moucheté de violet ou de cramoisi, et possède une crête jaune. Fleurissant de la fin du printemps à l'été, cette orchidée se croise facilement avec les Cattleya, les Epidendrum et les Laelia.

CULTURE. *C. bicornutum* propère quand on lui assure une température de 15 à 18°C la nuit et de 21 à 29°C le jour. Il lui faut au moins huit heures de fort ensoleillement par jour, sauf au moment de l'apparition de nouvelles pousses, période durant laquelle il doit être protégé de la lumière trop forte. En éclairage artificiel, assurez-lui de 14 à 16 heures par jour d'exposition sous une bonne lumière. Maintenez le taux de l'humidité ambiante entre 50 et 60 p. 100.

Cultivez cette orchidée dans le compost convenant aux Cattleya ou dans un mélange composé de 7 volumes d'écorce tamisée, 1 de fibre d'osmonde, 1 de vermiculite et 1 de tourbe en mottes (2 de tourbe si vous n'avez pas de fibre d'osmonde). En période végétative, maintenez le mélange constamment humide et, tous les trois ou quatre arrosages, mettez un fertilisant riche en azote, dilué à 50 p. 100. Quand la floraison est terminée, cessez de fertiliser la plante et arrosez-la juste assez pour empêcher les pseudo-bulbes de se racornir. Les Caularthon ne fleurissent jamais si bien que dans la mesure où on les laisse tranquilles, aussi ne les rempotez que lorsque le compost commence à s'abîmer. Quand cela devient nécessaire, faites-le à la reprise de la végétation ; profitez alors de l'occasion pour procéder à la multiplication en sectionnant et en replantant des touffes qui comporteront chacune quatre pseudo-bulbes.

CHYSIS

C. aurea (Venezuela)

Cette orchidée épiphyte se distingue par ses très longs pseudo-bulbes pendants, charnus et claviformes, qui produisent plusieurs feuilles minces longues de 30 à 40 cm apparaissant en même temps que les fleurs, c'est-à-dire normalement en été. Ces fleurs cireuses, odorantes, qui tiennent deux ou trois semaines, sont disposées en grappes de cinq à dix. Leurs larges pétales jaunes et leurs sépales sont parfois plus pâles à la base ; le labelle blanc ou jaune en forme de coupe est taché de rouge, de brun ou de marron, et il est orné, sur le lobe médian, d'arêtes veloutées en forme de dents.

CULTURE. *C. aurea* préfère une température de 13 à 15°C la nuit, de 18 à 24°C le jour, avec une humidité ambiante de 40 à 60 p. 100. On peut le cultiver à la lumière solaire tamisée sur une fenêtre orientée à l'est ou à l'ouest, ou en lui assurant de 14 à 16 heures d'éclairage artificiel par jour ou, mieux, en serre. Plantez dans des caisses contenant de la fibre d'osmonde ou de fougère arborescente, ou en pot dans un compost à Cattleya, ou bien dans un mélange de 7 volumes d'écorce tamisée pour 1 volume de vermiculite et 1 de tourbe en mottes. Vaporisez quotidiennement de l'eau et arrosez abondamment, en particulier en période végétative, en laissant le compost sécher presque entièrement entre les arrosages.

Tous les trois ou quatre arrosages, mettez du fertilisant pour plantes d'appartement aux orchidées en caisse, de l'engrais très azoté à celles en pot, toujours dilué à 50 p. 100. Après maturation des pseudo-bulbes, diminuez la température et les arrosages, supprimez les engrais. A la reprise de la végétation, faites l'inverse. Rempotez quand le compost s'abime ou quand de nouvelles racines apparaissent.

Multipliez à ce moment-là en divisant la plante en touffes contenant trois ou quatre pseudo-bulbes.

Chysis aurea

CIRRHOPETALUM

C. guttulatum, appelé aussi *Bulbophyllum umbellatum* ; *C. longissimum*, appelé aussi *Bulbophyllum longissimum* ; *C. medusae*, appelé aussi *Bulbophyllum medusae* ; *C. ornatissimum*, appelé aussi *Bulbophyllum ornatissimum* ; *C. vaginatum*

Ce genre de petites orchidées intéressantes et souvent étranges compte environ soixante-dix espèces épiphytes que l'on trouve dans les forêts tropicales, de l'Afrique centrale à Tahiti en passant par l'Indonésie et la Malaisie. Comme les Bulbophyllum leurs proches parents, elles ont de petits pseudo-bulbes à une ou deux feuilles, portées par des rhizomes. Les fleurs sont généralement disposées en bouquets serrés sur des hampes minces. Elles possèdent un curieux labelle mobile sur une sorte de charnière qui frémit à la moindre brise.

C. guttulatum atteint de 15 à 25 cm de haut ; il a des pseudo-bulbes de 2 à 5 cm de long à feuilles en lanières. De cinq à neuf fleurs couronnent chaque hampe tachetée de violet ; les fleurs longues de 2 cm, jaune verdâtre, sont mouchetées de violet foncé ; le labelle est rouge foncé. Cette espèce himalayenne fleurit en automne.

C. longissimum porte de deux à cinq fleurs aux couleurs éclatantes qui s'ouvrent en éventail au sommet d'une hampe de 15 à 20 cm. Les pétales et les sépales sont rose strié de violet et le petit labelle est jaune verdâtre. L'élément le plus remarquable de la fleur est constitué par les sépales dont les deux du bas se terminent par des queues pendantes de 10 à 15 cm. La floraison a lieu en hiver.

C. medusae porte des bouquets denses de fleurs de moins de 1 cm de long, à l'exception des deux sépales inférieurs qui se divisent en queues pendantes d'une douzaine de centimètres. La floraison a lieu en automne et en hiver.

C. ornatissimum a des fleurs jaunes ou brunâtres striées de rouge ou de violet disposées en grappes de trois à cinq au sommet de chaque hampe. Chez lui aussi les sépales inférieurs allongés

Cirrhopetalum medusae

atteignent de 7 à 8 cm. Les fleurs, qui ont 10 cm, s'ouvrent en automne et au début de l'hiver.

C. vaginatum ressemble, en miniature, à *C. medusae*. Il a des pseudo-bulbes coniques atteignant de 2 à 3 cm de haut, des feuilles longues de 5 à 10 cm et des fleurs jaune pâle d'une longueur de 2 à 3 cm.

CULTURE. Les Cirrhopetalum ont les mêmes exigences que les Bulbophyllum: une température minimale de 15°C la nuit et de 21°C le jour. En période végétative, la lumière solaire tamisée ou une ombre légère leur conviennent parfaitement, et le taux d'humidité ambiante optimal se situe à environ 60 ou 70 p. 100.

Le mode de culture qui leur est le plus favorable et les met le mieux en valeur est la culture sur plaques de fibre de fougère arborescente ou de liège, mais ils prospèrent également en caisses, en paniers ou en pots perforés à orchidées dans un compost à Cattleya. En période végétative, ajoutez tous les trois arrosages un fertilisant liquide pour plantes d'appartement que vous aurez dilué à 50 p. 100.

Multipliez par division en prenant soin de laisser trois ou quatre pseudo-bulbes par touffe.

COCHLIODA

C. sanguinea, appelé aussi *Symphyglossum sanguineum* et *Mesospinidium sanguineum*

Ces orchidées épiphytes gracieuses et souvent parées de vives couleurs poussent en altitude sur la chaîne des Andes en Équateur, au Pérou et en Colombie, accrochées aux arbres ou aux rochers. Leurs pseudo-bulbes groupés en touffes sont couronnés par une ou deux feuilles étroites. De chaque touffe jaillissent des hampes en arceau portant quelques fleurs disposées en épi terminal, qui s'ouvrent largement et possèdent un labelle trilobé.

C. sanguinea a des pseudo-bulbes ovoïdes vert pâle surmontés par des feuilles étroites et molles longues d'environ 25 cm. Ses fleurs allant du rose pâle au rose foncé sont relativement petites, mais élégamment disposées sur des inflorescences ramifiées atteignant 90 cm et davantage de long. Elles sont très nombreuses, parfois plus d'une centaine, et apparaissent en général de l'automne au printemps.

CULTURE. Les Cochlioda aiment la fraîcheur et l'humidité et la température idéale est de 7 à 10°C la nuit, d'environ 18°C le jour. En période végétative, maintenez le taux d'humidité à 75 p. 100 au minimum. Evitez-leur le soleil qui brûlerait leurs feuilles. Cultivez-les dans un mélange semblable à celui conseillé pour les Odontoglossum. Mettez-les dans des pots aussi petits que possible, la constriction des racines favorisant la floraison. Ajoutez aux plantes établies, tous les trois arrosages pendant la période végétative, un fertilisant liquide pour plantes d'appartement que vous aurez dilué à 50 p. 100.

Rempotez et multipliez par division au printemps.

COELOGYNE

C. barbata; *C. corymbosa*; *C. cristata*; *C. flaccida*; *C. graminifolia*; *C. massangeana*; *C. ochracea*; *C. pandurata* (Orchidée noire).

Les Coelogynes épiphytes portent leurs fleurs en grappes sur des hampes en arceau ou pendantes. Les pseudo-bulbes sont produits par des rhizomes et chacun d'eux porte de une à quatre feuilles persistantes, plissées et étroites, pouvant atteindre jusqu'à 60 cm de long.

C. barbata (Assam) produit en hiver et au printemps de grandes fleurs d'un blanc neige à labelle fimbrié terminé par une barbe brun-sépia. Les fleurs sont disposées en épis dressés et les feuilles ont de 20 à 40 cm de long.

C. corymbosa (Inde) porte au printemps de trois à sept fleurs blanches en forme d'étoile à gorge striée d'orange ou de jaune. Il s'agit de l'une des orchidées les plus connues et qui jouissent de la plus grande faveur.

Coelogyne cristata

C. cristata (Nord de l'Inde), autre espèce favorite, porte de cinq à huit fleurs d'un blanc neige de 5 à 10 cm de diamètre dont le centre est taché d'un beau jaune vif. Certaines formes sont agréablement odorantes, et toutes fleurissent en hiver et au début du printemps.

C. flaccida (Népal) a des fleurs jaune pâle, au parfum fort, dont le calice est strié de jaune orangé ou de cramoisi. Au nombre de sept à neuf, elles s'épanouissent également en hiver et au début du printemps.

C. graminifolia fleurit généralement en été et produit des inflorescences longues de 7 à 15 cm portant de deux à quatre fleurs de 5 cm de diamètre, blanches, striées de raies brunes et jaune orangé.

C. massangeana (Assam) porte, du printemps à l'automne, des grappes comptant jusqu'à vingt fleurs très odorantes de 5 cm sur des hampes longues de 40 cm. Ces fleurs ont des sépales et des pétales jaune pâle, et un labelle marron veiné de blanc.

C. ochracea (Nord-Est de l'Inde) porte sur des hampes dressées, de sept à neuf fleurs blanches très odorantes et de 4 cm de diamètre à labelle taché d'orange et de jaune. La floraison a lieu au printemps.

C. pandurata (Bornéo) porte, sur des inflorescences longues de 40 à 70 cm, de cinq à quinze fleurs odorantes verdâtres de 7 à 10 cm de diamètre, dont le labelle est sillonné d'arêtes parallèles noires et veloutées, d'où le nom d'Orchidée noire que l'on donne parfois à la plante. Elle fleurit en été.

CULTURE. Ces orchidées prospèrent sous une bonne lumière solaire indirecte ou tamisée, ou sous une lumière artificielle d'intensité modérée pendant 14 à 16 heures par jour. La plupart préfèrent une température de 10 à 13 °C la nuit et de 15 à 21 °C le jour, mais *C. graminifolia*, *C. massangeana* et *C. pandurata* — plantes de serres tempérées chaudes — exigent une température de 13 à 15 °C la nuit et de 18 à 24 °C le jour. Toutes les espèces ont besoin d'une humidité ambiante de 60 à 75 p. 100.

En raison de leurs fleurs pendantes, les Coelogyne conviennent particulièrement bien à la culture sur plaques de liège ou de fibre de fougère arborescente, ou en paniers suspendus ou caisses remplis de fibre d'osmonde ou de fougère. En pot, employez un compost fait de polypode ou d'osmonde et de sphagnum, ou un mélange composé de 7 volumes d'écorce tamisée, 1 volume de tourbe, 1 volume de vermiculite et 1 volume de fibre d'osmonde. Si vous ne disposez pas de fibre d'osmonde, mettez à la place 2 volumes de tourbe.

Arrosez fréquemment les plantes pendant la période végétative (différente avec chaque espèce), mais laissez le mélange sécher presque entièrement entre les arrosages. Cessez ceux-ci après la floraison en donnant juste assez d'eau pour éviter le racornissement des pseudo-bulbes. Mettez de temps en temps, en période végétative, un fertilisant équilibré dilué à 50 p. 100, aux plantes sur plaques ou en panier, et un engrais « retard » en granulés aux plantes en pot. Ne rempotez que lorsque le mélange commence à se décomposer ou que les plantes ont tendance à sortir du pot. Tassez un mélange frais autour des pseudo-bulbes à la reprise de la végétation.

Multipliez au moment du rempotage en divisant les plantes en touffes comportant chacune au moins trois pseudo-bulbes.

CYCNOCHES

C. chlorochilum (Orchidée-cygne)

Le Cycnoches, orchidée épiphyte, est caractérisé par la mince colonne incurvée qui jaillit du centre du labelle et qui rappelle la courbe gracieuse du cou d'une cygne, ainsi que par ses sépales et ses pétales repliés en arrière et vers le haut figurant son corps et ses ailes redressées — d'où le nom d'Orchidée-cygne qu'on lui donne parfois. La plante a un pseudo-bulbe cylindrique long de 20 à 30 cm, enveloppé près du sommet dans cinq à huit feuilles de 60 cm de long, qui meurent et tombent au moment où les fleurs apparaissent. Des hampes longues de 15 à 30 cm émergent,

ORCHIDÉE NOIRE
Coelogyne pandurata

ORCHIDÉE-CYGNE
Cycnoches chlorochilum

généralement en été, de la base des feuilles supérieures, et portent chacune de deux à dix fleurs de 10 à 15 cm de diamètre. Leurs sépales et leurs pétales sont jaune verdâtre, et la labelle est jaune pâle à blanc avec une marque vert foncé à la base. Les fleurs cireuses ont un arôme épicé particulièrement violent le matin ; la floraison dure environ trois semaines.

CULTURE. Les Cycnoches prospèrent avec au moins quatre heures de plein soleil par jour mais, en été, il faut les en abriter à midi. En lumière artificielle, ils ont besoin de 14 à 16 heures d'éclairage intense par jour. Assurez-leur une température de 13 à 15°C la nuit, de 18 à 24°C le jour, et maintenez-les dans une humidité ambiante de 50 à 75 p. 100.

Cultivez ces orchidées en petits pots ou en paniers suspendus dans un mélange de 7 volumes d'écorce tamisée pour 1 de vermiculite, 1 de tourbe en mottes et 1 de fibre d'osmonde. A défaut de fibre d'osmonde, mettez 2 volumes de tourbe. Veillez à maintenir le mélange constamment humide tout au long de la période végétative.

Quand de nouveaux pseudo-bulbes sont à maturité, en général en hiver, arrosez juste assez pour les empêcher de se flétrir. En période végétative, mettez un fertilisant riche en azote, dilué à 50 p. 100. Rempotez une fois par an si nécessaire, ou lorsque la plante ou ses rhizomes débordent du pot.

Multipliez à la reprise de la végétation au début du printemps en séparant les pseudo-bulbes individuellement ou en touffes de deux à quatre.

CYMBIDIUM
C. Devonianum ; *C.* eburneum ; *C.* Fynlaysonianum ; *C.* Hawtescens ; *C.* Jungfrau ; *C.* pumilum ; *C.* Tigrinum

Peu d'orchidées sont comparables au Cymbidium en ce qui concerne la variété des couleurs des fleurs, leur abondance et leur durabilité. Selon les espèces ou les croisements, ces fleurs sont blanches, roses, rouge foncé, bronze, acajou, jaunes ou vertes ; elles ont de 5 à 13 cm de diamètre, et l'on en compte jusqu'à trente sur chaque hampe. Sépales et pétales ont à peu près la même dimension, et le labelle, avec ses lobes latéraux dressés et son lobe postérieur pendant, a assez curieusement la forme d'une coque de bateau.

La plupart des Cymbidium produisent leurs fleurs au printemps ; dans un endroit frais, celles-ci tiennent jusqu'à 12 semaines ; coupées, elles résistent de 4 à 6 semaines. Il y a des Cymbidium terrestres, d'autres épiphytes ; mais tous proviennent de rhizomes et ont des pseudo-bulbes d'épaisseurs variables, qui vont d'un simple renflement de la tige à une sphère presque parfaite. Les feuilles, étroites et semblables à des brins d'herbe, durent plusieurs années.

C. Devonianum (Inde) porte de deux à cinq feuilles atteignant 30 cm de long, et une hampe pendante longue de 40 cm portant des fleurs de 3 cm de diamètre vert olive, striées ou mouchetées de pourpre ; le labelle va du rouge au violet avec une bordure plus foncée que le centre.

C. eburneum (Nord de l'Inde) a des feuilles étroites atteignant 60 cm de long et des hampes dressées longues de 30 cm environ portant une ou trois grandes fleurs odorantes couleur ivoire, dont le labelle est taché de jaune. Cette espèce est à l'origine de nombreux hybrides.

C. Finlaysonianum a des feuilles longues de 60 à 90 cm, et des hampes de 1 m ; les fleurs brun jaunâtre ont un labelle moucheté de marron-rouge ; parfois, pétales et sépales portent des rayures médianes d'un brun rougeâtre.

Les hybrides *C.* Hawtescens et *C.* Jungfrau sont tous deux de grandes plantes exigeant jusqu'à 3 600 centimètres carrés d'espace et portant des fleurs atteignant de 12 à 13 cm de diamètre. Les fleurs de *C.* Hawtescens sont jaune vif, tandis que celles de *C.* Jungfrau sont blanches.

Les hybrides miniatures de Cymbidium, très nombreux, ne dépassent pas 40 à 60 cm de haut et produisent jusqu'à une

Cymbidium Fynlaysonianum

douzaine de fleurs sur des épis longs d'une cinquantaine de centimètres. Ils sont très faciles à cultiver et à faire fleurir sur le rebord de fenêtre.

Comme les plus grands, les hybrides miniatures offrent des nuances variées de vert, de blanc, de rouge et de jaune.

C. pumilum, espèce naine dont les feuilles sont longues de 15 à 30 cm et les hampes de 10 à 12 cm seulement, a des fleurs de 2 à 3 cm de diamètre brun rougeâtre bordé de jaune, au labelle blanc tacheté de brun rougeâtre.

C. tigrinum, autre espèce naine, a des pseudo-bulbes compacts et des hampes d'environ 15 cm ne portant généralement que trois fleurs de quelque 7 à 8 cm de diamètre. Pétales et sépales sont verts, teintés et tachetés de marron; le labelle est blanc et porte des marques cramoisies; les feuilles mesurent une dizaine de centimètres de long.

CULTURE. Les Cymbidium demandent des nuits fraîches et des journées ensoleillées pour prospérer et fleurir. Pour la plupart des espèces et des hybrides, la bonne température est de 10 à 13°C la nuit et de 15 à 24°C le jour, mais les hybrides nains préfèrent une température nocturne plus élevée, de 13 à 15°C. C'est à l'automne, au moment de la formation des inflorescences, qu'il est le plus important de tenir les plantes à une température fraîche la nuit. Veillez également à leur assurer de 50 à 60 p. 100 d'humidité ambiante.

Les Cymbidium prospèrent avec au moins quatre heures de plein soleil par jour, mais il faut les en abriter à midi pour que les feuilles tendres ne soient pas brûlées. Les espèces et les hybrides plus grands sont difficiles à cultiver sous lumière artificielle en raison de leur taille, mais les espèces miniatures poussent bien si on les expose de 14 à 16 heures par jour à une lumière artificielle intense. Quant aux grands Cymbidium, c'est en serre qu'ils se trouvent le mieux mais, dans les climats doux, on peut les sortir pendant l'été.

Cultivez les Cymbidium en pot dans un mélange de 5 volumes d'écorce tamisée et de 2 de tourbe, ou dans un compost fait à volume égal de sphagnum, de polypode, de terreau de feuilles et de terre de jardin avec, en plus, un peu de fumier très décomposé. En période de croissance de la végétation, maintenez le mélange constamment humide mais, quand les pseudo-bulbes sont arrivés à maturité, arrosez moins fréquemment pendant plusieurs semaines.

Tous les trois arrosages (pour le premier compost surtout), mettez un fertilisant riche en azote dilué à 50 p. 100. Rempotez après la floraison quand le mélange commence à se dégrader. D'une façon générale, limitez ces rempotages.

Multipliez à ce moment-là en divisant la plante en touffes de trois ou quatre pseudo-bulbes.

CYPRIPEDIUM
C. acaule; C. calceolus; C. reginae. (Tous sont appelés Sabots-de-Vénus.)

Ces orchidées sauvages originaires des zones tempérées de l'Europe, de l'Amérique du Nord et de l'Asie, comptent une cinquantaine d'espèces pour la plupart terrestres. En dehors de leur labelle en forme de sabot, elles sont caractérisées par la présence de deux étamines fertiles au lieu d'une seule pour la majorité des autres orchidées.

C. acaule (Nord des États-Unis) a des feuilles longues de 5 à 20 cm gris foncé à l'endroit, argentées à l'envers. Ses fleurs solitaires de 5 cm de long apparaissent à la fin du printemps et en été sur des hampes longues de 20 à 40 cm. Sépales et pétales vont du vert jaunâtre au brun verdâtre et sont striées de marron ou de violet. Le labelle velouté va du rose cramoisi au blanc pur, et il est veiné de rose.

C. calceolus (Europe, dont France) a des tiges dressées de 30 à 45 cm enveloppées dans des feuilles longues de 5 à 20 cm. Il produit au printemps et en été de une à trois fleurs de 8 à 13 cm de diamètre, dont les pétales et les sépales vont du jaune teinté de

Cymbidium Jungfrau

SABOT-DE-VÉNUS
Cypripedium calceolus

105

vert au brun violacé ; le labelle est jaune pâle ou foncé et, en général, veiné ou moucheté de violet à l'intérieur.

C. reginae (Amérique du Nord), particulièrement beau, a une tige de 45 à 90 cm de haut enserrée dans des feuilles chiffonnées qui atteignent 20 cm de long et 12 de large. Au début de l'été, la plante produit de une à trois fleurs agréablement odorantes de 7 à 8 cm de diamètre, blanches avec un labelle strié de rose ou de violet.

CULTURE. Bien que les Cypripedium semblent trouver aisément dans la nature les conditions qui leur conviennent, ils sont difficiles à cultiver. Les plantes achetées en culture dans les jardineries ont plus de chance de survivre parce qu'elles ont normalement été à même de s'adapter aux conditions existant dans un jardin.

Toutes exigent de l'ombre et un sol humide et acide, degrés d'humidité et d'acidité variant selon les espèces. *C. acaule* prospère en sol très acide, amendé si nécessaire par un matériau acide comme du terreau de feuilles. *C. calceolus* préfère un sol moyennement acide, humide à très humide et partiellement ombragé. *C. reginae* a besoin d'un sol acide, très humide, quant à lui, et même détrempé.

Plantez les Cypripedium au printemps. Les rhizomes de *C. acaule* et de *C. calceolus* doivent être enterrés à une profondeur variant de 2 à 4 cm, mais les racines de *C. reginae* qui restent près de la surface ne doivent pas être mises sous plus de 1 cm de sol. Espacez les plantes de 30 à 60 cm, arrosez-les abondamment puis paillez-les légèrement avec des feuilles mortes ou un compost de jardin bien décomposé. Arrosez abondamment en période de croissance ; réduisez l'humidité du sol après la floraison quand les inflorescences se fanent. Ne transplantez pas.

Les Cypripedium, en formant de nouveaux rhizomes, se multiplient et les fleurs deviennent plus belles avec la maturation des touffes.

CYRTOCHILUM Voir *Oncidium*

CYRTORCHIS

C. arcuata (Sud de l'Afrique), appelé aussi *Angraecum arcuatum*

Cette orchidée épiphyte se distingue par sa petite fleur blanche dont les sépales, les pétales et le labelle sont de même taille. Des feuilles persistantes rigides sont disposées de part et d'autre de la tige unique et les hampes partent horizontalement de la base des feuilles. En hiver et au printemps, chacune porte au moins huit fleurs de 5 cm de diamètre en forme d'étoile ; cireuses, odorantes, elles sont pourvues d'un éperon caractéristique, incurvé, de couleur verte et d'une longueur de 7 à 8 cm. Il prend naissance sous le labelle.

CULTURE. Les Cyrtorchis prospèrent avec une température de 15 à 18°C durant la nuit atteignant de 21 à 27°C le jour. Ils ont besoin d'au moins quatre heures de plein soleil par jour, mais il faut les placer à l'ombre en été aux heures les plus chaudes de la mi-journée. En lumière artificielle, il faut leur assurer de 14 à 16 heures d'éclairage assez fort par jour. Maintenez-les dans une humidité ambiante de 50 à 60 p. 100. Ces plantes poussent bien sur des plaques de liège ou de fougère arborescente. On peut aussi les cultiver en pot dans un mélange de 7 volumes d'écorce tamisée, 1 de fibre d'osmonde, 1 de vermiculite et 1 de tourbe en mottes. Maintenez le mélange constamment humide en période végétative. Pendant cette même saison, apportez un fertilisant équilibré ou une préparation liquide pour plantes d'appartement aux spécimens sur plaques, un fertilisant riche en azote à ceux qui sont en pots, dilué dans les deux cas à 50 p. 100. En période de repos, laissez le mélange sécher légèrement entre les arrosages et arrêtez la fertilisation. Rempotez au moment de la reprise de la croissance, quand le mélange se détériore ou que les plantes débordent du pot.

Multipliez en séparant les jeunes plantes qui poussent à la base de la plante mère.

Cyrtorchis arcuata

D

DENDROBIUM

D. aggregatum; *D. bigibbum*; *D. densiflorum*; *D.* Gatton Sunray; *D. heterocarpum*, appelé aussi *D. aureum*; *D. infundibulum* var. *jamesianum*; *D. kingianum*; *D. Loddigesii*; *D. nobile*; *D. primulinum*; *D. pulchellum*, appelé aussi *D. dalhousieanum*; *D. superbiens*; *D. wardianum*; *D. Williamsianum*

Appartenant à l'un des genres les plus importants des orchidées avec plus de neuf cents espèces, les Dendrobium ont des tailles variant de moins de 2 cm à près de 3 m de haut. La plupart sont épiphytes et tous sont issus de rhizomes; mais certains ont des pseudo-bulbes alors que d'autres ont des tiges minces articulées ressemblant à celles des joncs. Certaines espèces sont caduques, d'autres persistantes, et leurs modes de floraison varient considérablement selon les espèces.

Sur certaines, les fleurs apparaissent en épis pendants et sont situées au sommet des plantes; sur d'autres, elles sont à l'aisselle des feuilles, soit isolément, soit en grappes. Toutes ces fleurs sont cependant caractérisées par le « menton » que forme au pied de la colonne la réunion des deux sépales latéraux. Elles tiennent en général de deux à trois semaines.

D. aggregatum (Inde) a un pseudo-bulbe de 5 à 10 cm portant une feuille unique persistante épaisse de 7 à 8 cm. Au printemps (en mars-avril), des inflorescences pendantes portent chacune de cinq à quinze fleurs d'environ 4 cm de diamètre, jaune doré au labelle légèrement plus foncé.

D. bigibbum (Nord de l'Australie) a des tiges articulées de 30 à 45 cm de haut et des feuilles persistantes de 10 cm. Chaque printemps, des hampes en arceau apparaissent sur les articulations supérieures des vieilles et des jeunes tiges; atteignant 30 cm de long, elles produisent des épis de deux à douze fleurs pourpre-magenta de 5 cm, dont le labelle est marqué d'une crête blanche au centre.

D. densiflorum (Inde) est une espèce dressée à pseudo-bulbes quadrangulaires longs de 30 à 40 cm portant près de leur sommet plusieurs feuilles persistantes groupées, longues d'environ 10 cm. Les fleurs, d'un jaune orangé vif et de 5 cm de diamètre, apparaissent au printemps en grappes denses sur de longues hampes cintrées; le labelle est d'un orange plus foncé que les sépales et les pétales.

L'hybride *D.* Gatton Sunray, issu d'un croisement entre *D. pulchellum* var. *luteum* et *D.* Illustre, est du type à tige articulée. En été, il porte, en grappes de huit à douze, des fleurs de 10 cm, odorantes et jaunes, à l'exception du centre du labelle qui est rouge foncé.

D. heterocarpum a des pseudo-bulbes lisses et charnus de 30 à 45 cm de haut pour 2 à 3 cm d'épaisseur, et des feuilles caduques longues de 10 cm. Les fleurs odorantes apparaissent à la fin de l'hiver et au début du printemps par paires ou en grappes de trois aux articulations des tiges de deux ans. Elles ont quelque 5 cm de diamètre, sont jaune-crème à la naissance mais deviennent jaune d'or en prenant de l'âge; le labelle a une jolie couleur chamois, strié de rouge.

D. infundibulum var. *jamesianum* (Birmanie) a des tiges minces dressées de 45 cm de haut et des feuilles persistantes longues de 7 à 8 cm. Les fleurs apparaissent en général par trois et sont placées au sommet des tiges; d'une dizaine de centimètres de diamètre, elles sont blanches et porte des taches rouges sur le labelle.

D. kingianum (Nouvelles-Galles du Sud) a des pseudo-bulbes effilés hauts de 15 à 30 cm qui portent près du sommet de trois à six feuilles persistantes de 10 cm étroitement serrées. Au début du printemps, des hampes longues de 10 à 20 cm surgissent au milieu des feuilles portant chacune de deux à neuf fleurs de 2 à 3 cm de diamètre, cireuses, odorantes, dont la couleur va du blanc au mauve taché de pourpre.

D. Loddigesii a des minces tiges articulées ramifiées qui produisent des racines aériennes aux articulations ou aux endroits

Dendrobium aggregatum

Dendrobium bigibbum

Dendrobium Gatton Sunray

Dendrobium nobile

où la tige se ramifie. Ces tiges, longues de 10 à 20 cm, portent des feuilles caduques atteignant de 7 à 8 cm de long. Les fleurs agréablement odorantes de 4 cm de diamètre apparaissent isolément aux articulations, de la fin de l'hiver au printemps ; d'une couleur rose violacé, elles ont un grand labelle fimbrié et un centre jaune orangé.

D. nobile (Inde, Chine) est l'orchidée de ce genre la plus cultivée et la plus hybridée. Elle porte sur ses tiges articulées, dépassant 60 cm de haut, des feuilles caduques de 7 à 10 cm dont la plupart tombent en automne. Les fleurs qui leur succèdent, de l'hiver au début de l'été, apparaissent aux articulations des tiges sans feuilles de deux ans ; elles poussent en grappes de deux ou trois. D'un diamètre d'environ 7 à 8 cm, elles ont des pétales et des sépales blancs à bout violet, et un labelle blanc à bout rose et à base magenta.

D. primulinum (Inde) est une espèce à feuilles caduques facile à cultiver et donnant au printemps des fleurs appariées de 5 cm et plus de diamètre ; elles ont des sépales et des pétales mauve pâle, un labelle jaune pâle teinté de pourpre et couvert de poils souples. Le pseudo-bulbe est long d'une trentaine de centimètres, épais d'environ 1 cm et pendant ; il porte des feuilles longues d'une dizaine de centimètres.

D. pulchellum a des tiges articulées de 1 à 1,50 m de long qui portent des feuilles persistantes. Des hampes retombantes garnies de cinq à douze fleurs à odeur musquée apparaissent au printemps aux articulations de la partie supérieure de la tige. Chaque fleur, jaune veinée de rose, a de 3 à 7 cm de diamètre et un labelle fimbrié moucheté de pourpre à la base.

D. superbiens (Australie) est un hybride naturel issu de *D. discolor* et *D. bigibbum* var. *phalaenopsis*. Il a des tiges de 1 à 1,50 m et des feuilles persistantes de 4 à 10 cm. En automne, une hampe en arceau atteignant 90 cm de long apparaît à l'aisselle des feuilles supérieures ; elle porte jusqu'à vingt fleurs de 7 à 8 cm de diamètre, rouge violacé, à bordure pâle et à labelle plus foncé, très ondulé.

D. wardianum (Assam) est une espèce à feuillage caduque facile à cultiver qui fleurit au printemps. Les pseudo-bulbes pendants, minces, atteignent 1,20 m ; les feuilles, longues d'une dizaine de centimètres, tombent avant l'apparition des fleurs en grappes de trois. Ces fleurs de 7 à 8 cm de diamètre ont des sépales et des pétales blancs et magenta et un labelle blanc tacheté de violet dont la base de couleur orange, est marquée de deux points violets.

D. Williamsianum (Nouvelle-Guinée) produit jusqu'à douze fleurs de 5 cm de diamètre en épis terminaux longs de 20 à 45 cm. Sépales et pétales sont blanc ivoire et le labelle violet ; les pseudo-bulbes minces, longs de 30 à 90 cm, ont des feuilles persistantes de 15 cm.

CULTURE. Les Dendrobium préfèrent la lumière solaire tamisée. La plupart sont difficiles à cultiver en lumière artificielle en raison de leur grande taille, mais certaines des plus petites espèces fleurissent sous un bon éclairage artificiel de 14 à 16 heures par jour. *D. aggregatum*, *D. kingianum*, *D. Loddigesii* et *D. nobile* exigent une température de 13 à 15°C la nuit et de 18 à 24°C le jour en période végétative, et une température nocturne de 10°C qui permet de déclencher la floraison. Les autres espèces mentionnées demandent des températures plus chaudes : de 15 à 18°C la nuit et de 21 à 29°C le jour, avec une humidité ambiante de 50 à 70 p. 100.

Plantez les Dendrobium dans un mélange de 7 volumes d'écorce tamisée, 1 de fibre d'osmonde ou de sphagnum, 1 de vermiculite et 1 de tourbe en mottes, ou bien dans un compost fait de sphagnum, de polypode et de fumier très décomposé. Tuteurisez les types à tiges articulées minces. Cultivez les espèces plus petites sur des plaques de liège ou d'écorce de fougère arborescente. Maintenez le mélange régulièrement humide pour les espèces persistantes, mais réduisez les arrosages en période de repos de la végétation.

Pour les espèces à feuillage caduque, maintenez également le mélange humide en période végétative ; mais laissez-le sécher presque complètement en période de repos et n'arrosez que lorsque les tiges commencent à se racornir ; vous pouvez aussi pulvériser simplement de l'eau sur les plantes. Apportez à l'occasion un fertilisant riche en azote que vous aurez dilué à 50 p. 100 aux plantes cultivées en pot durant la période végétative ; aux sujets sur plaques, mettez de l'engrais pour plantes d'appartement dilué de même à 50 p. 100.

Rempotez quand le mélange commence à se détériorer et que le drainage se fait mal, de préférence au moment de la pousse de nouvelles racines et de nouvelles feuilles.

Multipliez à cette occasion en divisant les plus vieilles plantes en touffes de trois ou quatre tiges ou pseudo-bulbes. Quand il s'agit d'espèces persistantes, laissez quelques vieilles tiges avec les nouvelles ; la floraison se fait sur les plantes divisées l'année précédente.

DENDROCHILUM

D. filiforme, appelé aussi *Platyclinis filiformis* (Orchidée-chaîne d'or)

D. filiforme (Philippines) a les hampes retombantes recouvertes d'une double rangée de fleurs (jusqu'à cent) odorantes et ne dépassant pas 6 cm de diamètre. Celles-ci ont des sépales et des pétales ovales allant du blanc au jaune, un labelle jaune trilobé et une colonne dentelée.

Plante épiphyte, *D. filiforme* a des pseudo-bulbes ovoïdes en touffes, longs de 2 à 3 cm, terminés par une feuille persistante unique de 15 cm de long ; la hampe, longue de 20 à 25 cm, émerge de la base de la feuille, et la floraison a lieu au printemps et en été.

CULTURE. *D. filiforme* prospère à une température de 13 à 15°C la nuit et de 18 à 24°C le jour. Assurez-lui au moins quatre heures de soleil par jour, mais évitez-le lui aux heures les plus chaudes de la mi-journée en été ; vous pouvez remplacer la lumière naturelle par 14 à 16 heures de lumière artificielle d'intensité moyenne par jour.

Maintenez une humidité ambiante de 50 à 60 p. 100. Les plantes poussent bien sur des plaques de liège ou d'écorce de fougère arborescente suspendues près du vitrage en culture en serre, ou encore en pot dans un mélange de 7 volumes d'écorce, 1 de fibre d'osmonde, 1 de vermiculite et 1 de tourbe en mottes ; si vous n'avez pas de fibre d'osmonde, mettez 2 volumes de tourbe en mottes au lieu d'un seul.

En période de croissance, maintenez le compost humide mais laissez-le sécher légèrement entre les arrosages en hiver pendant la période de repos. Fertilisez en période de croissance : avec un engrais riche en azote pour les plantes en pot, avec une préparation équilibrée destinée aux plantes d'appartement pour les plantes élevées sur plaques — en diluant à 50 p. 100 dans les deux cas. Si vous souhaitez remplacer vos Dendrochilum parce que le compost se détériore, faites-le au printemps, au moment où la croissance de la végétation reprend après le repos de l'hiver.

Multipliez au printemps par division en laissant quatre pseudo-bulbes par touffe.

DIACRIUM Voir *Caularthron*
DINEMA Voir *Epidendrum*

DORITIS

D. pulcherrima (Cochinchine)

Cette plante, l'une des deux seules espèces du genre Doritis, produit jusqu'à vingt fleurs sur chaque rameau de son pédoncule de 60 à 90 cm. Les fleurs, d'environ 2 à 3 cm de diamètre, ont toutes les nuances du rose violacé et leur labelle est orange, rouge ou violet. De nouveaux bourgeons s'ouvrent les uns après les autres en automne et en hiver, et la floraison se poursuit durant deux à cinq mois. Épiphyte, *D. pulcherrima* a des feuilles

ORCHIDÉE-CHAÎNE D'OR
Dendrochilum filiforme

Doritis pulcherrima

Encyclia atropurpurea

Encyclia cochleata

épaisses alternées longues de 12 à 20 cm. Les Doritis ont été croisés avec les Phalaenopsis et ont donné des hybrides connus sous le nom de x *Doritaenopsis*.

CULTURE. Ces orchidées fleurissent au mieux lorsqu'on les cultive sous une ombre légère ou qu'on leur assure un bon éclairage artificiel de 14 à 16 heures par jour. Il leur faut moins de lumière en été quand les jeunes feuilles et les racines se développent. Une température de 15 à 18°C la nuit et de 21 à 27°C le jour est idéale. Assurez-leur une humidité ambiante de 60 à 70 p. 100 et une bonne aération, mais évitez-leur les courants d'air.

Quand les fleurs sont fanées, un autre pédoncule peut apparaître si l'on coupe le premier au-dessus de son dernier nœud. Plantez dans de petits pots remplis de polypode, de sphagnum et d'une pincée de terreau de fumier, ou d'un mélange de 7 volumes d'écorce tamisée, 1 de fibre d'osmonde, 1 de vermiculite et 1 de tourbe en mottes ; si vous n'avez pas de fibre d'osmonde, mettez 2 volumes de tourbe en mottes.

Maintenez le mélange humide et mettez tous les trois ou quatre arrosages un fertilisant riche en azote dilué à 50 p. 100. Rempotez quand la plante est à l'étroit.

Multipliez en divisant les touffes qui se forment au pied de la plante mère.

E

ENCYCLIA

E. atropurpurea, appelé aussi *Epidendrum atropurpureum*; *E. cochleata*, appelé aussi *Epidendrum cochleatum*; *E. mariae*, appelé aussi *Epidendrum mariae*; *E. pentotis*, appelé aussi *Epidendrum beyrodtianum*; *E. stamfordiana*, appelé aussi *Epidendrum stamfordianum*; *E. tampensis*, appelé aussi *Epidendrum tampense*; *E. vitellina*, appelé aussi *Epidendrum vitellinum*

Autrefois classées parmi les Epidendrum, les cent trente espèces d'Encyclia sont originaires des régions tropicales d'Amérique. Ce sont des plantes épiphytes à touffes de pseudo-bulbes fusiformes dressés portant une ou plusieurs feuilles étroites. Les fleurs sont très ouvertes et apparaissent sur les épis terminaux.

E. atropurpurea a des pseudo-bulbes en forme de poire longs de 90 cm. A la fin du printemps et au début de l'été, il porte au bout de hampes de 45 cm des grappes de cinq à dix fleurs odorantes de 5 à 8 cm de diamètre à pétales et sépales recourbés, bruns avec parfois le bout vert, et à grand labelle blanc abondamment strié de violet. Les feuilles sont grandes et mesurent de 30 à 40 cm de long.

E. cochleata a des pseudo-bulbes minces et en forme de cône, longs de 12 à 20 cm ; ils produisent chacun une paire de feuilles luisantes de 15 à 30 cm. La floraison, qui s'étend sur cinq à sept mois, peut commencer à n'importe quelle époque. Les fleurs odorantes apparaissent successivement en grappes de trois à douze sur une hampe cintrée. Les pétales arachnéens vert jaunâtre et les sépales longs de 6 à 10 cm pendent sous un labelle en forme de coquille, vert strié de violet.

E. mariae a de petits pseudo-bulbes et des feuilles courtes. En été, son pédoncule de 15 à 20 cm porte à l'extrémité de une à quatre fleurs de 7 à 8 cm de diamètre ; leurs sépales et leurs pétales vert jaunâtre entourent un large labelle froncé qui, lui, est blanc veiné de vert.

E. pentotis se rencontre à l'état sauvage du Mexique au Brésil en passant par l'Amérique centrale. Il a des pseudo-bulbes cylindriques atteignant 25 cm de haut et des feuilles rubanées au moins aussi longues. Les fleurs sont disposées par deux ou par trois, à l'envers ; longues de 7 à 8 cm, elles vont du jaune verdâtre au crème, sont très odorantes et possède un labelle blanc veiné de violet.

E. stamfordiana a des inflorescences cintrées émergeant de la base de chaque pseudo-bulbe de 25 cm. Odorantes, d'un diamètre de 4 cm, les fleurs ont des sépales et des pétales jaunes tachetés de rouge, et leur labelle blanc a un lobe médian fimbrié. Elles apparaissent en grappes odorantes et la floraison dure de l'été jusqu'au printemps.

E. tampensis a de petits pseudo-bulbes et des feuilles longues de 15 à 40 cm. Il porte presque toute l'année des grappes de fleurs de 2 à 3 cm vert-jaune teinté de brun; le labelle est blanc et porte des taches violettes.

E. vitellina a deux feuilles minces de 15 à 25 cm sur des pseudo-bulbes de 5 cm et un pédoncule portant au moins dix fleurs rouge orangé au début de l'automne.

CULTURE. Les Encyclia et les Epidendrum *(voir ci-dessous)* prospèrent sous une forte lumière solaire indirecte ou avec un bon éclairage artificiel de 14 à 16 heures par jour. Il leur faut une température de 13 à 15°C la nuit et de 18 à 21°C le jour. Maintenez une humidité relative de 50 à 75 p. 100, et aérez bien les plantes en prenant soin toutefois de ne pas les exposer aux courants d'air.

Rempotez dans un compost spécial pour Cattleya ou dans un mélange de 7 volumes d'écorce tamisée, 1 de vermiculite et 1 de tourbe; ou montez les plantes sur une plaque de liège ou d'écorce de fougère arborescente. Après la mise en pot, arrosez légèrement pour que le mélange soit juste humide au toucher, et vaporisez fréquemment de l'eau jusqu'à ce que les racines soient établies. En période végétative, laissez le mélange devenir presque sec au toucher entre les arrosages.

Tous les trois arrosages, apportez aux plantes en pot un fertilisant riche en azote et, aux plantes sur plaques, un engrais équilibré pour plantes d'appartement; diluez-le à 50 p. 100 dans les deux cas. Après la floraison, réduisez l'arrosage et supprimez les solutions nutritives.

Rempotez tous les ans ou tous les deux ans quand les plantes débordent du pot ou que le mélange commence à se détériorer et se draine mal.

Multipliez par division en touffes de trois ou quatre les espèces à pseudo-bulbes, et par bouture les espèces à tiges.

ENCYCLIA CITRINA Voir *Cattleya*

EPIDENDRUM
E. ciliare; *E. nocturnum*; *E. polybulbon*, appelé aussi *Dinema polybulbon*; *E. pseudepidendrum*; *E. radicans*

Les Epidendrum sont appréciés pour leurs fleurs éclatantes, odorantes et durables qui, dans de nombreuses espèces, sont abondantes pendant la plus grande partie de l'année. Il y en a plus de quatre cents espèces, et bien d'autres ont été récemment reclassées dans le genre Encyclia *(page 110)*. La plupart sont épiphytes et on peut les diviser en deux groupes : celles à pseudo-bulbes portant de une à trois feuilles coriaces, et celles à tiges fines comme celles des roseaux, sans pseudo-bulbes mais avec plusieurs feuilles charnues. Les deux groupes ont des fleurs cireuses, isolées ou en grappes, à l'extrémité de pédoncules dressés atteignant 90 cm de haut.

E. ciliare (Amérique tropicale) porte une ou deux feuilles de 15 à 20 cm sur ses pseudo-bulbes de 10 à 18 cm. L'aspect général est celui d'un Cattleya. Ses fleurs abondantes de 7 à 18 cm s'épanouissent en hiver en grappes de trois à sept; elles ont des pétales et des sépales jaune verdâtre, et un labelle blanc trilobé et fimbrié.

E. nocturnum produit des pseudo-bulbes articulés longs de 30 à 75 cm à feuilles de 15 à 20 cm. Ses fleurs arachnéennes jaune pâle ou vertes ressemblent à celles de *E. ciliare* et sont particulièrement odorantes la nuit.

E. polybulbon a de minuscules pseudo-bulbes portant chacun deux feuilles longues de 2 à 5 cm et formant un véritable tapis. En hiver et au printemps, chaque pseudo-bulbe produit une fleur unique vert-jaune à reflets rouges, de 1 à 3 cm; son labelle allongé est blanc.

Epidendrum ciliare

Epidendrum pseudepidendrum

Epidendrum radicans

Eria javanica

E. pseudepidendrum (Amérique centrale) a des tiges minces articulées hautes de 60 à 90 cm et des feuilles coriaces foncées. Les sépales et les pétales verts de ses superbes fleurs longues de 7 à 8 cm s'étalent autour d'un labelle cireux rouge orangé; plusieurs grappes de trois à cinq fleurs s'épanouissent sur le même pédoncule.

E. radicans (Guatemala) a une tige grimpante longue de 60 à 90 cm, de courtes feuilles et de longues racines aériennes. Toute l'année, ses hampes produisent des grappes rondes de fleurs de 2 à 4 cm dont les couleurs vives vont du jaune au rouge.

CULTURE. Les Epidendrum ont les mêmes exigences que les Encyclia *(page 110).*

Comme pour les Encyclia, vous pouvez rempoter tous les ans ou tous les deux ans quand les plantes débordent du pot ou que le mélange se décompose et se draine mal.

Multipliez les espèces à pseudo-bulbes par division en touffes de trois ou quatre, et les espèces à tiges par bouture.

EPIDENDRUM ATROPURPUREUM Voir *Encyclia*
EPIDENDRUM BEYRODTIANUM Voir *Encyclia*
EPIDENDRUM BICORNUTUM Voir *Caularthron*
EPIDENDRUM COCHLEATUM Voir *Encyclia*
EPIDENDRUM FLOS-AERIS Voir *Arachnis*
EPIDENDRUM LINDLEYANUM Voir *Barkeria*
EPIDENDRUM MARIAE Voir *Encyclia*
EPIDENDRUM SPECTABILE Voir *Barkeria*
EPIDENDRUM STAMFORDIANUM Voir *Encyclia*
EPIDENDRUM TAMPENSE Voir *Encyclia*
EPIDENDRUM VITELLINUM Voir *Encyclia*

ERIA
E. javanica, appelé aussi *E. stellata*

Ces orchidées épiphytes se rencontrent rarement dans les collections d'amateurs. *E. javanica* (Philippines) a des pseudo-bulbes ovoïdes de 7 cm disposés à environ 5 cm d'intervalle sur un rhizome; chacun de ces pseudo-bulbes produit une hampe haute de 30 à 40 cm portant jusqu'à trente fleurs blanches ou crème en forme d'étoile et parfois veinées de violet, atteignant 4 cm de diamètre. Les feuilles larges et charnues portées par les pseudo-bulbes atteignent jusqu'à 50 cm de long.

La floraison a lieu principalement au printemps et en été, et parfois plusieurs fois par an.

CULTURE. *E. javanica* prospère sous une lumière solaire indirecte ou tamisée ou avec 14 à 16 heures par jour de lumière artificielle assez intense. La température idéale est de 15 à 18°C la nuit, et de 21 à 27°C le jour. Maintenez une humidité ambiante de 60 à 70 p. 100 avec une bonne aération, mais veillez à ce qu'il n'y ait pas de courants d'air.

Rempotez les Eria dans un compost pour Cymbidium ou dans un mélange de 7 volumes d'écorce tamisée pour 1 de fibre d'osmonde, 1 de vermiculite et 1 de tourbe en mottes — 2 de tourbe à défaut de fibre d'osmonde. En période de croissance, maintenez le compost humide et incorporez tous les trois ou quatre arrosages un fertilisant riche en azote, que vous aurez dilué à 50 p. 100.

Après floraison, laissez les plantes se reposer pendant une quinzaine de jours; recommencez arrosages et fertilisation à la reprise de la croissance. Rempotez uniquement quand le rhizome déborde du pot ou que le compost se décompose et que le drainage se fait mal.

Multipliez par division en touffes comportant trois ou quatre pseudo-bulbes.

EUANTHE Voir *Vanda*

F
FERNANDEZIA Voir *Lockhartia*

G

GASTROCHILUS
G. bellinus, appelé aussi *Saccolabium bellinum*; *G. calceolaris*, appelé aussi *Saccolabium calceolare*

Ce genre d'orchidées épiphytes compte peu d'espèces; elles sont réparties de l'Inde jusqu'à l'ouest de la Malaisie; les plantes, qui n'ont pas de pseudo-bulbes, sont constituées par une courte tige dressée portant quelques feuilles étroites et coriaces. Les fleurs cireuses, durables, sont odorantes et disposées en grappes qui peuvent être serrées ou clairsemées, dressées ou pendantes. Elles sont semblables à celles du *Saccolabium*, mais généralement plus ouvertes que celles de ce dernier.

G. bellinus (Inde) a une tige robuste dépassant rarement 5 cm de haut. Ses six à huit feuilles linguiformes atteignent 20 cm de long. Les fleurs de 4 cm de diamètre, jaune verdâtre ou blanches, tachées ou mouchetées de violet et de rouge, apparaissent en grappes serrées au nombre de quatre à sept à la fin de l'hiver ou au printemps.

G. calceolaris est très répandu dans la chaîne himalayenne, en Birmanie et jusqu'à Sumatra et Java du Sud. Lui aussi n'a que trois à six feuilles sur une courte tige. Les fleurs jaune teinté de vert sont mouchetées de brun ou de violet, avec un labelle à lobe central fimbrié et taché d'orange. Les premières fleurs de 2 cm de diamètre s'ouvrent en automne.

CULTURE. Les Gastrochilus prospèrent avec une température minimale de 13 à 15 °C la nuit, atteignant 21 °C ou davantage le jour. Ils ont besoin d'un bon éclairement et supportent plusieurs heures de plein soleil par jour, mais mieux vaut les en abriter en été pendant les heures les plus chaudes. Maintenez une humidité ambiante de 40 à 60 p. 100. Cultivez-les dans le mélange utilisé pour les Vanda *(page 142)*, de préférence en petits paniers ou en pots perforés à orchidées. Ne les rempotez que lorsque c'est indispensable. En période de croissance, mettez tous les trois arrosages un fertilisant liquide pour plantes d'appartement dilué à 50 p. 100.

Pour procéder à la multiplication, prélevez les rejetons dont on provoque la pousse en enlevant le sommet de la tige; cette opération doit être effectuée avec beaucoup de soin.

GONGORA
G. armeniaca; *G. galeata*

Les Gongora, orchidées épiphytes, ont des racines aériennes dressées et de longues hampes cintrées ou pendantes retombant sous la base de la plante; chacune porte jusqu'à trente fleurs odorantes atteignant 5 cm de diamètre. La position renversée et la structure complexe des fleurs obligent les abeilles cherchant le nectar à se glisser le long de la colonne au sommet de laquelle elles recueillent le pollen avant de passer à une autre fleur. Les deux espèces ont de petits pseudo-bulbes d'une hauteur de 2 à 5 cm qui portent au sommet de larges feuilles plissées.

G. armeniaca (Nicaragua) a des feuilles appariées longues d'une vingtaine de centimètres; ses fleurs pourpre à odeur d'abricot et à labelle en forme de sac sont orientés vers l'intérieur sur une hampe longue de 60 à 90 cm.

G. galeata (Mexique) ressemble en plus petit au précédent. Ses fleurs très odorantes jaune brunâtre ont des sépales et des pétales proportionnellement plus grands. La floraison des deux espèces se produit en été et au début de l'hiver et dure environ une ou deux semaines.

CULTURE. Les Gongora prospèrent sous une lumière solaire indirecte ou tamisée ou avec 14 à 16 heures de lumière artificielle par jour. La température idéale est de 13 à 15 °C la nuit, de 18 à 21 °C le jour; maintenez un taux d'humidité ambiante de 50 p. 100.

Si les fleurs tombent, placez les plantes plus au frais et à l'ombre. Cultivez-les dans des paniers remplis de fibre d'osmonde ou de fougère arborescente ou sur des plaques de liège ou d'écorce de fougère arborescente. Vous pouvez aussi les cultiver en pots

Gongora armeniaca

remplis d'un mélange de 7 volumes d'écorce tamisée pour 1 de fibre d'osmonde, 1 de vermiculite et 1 de tourbe en mottes. Veillez à ce que les plantes soient assez hautes dans le panier ou dans le pot de manière que les hampes puissent passer par-dessus le bord.

En période végétative, maintenez le mélange humide et mettez aux plantes en pots, tous les trois arrosages, un fertilisant riche en azote, et à celles sur plaques, un engrais équilibré pour plantes d'appartement; diluez-le dans les deux cas à 50 p. 100. Laissez reposer les plantes en hiver; rempotez-les quand elles sont à l'étroit ou que le compost commence à se décomposer et que le drainage se fait mal.

Multipliez par division en touffes comportant trois ou quatre pseudo-bulbes.

H

HAEMARIA

H. discolor, appelé aussi *Ludisia discolor* et *Anoectochilus discolor* (Chine, Malaisie)

Les Haemaria attirent en général les amateurs d'orchidées plus par leurs feuilles que par leurs fleurs, bien que *H. discolor* mérite de figurer dans une collection pour la beauté de ses fleurs. Plante terrestre tropicale, il aime un sol riche en humus et fleurit en automne et en hiver. Au centre de chaque fleur cireuse blanche d'une douzaine de millimètres de diamètre, la colonne jaune et le labelle en forme d'ancre s'écartent gracieusement dans des directions opposées.

Les fleurs odorantes sont disposées en grappes sur des pédoncules atteignant 30 cm. En épinçant ceux-ci, on favorise la pousse des jolies feuilles à la surface d'un vert étincelant, aux nervures rouges ou or dessus et pourpre à l'envers. Longues d'environ 7 cm, ces feuilles croissent en verticilles sur une tige de 15 cm de long.

CULTURE. Difficile à cultiver, *H. discolor* a besoin de chaleur, de peu de lumière et de beaucoup d'humidité. Une exposition au nord lui suffit pour l'éclairage, ou bien 14 à 16 heures par jour de lumière artificielle d'intensité moyenne. La température doit être maintenue entre 15 et 18°C la nuit, entre 21 et 27°C le jour, avec 70 à 80 p. 100 d'humidité ambiante. Cultivez donc ces orchidées dans un récipient en verre, ou en terrarium; ouvrez régulièrement pour aérer la plante en veillant, toutefois, à ne pas provoquer de courants d'air, ce que *H. discolor* supporte mal.

Plantez dans un mélange de 2 volumes de tourbe en mottes, 2 de sable et 1 de vermiculite et d'écorce fine. Utilisez un petit pot ou une coupe peu profonde s'il y a plusieurs sujets bien enracinés. Maintenez le mélange humide mais non détrempé, car de l'eau stagnant autour des racines entraînerait la détérioration de cette plante fragile.

En période végétative, mettez tous les trois arrosages un fertilisant équilibré pour plantes d'appartement dilué à 50 p. 100. Rempotez quand les plantes sont à l'étroit ou que le mélange se détériore et se draine mal.

La multiplication de cette plante s'obtient par la division du rhizome.

HEXISEA

H. bidentata (Panama, Colombie)

La tige articulée qui caractérise les Hexisea, orchidées épiphytes, est formée de pseudo-bulbes superposés dont chacun porte à son sommet végétatif une paire de feuilles minces de 7 à 10 cm. Des grappes serrées de fleurs brillantes en forme de coupe apparaissent sur un court pédoncule au printemps et en été, et parfois aussi à intervalles réguliers toute l'année. Bien qu'il n'existe aucun hybride répertorié, les horticulteurs spécialisés ont réussi des croisements avec des Cattleya, des Laelia et des Epidendrum.

Haemaria discolor

Hexisea bidentata

CULTURE. Les Hexisea ont besoin de températures moyennes, de 13 à 15°C la nuit et de 18 à 24°C le jour. Ils prospèrent si on leur assure une bonne lumière solaire tamisée, par exemple sur une fenêtre munie de légers rideaux et exposée au sud-ouest, ou encore sous une bonne lumière artificielle dispensée de 14 à 16 heures par jour. Maintenez une humidité ambiante de 40 à 60 p. 100 et assurez une bonne aération aux plantes.

Cultivez-les en pot dans un mélange de 7 volumes d'écorce tamisée pour 1 de fibre d'osmonde, 1 de vermiculite et 1 de tourbe grossière — ou 2 de tourbe à défaut de fibre d'osmonde —, ou bien attachez-les sur une plaque de liège ou d'écorce de fougère arborescente. Laissez le mélange sécher légèrement entre les arrosages. Tous les trois arrosages, apportez aux plantes en pot un fertilisant riche en azote et aux Hexisea sur plaque un engrais équilibré pour plantes d'appartement; dans les deux cas, diluez le fertilisant à 50 p. 100.

Cette espèce pouvant fleurir toute l'année, elle n'a pas besoin de période de repos après la floraison. Rempotez quand les plantes sont à l'étroit ou que le mélange se dégrade.

Multipliez par division d'une plante en laissant de quatre à cinq pseudo-bulbes par touffe.

I

IONOPSIS

I. utricularioides (Jamaïque)

Cette orchidée épiphyte naine croît naturellement dans les forêts tropicales humides. Elle porte des épis ramifiés de petites fleurs dont la dimension, la forme et la couleur font penser à des bouquets de violettes. Celles de *I. utricularioides* ont 1 cm, et leur couleur varie fortement d'une plante à l'autre ; certaines sont blanc pur, d'autres roses ou lilas avec des nervures violettes, d'autres encore d'un violet éclatant. Toutes ont un labelle large et plat environ deux fois plus long que les sépales. La floraison a lieu en hiver et au début du printemps. Des feuilles épaisses de 12 cm jaillissent de la base d'un très petit pseudo-bulbe. Très fragiles, les Ionopsis ne vivent que cinq ou six ans.

CULTURE. Les Ionopsis exigent un mélange maintenu constamment humide et surtout toujours frais, faute de quoi ils dépérissent rapidement. Ils prospèrent sur une plaque de liège ou d'écorce de fougère arborescente, ou encore dans un petit panier rempli de fibre d'osmonde ou de fougère arborescente. Vous pouvez également les cultiver en pot de petite taille, dans un mélange de 7 volumes d'écorce tamisée pour 1 de vermiculite et 1 de tourbe en mottes.

En période végétative, laissez le mélange sécher légèrement entre les arrosages. Tous les trois arrosages, apportez aux plantes sur plaque ou en panier un engrais équilibré pour plantes d'appartement et, à ceux cultivés en pot, un fertilisant riche en azote, en le diluant à 50 p. 100 dans les deux cas.

Après la floraison, réduisez l'arrosage et supprimez l'engrais jusqu'à la reprise de la végétation. Les Ionopsis ont besoin de lumière solaire indirecte ou tamisée, ou de 14 à 16 heures par jour d'un bon éclairage artificiel, d'une température de 13 à 15°C la nuit et de 18 à 24°C le jour. Maintenez une humidité ambiante de 50 à 70 p. 100. Les Ionopsis n'aiment pas être transplantés, aussi rempotez seulement quand le mélange se dégrade et veillez à déranger les racines le moins possible.

Multipliez par division de la tige.

ISOCHILUS

I. linearis (Mexique, Brésil)

I. linearis, plante épiphyte délicate atteignant 60 cm de haut, a des tiges filiformes et des feuilles herbacées longues de 6 cm et larges de 3 mm seulement ; il produit de manière intermittente toute l'année de petites fleurs longues de 12 mm au plus, dont les couleurs vont de presque blanc à un magenta éclatant ; elles ont un labelle plus foncé et sont disposées en grappes de cinq à quinze

Ionopsis utricularioides

Isochilus linearis

Laelia anceps

Laelia cinnabarina

sur une hampe. Elles ne s'ouvrent jamais tout à fait et conservent un aspect légèrement tubulaire. Comme les autres espèces de genre, *I. linearis* se cultive facilement et devient rapidement une jolie plante après la multiplication.

CULTURE. *I. linearis* préfère une ombre éparse ou la lumière solaire indirecte ou tamisée. En lumière artificielle, il faut lui assurer un éclairage de 14 à 16 heures par jour d'intensité assez faible. La température doit être de 13 à 15 °C la nuit et de 18 à 24 °C pendant la journée, avec une humidité ambiante se situant en moyenne entre 60 et 70 p. 100.

Les Isochilus poussent aussi bien en pot, en panier remplis de fibre d'osmonde ou de fougère arborescente, que sur des plaques de liège ou d'écorce de fougère arborescente.

En pot, employez un mélange de 7 volumes d'écorce tamisée, 1 de fibre d'osmonde hachée, 1 de vermiculite et 1 de tourbe en mottes — ou 2 de tourbe si vous n'avez pas de fibre d'osmonde. Maintenez le mélange toujours humide, en veillant à ce qu'il ne soit jamais détrempé.

Tous les trois arrosages mettez aux plantes en pot un fertilisant azoté, et aux plantes en panier ou sur plaques un engrais équilibré pour plantes d'appartement ; dans les deux cas, diluez le produit à 50 p. 100.

Ne rempotez que lorsque les plantes sont à l'étroit ou que le mélange commence à se décomposer et que le drainage se fait mal.

La multiplication peut se faire par division des touffes, mais les floraisons sont plus fréquentes si on ne touche pas aux plantes.

L

LAELIA

L. anceps ; L. autumnalis ; L. cinnabarina ; L. crispa ; L. Lundii, appelé aussi *L. Regnelii ; L. pumila*

Les Laelia sont, de toutes les orchidées épiphytes, celles qui ressemblent le plus aux Cattleya, avec lesquels on les croise d'ailleurs souvent. La différence réside en la présence de huit pollinies au lieu de quatre. Leurs teintes éclatantes, allant du jaune au rouge orangé et au violet, permettent d'obtenir des hybrides aux couleurs somptueuses. Les espèces ont une période de floraison d'une longueur inhabituelle, plus de deux mois pour certaines d'entre elles.

L. anceps (Mexique) est l'un des plus connus. Ses pseudo-bulbes quadrangulaires de 7 à 13 cm de haut portent une feuille unique longue de 15 à 20 cm. En hiver, des grappes de deux à cinq fleurs de 10 cm de diamètre, lavande avec un labelle jaune et violet foncé, apparaissent aux extrémités des hampes incurvées qui peuvent atteindre 90 cm de long.

L. autumnalis (Mexique) ressemble beaucoup à *L. anceps*, mais ses pseudo-bulbes portent deux ou trois feuilles. Les fleurs de 7 à 10 cm de diamètre apparaissent en épis clairsemés en automne ou au début de l'hiver, à l'extrémité de hampes florales longues de 60 cm ; roses et violettes, elles ont un labelle caractéristique avec deux lobes extérieurs mouchetés de violet et un lobe intérieur jaune. Dans certaines régions du Mexique, on rape les pseudo-bulbes pour en faire des friandises de formes diverses très appréciées.

L. cinnabarina (Brésil), que l'on trouve sur les rochers comme sur les arbres, est porté par un grand pseudo-bulbe renflé à la base mais effilé, haut de 12 à 30 cm ; il produit une feuille unique de 15 à 30 cm. Les fleurs qui apparaissent au printemps ou en été par grappes de cinq à quinze sur des hampes de 30 à 60 cm, ont de 5 à 8 cm de diamètre, sont rouge-orange vif, et leur labelle a un lobe médian fimbrié.

L. crispa, espèce fleurissant en été, a également de grands pseudo-bulbes atteignant une trentaine de centimètres de haut en forme de massue, et une feuille unique de 20 à 30 cm. Il porte des grappes de cinq ou six fleurs blanches odorantes de 10 à 15 cm de diamètre à labelle jaune et violet.

L. Lundii dépasse rarement 10 à 12 cm de diamètre ; ses pseudo-bulbes de 4 à 5 cm portent deux feuilles de 7 cm et ses fleurs s'épanouissent isolément ou par paires au milieu de l'hiver, souvent avant l'apparition des feuilles étroites. Elles ont de 2 à 4 cm de diamètre et sont blanches avec des nuances de rose violacé. Les labelles chiffonnés sont veinés de rouge.

L. pumila (Brésil), autre espèce naine, a des pseudo-bulbes longs de 5 à 10 cm portant chacun une feuille unique de la même taille, et atteint au maximum 20 à 30 cm de haut. Il produit à l'automne des fleurs roses à lavande, à labelle bicolore, pourpre sur les lobes extérieurs et jaune à la base.

CULTURE. Les Laelia prospèrent par une température de 13 à 15°C la nuit et de 18 à 24°C le jour. Assurez-leur de quatre à huit heures de soleil par jour, mais tamisez ses rayons quand ils sont trop chauds. Si vous leur donnez de la lumière artificielle, l'éclairage doit être intense et maintenu de 14 à 16 heures par jour. *L. autumnalis* peut passer l'été à l'extérieur en situation mi-ombragée.

Le taux d'humidité nécessaire varie entre 40 et 60 p. 100. Cultivez dans un mélange de 7 volumes d'écorce tamisée pour 1 de fibre d'osmonde, 1 de vermiculite et 1 de tourbe en mottes — ou 2 volumes de tourbe au lieu de un seul si vous n'avez pas de fibre d'osmonde à votre disposition. Vous pouvez aussi cultiver les Laelia sur des plaques de liège ou d'écorce de fougère arborescente.

En période de croissance, laissez le mélange devenir modérément sec entre les arrosages. Après la floraison et jusqu'à la reprise de la végétation, n'arrosez que lorsque les pseudo-bulbes menacent de se racornir. En période végétative, mettez tous les trois arrosages un fertilisant riche en azote aux plantes en pot, et un engrais équilibré, comme une bonne préparation pour plantes d'appartement, aux plantes sur plaque. Dans les deux cas, diluez le produit à 50 p. 100. Ne fertilisez pas durant la période de repos après la floraison.

Rempotez tous les deux, trois ou quatre ans si les plantes sont à l'étroit ou si le compost se détériore ou que le drainage se fait mal.

Multipliez à l'apparition de nouvelles pousses en divisant les pseudo-bulbes en touffes de trois ou quatre.

LAELIA LYONSII Voir *Schomburgkia*
LAELIA TIBICINIS Voir *Schomburgkia*
LAELIA UNDULATA Voir *Schomburgkia*

x LAELIOCATTLEYA

x *L.* Aconcagua ; x *L.* Alicia ; x *L.* Danae ; x *L.* Gaillard ; x *L.* Marietta ; x *L.* Queen Mary ; x *L.* Saintonge

Ces hybrides très connus et prisés de Laelia et de Cattleya sont caractérisés par des grappes de fleurs éclatantes de 7 à 15 cm. Il en existe plusieurs milliers d'hybrides dont les couleurs vont du jaune verdâtre au violet en passant par l'orange et le rose. Ces couleurs resplendissantes leur viennent des Laelia, leur structure générale et leur port, des Cattleya.

x *L.* Aconcagua, orchidée remarquable, doit son nom à la plus haute montagne d'Argentine. Ses fleurs atteignant 15 cm de diamètre ont des sépales et des pétales d'un blanc pur, mis en valeur par un labelle en grande partie violet.

x *L.* Alicia a des fleurs de dimension moyenne pourpre écarlate et fleurit de septembre à novembre.

x *L.* Danae, aux teintes mauve ou cuivrées, fleurit en fin d'automne.

x *L.* Gaillard aux fleurs mauves, fleurit de janvier à mai.

x *L.* Marietta a des fleurs ne dépassant pas 12 cm, dont les sépales et les pétales sont pourpres avec deux points jaunes.

x *L.* Queen Mary a des fleurs un peu plus grandes, gracieuses, et bien équilibrées. Elles ont une jolie teinte lavande et leur labelle, d'un ton plus foncé, est jaune à l'intérieur.

x *L.* Saintonge, mauve soutenu, fleurit en octobre-novembre.

Laelia Lundii

Leptotes bicolor

Lockhartia acuta

CULTURE. Les Laeliocattleya prospèrent à la lumière solaire indirecte ou tamisée, ou avec 14 à 16 heures d'éclairage artificiel par jour. La température idéale est de 13 à 15°C la nuit, et de 18 à 24°C le jour, avec une humidité ambiante de 40 à 60 p. 100. Cultivez-les en pot dans un mélange de 7 volumes d'écorce tamisée, 1 de vermiculite et 1 de tourbe. En période de végétation, laissez le mélange devenir légèrement sec entre les arrosages ; après floraison, arrosez juste assez pour éviter le flétrissement des pseudo-bulbes.

En période de végétation, mettez tous les trois arrosages un fertilisant spécial pour orchidées riche en azote, que vous aurez dilué à 50 p. 100.

Multipliez à l'apparition des jeunes pousses en divisant les plantes en touffes de trois ou quatre pseudo-bulbes.

LEPTOTES
L. bicolor, appelé aussi *Tetramicra bicolor* (Brésil)

Cette orchidée naine épiphyte, très odorante, aux fleurs d'une taille disproportionnée, produit de minces pseudo-bulbes dressés hauts de 2 à 3 cm seulement et portant une fleur solitaire presque cylindrique, atteignant 7 à 13 cm de long. C'est la plus belle espèce de ce genre d'une douzaine d'espèces.

La plante produit également des capsules de graines que l'on fait sécher comme des gousses du vanillier et que l'on utilise au Brésil pour parfumer pâtisseries et glaces. Un pédoncule de 2 à 5 cm porte de deux à quatre fleurs blanches de 5 cm, à sépales et pétales minces enserrant un labelle teinté de pourpre.

En raison de sa petite taille et de ses fleurs splendides, *L. bicolor* convient parfaitement aux cultures sur fenêtres. Il fleurit normalement de l'hiver au printemps.

CULTURE. Les Leptotes ont besoin de forte lumière solaire indirecte ou tamisée, ou bien de 14 à 16 heures par jour d'éclairage artificiel assez intense. La température idéale est de 13 à 15°C la nuit, de 18 à 24°C le jour, avec une humidité ambiante de 40 à 60 p. 100. Cultivez sur plaques de liège ou d'écorce de fougère arborescente, ou en pot avec un mélange de 7 volumes d'écorce tamisée pour 1 de fibre d'osmonde hachée, 1 de vermiculite et 1 de tourbe en mottes — ou 2 si vous ne disposez pas de fibre d'osmonde. Durant la saison végétative, laissez le mélange sécher légèrement avant d'arroser abondamment.

Tous les trois arrosages, mettez aux plantes en pot un fertilisant riche en azote, et aux spécimens sur plaque une préparation équilibrée pour plantes d'appartement. Diluez le produit, dans les deux cas, à 50 p. 100. Après la floraison, donnez juste assez d'eau pour empêcher le flétrissement des pseudo-bulbes, et ne fertilisez plus jusqu'à l'apparition de nouvelles racines. Un repos bien net est nécessaire.

Les Leptotes peuvent cesser de fleurir si on y touche trop ; ne rempotez donc pas et procédez à un surfaçage consistant à enlever simplement autour de la plante une partie du mélange détérioré ; remplacez-le par du compost neuf. Pour la même raison, mieux vaut ne pas multiplier par division.

LOCKHARTIA
L. acuta, appelé aussi *L. pallida* et *Fernandezia acuta; L. lunifera; L. Oerstedtii*

Remarquables par leurs feuilles imbriquées disposées sur des tiges atteignant 60 cm de haut, ces orchidées épiphytes font de belles plantes ornementales même quand elles ne sont pas en fleur. Celles-ci sont cependant jolies : petites et fragiles, souvent jaunes à labelle moucheté de rouge, elles pendent au bout de fins pédoncules issus de l'aisselle des feuilles supérieures. La période de floraison va de six semaines à trois mois.

L. acuta (Trinité) porte en été de six à douze fleurs jaunes à labelle rouge par pédoncule ; chaque fleur a moins de 1 cm de diamètre.

L. lunifera (Guatemala) produit de l'été à l'automne de une à trois fleurs jaune pâle par pédoncule ; ces fleurs sont très légèrement plus grandes que celles de *L. acuta* et mesurent de 12 à 18 mm de diamètre.

L. Oerstedtii porte en toute saison de deux à quatre fleurs rouges et or par pédoncule ; elles atteignent de 2 à 3 cm de diamètre.

CULTURE. Les Lockhartia exigent une température de 13 à 15°C la nuit, de 18 à 24°C le jour, et une humidité ambiante de 50 à 60 p. 100. Assurez-leur de la lumière solaire diffuse ou tamisée, ou encore de 14 à 16 heures par jour d'éclairage artificiel. Bien qu'épiphytes à l'état naturel, les Lockhartia cultivés poussent mieux dans des pots remplis d'un mélange de 7 volumes d'écorce tamisée pour 1 de fibre d'osmonde hachée, 1 de vermiculite et 1 de tourbe en mottes — 2 si l'on n'a pas de fibre d'osmonde —, le tout additionné d'un peu de charbon de bois. Tenez ce mélange humide, mais non détrempé, toute l'année, les plantes n'ayant pas de pseudo-bulbes pour emmagasiner l'eau.

Mettez tous les trois arrosages, durant la période active de la végétation, un fertilisant riche en azote que vous aurez dilué à 50 p. 100.

Rempotez la plante quand elle déborde du pot ou que le mélange se détériore et que le drainage se fait mal ; opérez de préférence lors de l'apparition de nouvelles pousses après la période de repos.

Multipliez en coupant et en faisant s'enraciner des segments de tiges, ou en divisant les touffes des tiges. La floraison en sera arrêtée pendant un certain temps, mais ce serait également le cas si les touffes devenaient trop importantes.

LUDISIA Voir *Haemaria*

LYCASTE

L. aromatica ; *L. virginalis*, appelé aussi *L. skinneri*

Chaque pseudo-bulbe de cette orchidée épiphyte à feuillage caduque peut produire à la fois dix hampes portant chacune une unique fleur cireuse, et la floraison peut se prolonger durant plusieurs mois. Les sépales se recourbent en arrière autour d'une coupe en forme de tulipe constituée par les pétales et le labelle ; ces pétales sont assez souvent de couleur plus foncée que les sépales.

L. aromatica (Mexique) produit au printemps des fleurs de 7 à 8 cm à pétales jaune foncé, à sépales plus clairs et à labelle moucheté d'orange. Les hampes ont environ 15 cm de long, et toute la plante disparaît sous d'immenses feuilles atteignant jusqu'à 45 cm de large et 10 cm de long.

L. virginalis (Guatemala) produit en automne et en hiver des fleurs de 10 à 15 cm de diamètre portées par des hampes de 15 à 30 cm ; blancs ou roses, leurs pétales sont souvent plus foncés que les sépales, et le labelle porte des marques mauves.

La variété *L. virginalis* var. *alba* produit une fleur entièrement blanche à l'exception d'une crête jaune pâle située sur le labelle.

CULTURE. Les Lycaste prospèrent à la lumière solaire tamisée ou avec 14 à 16 heures de faible éclairage artificiel par jour. Il leur faut une température de 10 à 13°C la nuit, de 15 à 21°C le jour, et une humidité ambiante de 40 à 60 p. 100. Plantez-les dans un compost pour Cymbidium ou dans un mélange de 7 volumes d'écorce pour 1 de fibre d'osmonde, 1 de vermiculite et 1 de tourbe en mottes — 2 à défaut de fibre d'osmonde. En période végétative, maintenez le mélange humide sans qu'il soit détrempé, et mettez tous les trois arrosages un fertilisant riche en azote dilué à 50 p. 100.

Suspendez la fertilisation pendant la période de repos et laissez le mélange sécher presque complètement jusqu'à la reprise de la croissance. Une sécheresse assez nette est indispensable pour une bonne culture. Rempotez quand le mélange se dégrade et que le drainage se fait mal.

Multipliez lors de la reprise de la végétation par division en touffes comportant au moins trois ou quatre pseudo-bulbes chacune.

Lycaste virginalis

Masdevallia tovarensis

Maxillaria picta

M

MASDEVALLIA
M. chimaera; M. coccinea, appelé aussi *M. harryana* et *M. Lindenii; M. erythrochaete; M. infracta; M. Rolfeana; M. tovarensis*, appelé aussi *M. candida*

Les Masdevallia (nom dédié à Joseph Masdevall, botaniste espagnol), généralement épiphytes, sont remarquables par leurs sépales beaucoup plus grands que le reste de la fleur, et qui se réunissent pour former un tube enserrant souvent les minuscules pétales et le limbe, puis se séparent, se retournent à l'extérieur et s'effilent en longues queues. Les feuilles épaisses jaillissent en touffes d'un rhizome peu apparent, et les pédoncules qui émergent de la base de la plante ne portent généralement qu'une fleur à la fois.

M. chimaera (Colombie) a un labelle blanc cannelé et des sépales duveteux, jaune moucheté de marron rouge ; les sépales se déploient en formant un triangle long de 20 à 25 cm, puis s'amincissent en queues de 7 à 10 cm. Il fleurit de la fin de l'automne à l'été.

M. coccinea (Colombie) produit une seule fleur cireuse cramoisie de 5 à 8 cm, dont les sépales soudés à la base se divisent ensuite en queues arrondies. Les feuilles sont grandes, de 15 à 25 cm de long. La plante fleurit à la fin du printemps et en été.

M. erythrochaete (Amérique centrale) produit à la fin de l'été et en automne des fleurs atteignant 10 cm de long, de couleur jaune-crème tachetée de pourpre. Les queues pourpres sont longues de 5 cm.

M. infracta (Brésil) a un sépale supérieur mince, blanc jaunâtre devenant violet pâle à l'endroit où il rejoint les autres sépales plus larges ; tous ont des queues blanc jaunâtre de 4 à 5 cm. La plante fleurit à la fin du printemps et en été.

M. Rolfeana a des fleurs de 6 cm couleur chocolat, à queues jaunes longues de 10 à 12 cm et coriaces.

M. tovarensis (Venezuela) produit en automne et en hiver de deux à cinq feuilles durables blanc pur sur chaque hampe ; le sépale supérieur est mince ; les sépales latéraux sont larges et se terminent par de courtes queues qui se croisent souvent sous la fleur d'une longueur de 5 cm.

CULTURE. *M. chimaera, M. coccinea, M. erythrochaete, M. Rolfeana* et *M. tovarensis* ont besoin d'une température de 10 à 13 °C la nuit et de 15 à 21 °C le jour ; mais *M. infracta* exige plus de chaleur : de 13 à 15 °C la nuit et de 18 à 24 °C le jour. Assurez à toutes les espèces une forte lumière indirecte ou une lumière solaire tamisée, ou encore de 14 à 16 heures d'éclairage artificiel par jour. Maintenez pour toutes ces plantes une humidité ambiante de 50 à 70 p. 100.

Plantez les Masdevallia dans des caisses à claire-voie contenant de la fibre d'osmonde ou de fougère arborescente, ou en pot, dans un mélange de 7 volumes d'écorce tamisée pour 1 de fibre d'osmonde hachée, 1 de vermiculite et 1 de tourbe en mottes — 2 volumes de tourbe à défaut de fibre d'osmonde.

Maintenez toute l'année le mélange humide mais non détrempé. Tous les trois arrosages, mettez aux plantes en pot un fertilisant riche en azote et aux cultures en caisse un engrais équilibré pour plantes d'appartement, en diluant dans les deux cas à 50 p. 100. Rempotez quand le mélange se détériore et que le drainage se fait mal ; procédez à cette opération lors de la reprise de la croissance.

Multipliez par division des touffes.

MAXILLARIA
M. luteo-alba; M. ochroleuca; M. picta; M. Sanderiana

Ces orchidées épiphytes ont des ports très divers ; certaines sont des plantes naines rampantes, d'autres, très grandes, ont des hampes atteignant 90 cm de haut. Beaucoup produisent des fleurs remarquables par leur taille, leur arôme et leur couleur. Mais, dans toutes les espèces, la fleur se distingue par son labelle en forme de mâchoire qui a valu son nom latin au genre.

M. luteo-alba (Colombie, Venezuela) a des pseudo-bulbes luisants vert vif dont la base est gainée de bractées minces qui deviennent fibreuses en vieillissant. Les feuilles lancéolées, atteignant 45 cm de long, sont également luisantes et un peu coriaces. Des gerbes de fleurs jaillissent de la base des pseudo-bulbes, surtout du printemps au début de l'été : faiblement odorantes, durables, elles atteignent 10 cm de diamètre, sont blanches à l'extérieur, jaune pâle à l'intérieur ; le labelle jaune foncé est bordé de blanc.

M. ochroleuca a des feuilles charnues étroites, longues de 25 à 30 cm, larges de 2 à 4 cm, qui se déploient en éventail au sommet de petits pseudo-bulbes hauts de 5 à 8 cm. Les fleurs jaunes, longues de 3 cm, sont odorantes et ont un labelle jaune orangé. Elles apparaissent isolément sur des hampes de 5 à 10 cm.

M. picta (Brésil), à floraison abondante, a des pseudo-bulbes en touffes qui lui donnent un port buissonnant. Ses feuilles rubanées sont longues de 20 à 40 cm, et ses fleurs odorantes, de couleur fauve à l'intérieur et blanches à l'extérieur, mouchetées de violet ou de rouge, ont 6 cm de diamètre. Elles apparaissent isolément de la fin de l'hiver au début du printemps sur des hampes de 7 à 10 cm.

M. Sanderiana (Équateur) produit en été de splendides fleurs blanches tachées de rouge sang de 12 à 15 cm de diamètre, les plus jolies du genre, qui apparaissent isolément sur des hampes de 7 à 15 cm. La feuille isolée a de 17 à 30 cm de long.

CULTURE. Les Maxillaria ont besoin d'une température de 13 à 15°C la nuit et de 18 à 24°C le jour, sauf *M. Sanderiana* qui préfère une température nocturne plus faible, de 10 à 13°C. Toutes les espèces prospèrent sous un bon ensoleillement indirect ou avec 14 à 16 heures de lumière artificielle assez intense par jour. Maintenez autour de toutes ces plantes une humidité ambiante de 40 à 60 p. 100.

Cultivez les Maxillaria sur des plaques de liège ou d'écorce de fougère arborescente, ou en pot dans un mélange de polypode et de sphagnum, ou bien de 7 volumes d'écorce tamisée pour 1 de fibre d'osmonde, 1 de tourbe en mottes et 1 de vermiculite. En période végétative, maintenez *M. Sanderiana* dans un mélange humide mais non détrempé ; pour *M. picata*, laissez-le légèrement sécher entre les arrosages. Fournissez à toutes les espèces, tous les trois arrosages, un fertilisant riche en azote aux plantes en pot, ou un engrais équilibré pour plantes d'appartement aux plantes cultivées sur plaques ou en caisse, en le diluant dans les deux cas à 50 p. 100.

Après la floraison, cessez de fertiliser et réduisez l'arrosage, mais ne laissez pas les plantes sécher complètement. Quand de nouvelles pousses apparaissent, reprenez les arrosages réguliers et les apports d'engrais. Rempotez à l'apparition des jeunes pousses lorsque les plantes sont à l'étroit ou que le mélange se détériore et que le drainage est insuffisant.

Multipliez en divisant les pseudo-bulbes en touffes de trois ou quatre.

MESOSPINIDIUM Voir *Cochlioda*

MILTONIA
M. candida ; *M. cuneata* ; *M. Roezlii* ; *M. spectabilis*

Les Miltonia épiphytes (genre dédié à F.-W. Milton, orchidophile britannique) ont souvent des fleurs aplaties marquées de taches foncées en forme d'ailes de papillon, qui apparaissent en épis clairsemés à l'extrémité de pédoncules minces, longs de 15 à 45 cm, émergeant de la base des plus jeunes pseudo-bulbes. Chaque pseudo-bulbe porte de une à trois feuilles étroites d'un vert jaunâtre. Les fleurs, abondantes, durent jusqu'à un mois et même plus longtemps chez les hybrides. Ceux-ci sont cultivés en grand nombre, qu'ils soient naturels ou le résultat d'un croisement artificiel, et la plupart d'entre eux ont des fleurs plus grandes ou plus somptueusement marquées que celles de l'espèce.

M. candida (Brésil) produit à l'automne des grappes de trois à

Miltonia Roezlii

Miltonia spectabilis

Mormodes igneum

six fleurs de 5 cm, marron, bordées de jaune ; le labelle chiffonné est blanc taché de violet.

M. cuneata (Brésil) a des fleurs marron de 6 cm de diamètre dont les extrémités sont jaunes et le labelle blanc ; pétales et sépales, nettement séparés, sont minces. Les fleurs apparaissent au printemps en grappes de trois à huit.

M. Roezlii (Colombie) produit à l'automne, et parfois de nouveau au printemps, de deux à cinq fleurs blanches odorantes longues de 7 à 10 cm et portant des taches pourpres en forme de masque ; le labelle plat a deux lobes et une base jaune.

M. spectabilis (Brésil) est particulièrement apprécié pour sa floraison abondante de l'automne au printemps, durant laquelle s'épanouissent simultanément jusqu'à cinquante fleurs de 6 mm de diamètre aux pétales et sépales blanc crémeux marqués de violet ; le labelle ondulé est mauve veiné de pourpre.

Aux hybrides naturels s'ajoutent les nombreux croisements réalisés par l'homme avec d'autres genres comme le Brassia, les Cochlioda, les Odontoglossum et les Oncidium.

CULTURE. Les Miltonia prospèrent à une température de 13 à 15 °C la nuit et de 18 à 24 °C le jour, sauf *M. Roezlii* qui a besoin de plus de chaleur dans la journée : plus de 21 °C. Il leur faut par ailleurs une bonne lumière solaire indirecte ou tamisée, ou bien de 14 à 16 heures de lumière artificielle assez intense par jour, un peu moins pour *M. Roezlii*. Assurez aux plantes une humidité ambiante de 40 à 60 p. 100.

Cultivez les Miltonia en pot dans un mélange de sphagnum, de polypode et de terreau de fumier, ou bien dans 7 volumes d'écorce tamisée pour 1 de fibre d'osmonde, 1 de vermiculite et 1 de tourbe en mottes — 2 à défaut de fibre d'osmonde. Maintenez ce mélange humide en permanence et arrosez abondamment durant les mois d'été les plus chauds, mais en évitant que le mélange ne devienne détrempé. Tous les trois arrosages, pendant la période active de végétation, mettez un fertilisant riche en azote que vous aurez dilué à 50 p. 100.

Rempotez tous les deux ans environ quand les plantes sont à l'étroit ou lorsque le mélange se dégrade et que le drainage devient mauvais. Rempotez juste avant la reprise de la croissance.

Multipliez à la même époque en divisant les touffes de pseudo-bulbes en groupes de trois ou quatre.

MORMODES
M. igneum ; M. variabilis

Les feuilles caduques de ces orchidées épiphytes tropicales atteignent de 30 à 40 cm de haut et sont disposées en éventail. Les fleurs qui apparaissent quand les feuilles ont jauni et sont tombées s'élèvent au-dessus du pseudo-bulbe nu sur des hampes dressées hautes de 60 à 90 cm ; généralement d'une teinte cuivrée, de formes très contournées, ces fleurs s'épanouissent à la fin de l'hiver ou au printemps et restent ouvertes pendant trois semaines environ.

M. igneum (Colombie) porte des fleurs de 2 à 5 cm, légèrement mouchetées, dont les teintes vont du jaune au vert olive et au brun doré en passant par le rouge ; le labelle charnu orange a les bords repliés et paraît encapuchonné.

M. variabilis a des fleurs de 4 à 5 cm de diamètre, de couleur rose foncé, dont le labelle plus clair se replie sur lui-même et par-derrière.

CULTURE. Les Mormodes prospèrent sous une forte luminosité ou avec 14 à 16 heures de bon éclairage artificiel par jour ; s'ils sont exposés au plein soleil, comme sur une fenêtre donnant à l'ouest, protégez-les pendant les heures les plus lumineuses de la journée. La température idéale est de 15 °C la nuit et de 18 à 24 °C le jour, bien que ces plantes supportent une température nocturne descendant à 13 °C. L'humidité ambiante doit se situer entre 50 et 60 p. 100 ; ne pulvérisez pas d'eau sur les plantes car leurs pseudo-bulbes pourrissent facilement.

Cultivez les Mormodes en pot dans un mélange de 7 volumes

d'écorce tamisée pour 1 de fibre d'osmonde, 1 de tourbe en mottes et 1 de vermiculite, ou bien sur des plaques de liège ou de fougère arborescente. Après la mise en pot, arrosez peu tant que les racines ne sont pas établies ; maintenez ensuite le mélange humide sans qu'il soit détrempé.

Apportez, tous les trois arrosages, un fertilisant riche en azote aux plantes en pot, et un engrais équilibré pour les plantes d'appartement aux spécimens sur plaques — en le diluant à 50 p. 100 dans les deux cas. Quand les feuilles se dessèchent, n'arrosez plus que pour empêcher les pseudo-bulbes de se racornir, et ne fertilisez plus. Le repos doit être très net. Reprenez les soins normaux à l'apparition des inflorescences. Une fois les fleurs fanées, si de nouvelles feuilles ne se forment pas, réduisez à nouveau l'arrosage jusqu'à ce qu'elles apparaissent. Rempotez tous les deux ou trois ans, au printemps.

Multipliez par division des pseudo-bulbes à l'unité ou en touffes de deux ou trois.

MYSTACIDIUM
M. capense

Cette orchidée épiphyte naine a une tige courte et robuste portant d'étroites feuilles coriaces longues de 5 à 8 cm. Au printemps et en été apparaissent des hampes cintrées qui portent jusqu'à vingt fleurs cireuses blanches, odorantes, de 2 à 3 cm de diamètre. Les sépales et les pétales minces, le labelle un peu plus large sont pointus et l'éperon qui caractérise cette orchidée a près de 5 cm de long.

CULTURE. Les Mystacidium ont besoin de lumière solaire indirecte ou tamisée, ou bien de 14 à 16 heures par jour d'éclairage artificiel. Une température de 15 à 18°C la nuit et de 21 à 29°C le jour leur convient, mais ils supportent un peu plus de fraîcheur. Maintenez autour de ces plantes une humidité ambiante de 50 ou 60 p. 100.

Cultivez en pot dans un mélange de 7 volumes d'écorce tamisée pour 1 de vermiculite et 1 de tourbe en mottes. Arrosez très légèrement jusqu'à ce que les racines soient bien établies ; ensuite, durant la période de croissance, arrosez généreusement afin de maintenir le mélange constamment humide. Tous les trois arrosages, mettez un fertilisant azoté que vous aurez dilué à 50 p. 100.

Après la floraison, cessez de fertiliser et laissez le compost devenir relativement sec. Recommencez l'arrosage normal et la fertilisation quand la pousse des feuilles a repris. Ne rempotez que lorsque le mélange est épuisé et que le drainage se fait mal ; remplacez-le par un compost neuf.

Multipliez en sectionnant la tige à un endroit où il y a suffisamment de jeunes racines pour que chaque segment coupé en ait au moins quatre.

MYSTACIDIUM DISTICHUM Voir *Angraecum*

N

NEOFINETIA
N. falcata, appelé aussi *Angraecum falcatum* (Japon)

Cette petite orchidée tropicale épiphyte a une tige qui ne dépasse pas de 5 à 6 cm de haut, avec des paires de feuilles coriaces alternées de 7 à 8 cm. En été et en automne, les hampes de 7 à 10 cm portent des grappes de trois à sept fleurs blanches cireuses de 2 à 3 cm de diamètre ; celles-ci ont des sépales et des pétales minces, un labelle triangulaire et un éperon recourbé long de 4 cm. Les fleurs sont surtout odorantes la nuit et diffusent une odeur d'amande.

CULTURE. Les Neofinetia prospèrent sous une forte lumière solaire indirecte ou tamisée, ou bien avec 14 à 16 heures de lumière artificielle intense par jour. Ils exigent une température de 13 à 15°C la nuit, de 18 à 24°C le jour, et une humidité ambiante de 40 à 50 p. 100.

Mystacidium capense

Neofinetia falcata

x Odontioda Enchanson

Odontoglossum grande

Plantez ces orchidées dans un mélange de 7 volumes d'écorce tamisée pour 1 de fibre d'osmonde, 1 de vermiculite et 1 de tourbe en mottes. Arrosez très peu tant que les racines ne sont pas établies. En période végétative, maintenez le mélange constamment humide et mettez, tous les trois arrosages, un fertilisant riche en azote dilué à 50 p. 100. Après la floraison, réduisez la quantité d'eau sans laisser le mélange devenir complètement sec, et ne mettez plus d'engrais. Reprenez les arrosages réguliers et la fertilisation dès qu'apparaissent les pousses des nouvelles feuilles. Maintenez les racines aériennes dans le pot en les mouillant et en les faisant pénétrer dans le mélange. Ne rempotez que lorsque celui-ci se décompose.

Multipliez en divisant les rejetons quand ils se sont suffisamment développés et que leurs propres racines apparaissent.

O

x ODONTIODA
x *O*. Enchanson; x *O*. Minel; x *O*. Petra «Coccinea»; x *O*. Ariitea

Les Odontioda sont des hybrides bigéniques obtenus par d'habiles croisements que les horticulteurs modernes ont réalisés entre des espèces sélectionnées de Cochlioda et d'Odontoglossum. Le premier de ces hybrides a vu le jour en Belgique en 1904, par croisement de l'*Odontoglossum Pescatorii* et de *Cochlioda Noetzliana*. Les cultivars représentant ce genre sont très divers, car ils combinent de différentes manières les caractéristiques des parents; mais les plus courants ressemblent aux Odontoglossum par leur port et la forme des fleurs. Comme leurs parents, les Odontioda sont épiphytes et ont des touffes de pseudo-bulbes surmontés de feuilles étroites. Les fleurs très ouvertes, souvent tuyautées, sont élégamment disposées en épis cintrés ou en grappes ramifiées. Toutes les espèces fleurissent de l'automne à la fin du printemps suivant.

Elles ont de 5 à 8 cm de diamètre, une teinte lie-de-vin foncé avec des sépales et des pétales blancs au bout sur x *O*. Enchanson. Celles de x *O*. Minel sont grandes, mauve sur fond blanc, et celles de x *O*. Petra «Coccinea» rouge foncé. Les fleurs de x *O*. Ariitea, sont brun-rouge.

CULTURE. Les Odontioda ont besoin d'une température de 10 à 13°C la nuit, de 18 à 21°C, voire 24°C le jour; ils prospèrent sous une lumière solaire tamisée et, par les chaudes journées d'été, dans l'ombre et avec une bonne aération. Cultivez-les en pot ou en paniers spéciaux pour orchidées dans un mélange d'osmonde ou de polypode et de sphagnum. Tous les trois arrosages, mettez un fertilisant liquide pour plantes d'appartement dilué à 50 p. 100. Arrosez régulièrement tout au long de l'année, mais laissez le mélange sécher presque complètement entre chaque arrosage.

Multipliez au printemps par division des plantes en touffes comportant chacune trois ou quatre pseudo-bulbes.

ODONTOGLOSSUM
O. grande; O. pulchellum

Les Odontoglossum sont des orchidées à feuillage persistant; les pseudo-bulbes lisses, vert brillant, portent deux feuilles au sommet. Les fleurs, blanches ou teintées de jaune, de marron, de rouge vif ou de violet, apparaissent sur des tiges élégamment cintrées; la plupart sont caractérisées par des sépales et des pétales chiffonnés ainsi que par un labelle denté. Résistants et beaux, *O. grande* et *O. pulchellum* peuvent facilement être cultivés par des débutants.

O. grande (Guatemala) est tigré et atteint 50 cm de haut; il produit de trois à sept fleurs de 15 cm de diamètre, les plus grandes du genre. Les longs sépales minces, cireux, sont jaune zébré de marron; les pétales sont marron avec le bout jaune. Le labelle arrondi est blanc, ou blanc teinté de jaune et moucheté de brun. La floraison a lieu de l'automne au printemps.

O. pulchellum (Guatemala) est une espèce plus petite avec ses 25 cm de haut; ses fleurs de 2 à 5 cm de diamètre, à l'odeur de jacinthe, sont disposées en épis minces; elles sont blanches et cireuses. Très élégantes, elles apparaissent en hiver et au printemps, et tiennent longtemps.

CULTURE. Ces deux espèces exigent une lumière solaire indirecte ou tamisée car leurs fines feuilles risqueraient d'être brûlées par le plein soleil. En lumière artificielle, *O. grande* a besoin d'un éclairage intense de 14 à 16 heures par jour; *O. pulchellum* se contente d'un éclairage plus faible. A tous deux, il faut une température de 13 à 15 °C la nuit et de 18 à 21 °C le jour.

Cultivez-les en pots plutôt petits dans un mélange de 7 volumes d'écorce tamisée pour 1 de vermiculite et 1 de tourbe. En période végétative, mettez tous les trois arrosages un fertilisant riche en azote, dilué à 50 p. 100. Maintenez le mélange humide mais non détrempé; l'humidité ambiante autour des deux espèces doit se situer entre 40 et 60 p. 100.

Pour multiplier les Odontoglossum, divisez-les et rempotez-les à chaque printemps, en veillant à mettre au moins trois pseudo-bulbes dans chaque pot.

ODONTOGLOSSUM ASPASIA Voir *Aspasia*
ODONTOGLOSSUM PHYLLOCHILUM Voir *Oncidium*

x ODONTONIA
x *O.* Olga « Duchess of York »; x *O.* Berlioz « Lecoufle », x *O.* « Molière »; x *O.* « Salam »

Les Odontonia constituent un groupe d'hybrides artificiels résultant de croisements entre espèces et hybrides de Miltonia et d'Odontoglossum. Comme leurs parents, ils sont épiphytes et dotés de pseudo-bulbes. Ils produisent de grandes grappes de fleurs qui ressemblent à celles des Odontoglossum pour la forme générale, mais sont munies d'un labelle beaucoup plus grand. Les Miltonia contribuent à la beauté de ces fleurs durables rappelant les pensées.

x *O.* Olga « Duchess of York » porte des fleurs blanc pur de 5 à 7 cm de diamètre, s'épanouissant de l'automne au printemps.

x *O.* Berlioz « Lecoufle » a des grappes de fleurs tachées de rose et mouchetées de violet foncé au centre.

x *O.* « Molière » se pare de fleurs blanches ou rosées, à peine tachetées de brun ou de violet.

x *O.* « Salam » est pourpre foncé sur fond blanc.

CULTURE. Les Odontonia prospèrent sous une bonne lumière solaire, mais diffuse ou tamisée et, par les journées chaudes d'été, ils ont besoin d'être abrités du soleil et bien aérés. La température idéale est de 10 à 13 °C la nuit; dans la journée, elle doit être légèrement plus élevée et se situer, pour la santé de la plante, entre 18 et 21 °C.

Cultivez en pot dans un compost spécial fait de polypode et de sphagnum, ou dans des paniers suspendus pour orchidées. Le mélange doit être bien drainé tout en conservant l'humidité. Arrosez régulièrement toute l'année en laissant le compost devenir presque sec entre chaque arrosage. Mettez tous les trois arrosages un fertilisant liquide pour plantes d'appartement que vous aurez dilué à 50 p. 100.

Multipliez au printemps en divisant les pseudo-bulbes en touffes de trois ou quatre. Plantez chaque touffe ainsi obtenue dans un nouveau pot.

ONCIDIUM
O. hastatum, appelé aussi *Odontoglossum phyllochilum*; *O. incurvum*; *O. jonesianum*; *O. leucochilum*, appelé aussi *Cyrtochilum leucochilum*; *O. papilio* (Orchidée-papillon); *O. pusillum*; *O. sphacelatum*; *O. splendidum*; *O. tigrinum*; *O. Wentworthianum*

La plupart des Oncidium produisent des grappes comptant jusqu'à une centaine de fleurs lumineuses sur de longues hampes cintrées. Il en existe à l'état sauvage des centaines d'espèces

x *Odontonia* Olga « Duchess of York »

Oncidium jonesianum

ORCHIDÉE-PAPILLON
Oncidium papilio

Oncidium pusillum

réparties des vallées tropicales au sommet des montagnes. Essentiellement épiphytes, ces orchidées forment parfois d'importantes colonies à la cime des arbres. Les fleurs, très diverses, ont cependant une caractéristique commune : la base du labelle est toujours perpendiculaire à la colonne courte et empennée.

O. hastatum (Mexique) produit à l'automne des inflorescences longues de 1 à 1,50 m de fleurs étoilées de 4 cm vert jaunâtre, zébrées de brun; le labelle blanchâtre sur les bords est rouge vineux et jaune au bout. Les feuilles oblongues ont de 15 à 25 cm de long.

O. incurvum (Mexique) a les pseudo-bulbes comprimés avec deux ou trois feuilles de 40 cm. Il produit en automne et en hiver des capitules longs et clairsemés de nombreuses fleurs blanches odorantes, striées et tachées de rose, de 3 cm environ de diamètre.

O. jonesianum (Paraguay) a de longues feuilles cylindriques effilées ressemblant à celles des oignons. En automne, il produit une hampe pendante de 60 cm portant de dix à quinze fleurs chiffonnées de 5 à 8 cm de diamètre de couleur crème, mouchetée de brun rougeâtre. Le labelle divisé est très large et a deux lobes latéraux jaune vif.

O. leucochilum (Mexique, Guatemala) a des inflorescences très ramifiées d'une longueur exceptionnelle — de 1,80 à 3 m; les fleurs sont vert jaunâtre avec des marques rouge brunâtre, et le labelle est blanc. La floraison a lieu au printemps.

O. papilio (Venezuela, Antilles), qui fut exposé pour la première fois en 1823 en Angleterre, serait à l'origine de la passion pour les orchidées qui s'est répandue dans le monde entier. C'est l'un des rares Oncidium à ne produire qu'une seule fleur à la fois mais, en revanche, il fleurit pendant la plus grande partie de l'année. Portée au bout d'une hampe de 1,20 m, la fleur a deux pétales supérieurs et un sépale qui dressent en l'air deux longues antennes jaunes et marron. Les deux autres sépales recourbés vers le bas sont chiffonnés et zébrés; le labelle plein est en forme de cœur.

O. pusillum porte des feuilles déployées en éventail et entre les plis desquelles croît une hampe qui produit les unes après les autres, toute l'année, de cinq à six fleurs jaune vif caractérisées par un long sépale dressé entouré de deux autres sépales étroits; les pétales allongés sont parfois striés de brun rougeâtre. Le centre du labelle est taché de marron et la colonne blanche est souvent mouchetée d'orange.

O. sphacelatum (Mexique, Guatemala) est remarquable par son pédoncule ramifié atteignant 1,50 m de long et portant au printemps de nombreuses fleurs de 2 à 4 cm jaune foncé et doré; le labelle a la forme d'un violon.

O. splendidum (Mexique, Guatemala) se distingue par sa feuille unique, vert sombre lavé de rouge, rigide et coriace, qui atteint 30 cm de haut et est produit par le sommet végétatif du pseudo-bulbe. Des inflorescences dressées atteignant 90 cm portent, au printemps et au début de l'été, des fleurs jaune vif dont les pétales et les sépales sont tachés de brun rougeâtre; le large labelle jaune vif jaillit de la partie étranglée qui constitue le milieu de la fleur.

O. tigrinum (Mexique) a de grandes inflorescences cintrées qui portent, en automne et en hiver, de nombreuses fleurs jaunes à odeur de violette de 3 à 4 cm de diamètre rayées de bandes brunes.

O. Wentworthianum a des fleurs jaune vif tachées de brun rougeâtre de 3 cm de diamètre sur des inflorescences de 0,90 à 1,80 m; la floraison a lieu en été et en automne.

CULTURE. Les Oncidium prospèrent en plein soleil (mais il faut les en abriter au milieu de la journée) ou avec 14 à 16 heures de bonne lumière artificielle. Ils exigent une température de 13 à 15 °C la nuit, de 18 à 24 °C le jour, et une humidité ambiante de 40 à 60 p. 100. Plantez-les dans un mélange fait à volume égal de polypode, d'osmonde et de sphagnum, ou de 7 volumes d'écorce tamisée pour 1 de vermiculite et 1 de tourbe en mottes; on peut aussi les cultiver sur des plaques de liège ou d'écorce de fougère arborescente. Adaptez l'arrosage au cycle végétatif en leur donnant plus d'eau en période de végétation et de floraison que pendant le reste de l'année. Pour arroser, attendez que l'écorce soit sèche au toucher sous la surface, et faites-le alors abondamment.

O. incurvum doit rester pratiquement sans arrosage pendant sa période de repos. En période de végétation, mettez tous les trois arrosages un fertilisant riche en azote aux plantes en pot, un engrais équilibré pour plantes d'appartement aux spécimens sur plaque, en diluant chaque fois à 50 p. 100.

Multipliez par division d'au moins quatre pseudo-bulbes.

P

PAPHIOPEDILUM

P. bellatulum; P. Chamberlainianum; P. Delenatii; P. F.C. Puddle; P. fairieanum; P. insigne, P. Miller's Daughter; P. niveum; P. spicerianum; P. Sukhakulii; P. venustum

La plupart de ces orchidées terrestres, d'origine asiatique, se trouvent sur le versant ombragé des montagnes ou dans les forêts, et s'adaptent donc bien aux conditions de température et d'éclairement des appartements; seules quelques-unes exigent la chaleur et la lumière d'une serre.

Les feuilles charnues sont souvent d'un vert moucheté sur les plantes cultivées au chaud, généralement d'un vert uni sur celles cultivées au frais; elles apparaissent isolément ou en grappes sur des hampes poilues de longueur variable, ont des combinaisons de couleurs éclatantes et un grand sépale supérieur dominant un labelle en forme de bourse. Les deux autres sépales sont en général soudés derrière le labelle; les pétales sont rigides ou légèrement recourbés vers le bas.

P. bellatulum (Thaïlande) a des feuilles vertes mouchetées longues de 15 à 25 cm, dont l'envers est violet; au printemps, il produit des feuilles de 8 cm, blanches à jaune pâle tachetées de violet. Le sépale supérieur et les pétales sont larges, et à peine effilés à leur extrémité.

P. Chamberlainianum (Nouvelle-Guinée) peut fleurir toute l'année. Les feuilles vert pâle atteignant 30 cm sont légèrement arrondies à l'extrémité; les hampes de 45 cm au moins produisent de quatre à huit fleurs dont l'apparition s'échelonne sur une longue période; le sépale supérieur arrondi, vert jaunâtre, est taché de brun; les pétales tordus et ondulés sont rose verdâtre et mouchetés de marron; le labelle est tacheté de rouge.

P. Delenatii (Tonkin) mérite, pour son feuillage vert foncé sur zones vert clair, de figurer dans une collection. Mais il offre aussi de jolies fleurs d'un beau rose tendre, agréablement parfumées.

L'hybride *P.* F.C. Puddle a des feuilles de 12 à 13 cm finement mouchetées, d'un vert qui paraît poussiéreux. La fleur de 7 à 8 cm, d'un blanc étincelant veiné de jaune très pâle, a un sépale supérieur, des pétales légèrement ondulés et un labelle lisse. La floraison a lieu deux fois par an, au début de l'hiver et à une autre saison variable.

P. fairieanum (Assam) a deux feuilles vert pâle et une fleur unique de 6 cm blanche ou vert blanchâtre veinée de violet; le sépale supérieur ondule au-dessus des pétales recourbés; le réseau de veines violettes recouvrant le labelle rappelle la veinure d'une pipe de racine de bruyère. La floraison a lieu en automne.

P. insigne (Inde) a des feuilles vert pâle de 20 à 30 cm et produit, de l'automne au début du printemps, quatre ou cinq fleurs étincelantes, une par hampe. Le sépale supérieur, étroit à la base qui est verte mouchetée de brun violacé, s'épanouit à son extrémité ondulée et blanche. Les sépales inférieurs, soudés derrière le labelle, sont plus petits et vert pâle. Les pétales allongés, légèrement tordus et pendants, sont vert jaune veinés de brun, comme le labelle.

P. Miller's Daughter, dont les origines sont évoquées page 76, a été créé à Didcot, dans le comté d'Oxford; c'est un hybride remarquable aux très grandes fleurs d'un blanc satiné, mouchetées de petites taches rougeâtres. Il a reçu les plus hautes récompenses

Paphiopedilum bellatulum

Paphiopedilum Chamberlainianum

127

Paphiopedilum F.C. Puddle

Paphiopedilum Sukhakulii

créées pour des orchidées, en Grande-Bretagne comme aux États-Unis, et ses descendants suivent actuellement la même voie.

P. niveum (Malaisie) a des feuilles mouchetées de gris-vert, violet foncé à l'envers et longues de 10 à 15 cm. Au printemps, une ou deux petites fleurs, d'une blancheur neigeuse, aux bords légèrement chiffonnés, s'épanouissent sur des hampes dressées de 15 à 20 cm de haut. Le sépale supérieur et les pétales sont marqués de minuscules points violets sur le devant et vers la base ; ils sont rouges à violet à la partie postérieure. Les sépales s'infléchissent tandis que les sépales se recourbent en arrière.

P. spicerianum (Assam) a des feuilles vert foncé longues de 15 à 25 cm et produit à l'automne et au début de l'hiver une fleur solitaire de 7 à 8 cm de diamètre. Le sépale supérieur élevé se recourbe en arrière en formant deux ailes flottantes semblables à celles d'un papillon ; il porte une raie médiane cramoisie et sa base est verte mouchetée de rouge. Les pétales étroits, vert pâle, mouchetés et striés de violet, s'incurvent au-dessus d'un labelle violet bordé de vert.

P. Sukhakulii (Thaïlande), espèce décrite par les botanistes en 1967 seulement, a des feuilles mouchetées longues d'une douzaine de centimètres environ. Le sépale supérieur vert et blanc est fortement nervuré et effilé ; les pétales plats, étalés, sont tachetés de rouge. Le labelle est rose violacé. La floraison a lieu en automne.

P. venustum (Himalaya) a des feuilles gris-vert, violettes à l'envers et longues de 10 à 15 cm. En hiver et au début du printemps, il produit une fleur solitaire de 7 à 8 cm de diamètre : son sépale supérieur arrondi, blanc, a des nervures vertes ; les pétales étalés sont verts avec des verrues noirâtres sur les bords et une extrémité violette ; le labelle vert jaunâtre est teinté de rose et veiné de vert.

Ces espèces botaniques ont naturellement permis l'obtention de nombreux hybrides, et notamment : « Aladin » *(Atlantis* x *Delenatii)*, rose ; « Guadeloupe » *(Banehory* x *Regent)*, brun rougeâtre au pavillon vert, tacheté ; « Marie-Galante » *(Blendia* x *Regent)* ; « Martinique » *(Raïta* x *blendia)* et « San Actaeus » *(Actaeus* x *insigne)*, à fleurs jaunes.

CULTURE. Les Paphiopedilum à feuilles vertes ont besoin d'une température de 10 à 13 °C la nuit et de 15 à 21 °C le jour, mais les plantes à feuillage moucheté exigent une température plus élevée, de 15 à 18 °C la nuit et de 21 à 27 °C le jour. (Cultivées ensemble, les deux espèces s'adaptent cependant.) Toutes ces orchidées préfèrent une lumière solaire indirecte mais supportent le plein soleil du matin, ou une lumière artificielle faible du printemps à l'automne et un peu plus intense en hiver. Une humidité ambiante de 40 à 60 p. 100 suffit. Cultivez-les dans un mélange fait de deux tiers de racines de fougère et de un tiers de sphagnum, ou de 8 volumes d'écorce tamisée pour 2 de gravier fin ; ajoutez une pincée de calcaire broyé par pot pour diminuer l'acidité. Arrosez abondamment pour maintenir le mélange humide mais non détrempé ; la quantité d'eau nécessaire varie selon les espèces, la température et la saison.

Mettez de temps à autre un fertilisant riche en azote, dilué à 50 p. 100. Si l'extrémité des feuilles jaunit, suspendez totalement la fertilisation. Quand les plantes débordent de leur pot ou que le mélange commence à se détériorer et que le drainage se fait mal, rempotez immédiatement après la floraison en divisant chaque plante adulte en groupes de trois ou quatre touffes de feuilles, et en les replantant en pots séparés. Après les rempotages, arrosez moins — sans toutefois provoquer un repos marqué car ces plantes n'ont ni pseudo-bulbes ni réserves.

PESCATORIA

P. cerina, autrefois appelé *Zygopetalum cerinum* ; *P. dayana*, autrefois appelé *Zygopetalum dayanum*

Les jolies orchidées épiphytes de ce genre sont originaires de l'Amérique centrale et de l'Amérique du Sud ; elles n'ont pas de pseudo-bulbes, et leurs feuilles, très minces, sont disposées en éventails séparés. Les grandes fleurs odorantes et cireuses sont portées isolément sur des hampes relativement courtes prenant naissance à la base des éventails de feuilles.

P. cerina a des éventails de feuilles clairsemées, assez charnues, atteignant 60 cm de long, et des hampes de 7 à 10 cm portant une fleur unique de 7 à 8 cm de diamètre, blanche avec une tache jaune verdâtre à la base des sépales et un labelle jaune vif. La floraison a lieu en automne.

P. dayana produit en hiver des fleurs durables plus grandes que celles de *P. cerina* sur des hampes plus courtes ; d'un blanc laiteux avec des sépales à bout vert, elles ont un labelle taché de pourpre. *P. dayana* paraît plus robuste que *P. cerina*.

CULTURE. Les Pescatoria, originaires des forêts des montagnes tropicales, demandent de la fraîcheur et de l'humidité : une température minimale de 10 °C la nuit atteignant 18 °C le jour pour une humidité ambiante de 75 à 80 p. 100 sous une lumière solaire tamisée, sauf en hiver. Cultivez en panier ou en pot perforé pour orchidées.

Certains horticulteurs déconseillent les mélanges à base d'écorce et préconisent l'emploi de fibre d'osmonde ou de fougère arborescente. Si vous ne pouvez en trouver, un mélange de 3 volumes d'écorce tamisée pour 1 de sphagnum fera l'affaire. Quel que soit le mélange utilisé, il doit être très perméable, mais ne le laissez jamais sécher complètement.

Mettez tous les deux ou trois arrosages, en période végétative, un fertilisant liquide pour plantes d'appartement que vous aurez dilué à 50 p. 100.

Ne rempotez que lorsque c'est indispensable en raison de la fragilité des racines. Profitez de cette opération pour multiplier par division.

PHAIUS

P. tancarvillae, appelé aussi *P. grandifolius* (Asie tropicale, Australie)

Cette orchidée produit des fleurs combinant des tons éclatants de jaune, de blanc et de rouge, atteignant 10 cm de diamètre et portées sur une hampe unique. Le labelle est tubulaire. La plupart des espèces sont terrestres et aiment les sols marécageux, mais certaines sont épiphytes. Les feuilles, qui atteignent 90 cm de long, sont aussi remarquables que les fleurs et apportent une note tropicale dans une serre ou un jardin de pays chaud.

P. tancarvillae a de courts pseudo-bulbes ovoïdes, des feuilles repliées longues de 90 cm et une inflorescence de 1,20 m portant, au printemps et en été, dix à douze fleurs odorantes. Leurs sépales et leurs pétales sont blancs à l'extérieur et rougeâtres à l'intérieur avec une bordure jaune ; chiffonné et tubulaire, le labelle à court éperon est blanc à base jaune avec des bords de couleur pourpre foncé et violette.

CULTURE. *P. tancarvillae* prospère à une température de 18 à 24 °C le jour et de 13 à 15 °C la nuit mais, maintenu humide et à l'ombre, il supporte plus de chaleur en été. Assurez-lui une lumière solaire filtrée ou de 14 à 16 heures par jour d'éclairage artificiel d'intensité moyenne avec une humidité ambiante de 40 à 60 p. 100 ou davantage.

Cultivez en pot dans un mélange bien drainé fait de sphagnum, de polypode, de terreau de feuilles et de terre de jardin, le tout en parties égales, ou de 2 volumes de tourbe en mottes, 2 de sable gras, 1 de vermiculite et 1 d'écorce fine. Arrosez abondamment et mettez tous les trois arrosages un engrais équilibré pour orchidées dilué à 50 p. 100.

Rempotez tous les deux ou trois ans en mars-avril. Placez ensuite à la chaleur de fond si vous cultivez en serre.

Multipliez en divisant les plantes à la fin de la période de croissance en mettant au moins trois pseudo-bulbes dans chaque pot. Vous pouvez également, après que la floraison est complètement terminée, couper les hampes en longs segments de 15 cm avec au moins deux articulations ; faites-les s'enraciner dans du sable humide ou du sphagnum.

Phaius tancarvillae

Phalaenopsis Alice Gloria

Phalaenopsis lueddemanniana

PHALAENOPSIS
P. Alice Gloria; *P. aphrodite*; *P. cornu-cervi*; *P.* Dianne Rigg; *P. lueddemanniana*; *P. Mannii*; *P. Parishii*; *P. rosea*, appelé aussi *P. equestris*; *P. stuartiana*; *P. violacea*, appelé aussi *Stauropsis violacea*

Les fleurs de Phalaenopsis, orchidées épiphytes tropicales, ressemblent à des phalènes voletant dans les branches supérieures des arbres aux Philippines, en Malaisie et en Indonésie ; on en trouve certaines espèces près des côtes, d'autres en montagne au bord des torrents.

Elles sont remarquables par leurs longues racines tenaces qui s'accrochent non seulement aux arbres mais aussi aux racines d'autres plantes épiphytes. Les feuilles ont des couleurs et des tailles très variables ; les fleurs sont généralement plates avec de fins labelles trilobés, et s'épanouissent en épis d'une vingtaine sur de longues hampes. Les espèces à fleurs blanches sont en général portées par des hampes non ramifiées à l'inverse de certaines espèces colorées.

Les Phalaenopsis sont habituellement divisés en deux groupes. Dans le groupe I, les pétales sont plus grands que les sépales et le labelle est appendiculé ; dans le groupe II, pétales et sépales sont de même taille et le labelle n'a pas d'appendice. On a créé de nombreux hybrides à l'intérieur du genre *Phalaenopsis*, et également par croisements avec d'autres genres.

L'hybride *P.* Alice Gloria, du groupe I, porte sur chaque hampe de douze à vingt fleurs blanches particulièrement belles de 10 cm de diamètre. Les pétales à bout arrondi sont étalés ; les sépales, plus étroits, sont effilés. Le labelle moucheté de jaune déploie de fins appendices. La floraison a lieu deux fois dans l'année, en hiver et au printemps.

P. aphrodite (Philippines), du groupe I, est une belle espèce aux longues inflorescences parfois ramifiées portant également de grandes fleurs blanches au labelle teinté de violet. Il fleurit en automne.

P. cornu-cervi (Inde, Indonésie), du groupe II, a des feuilles vertes coriaces, de 30 cm ou plus, et une hampe aplatie. En serre, il produit toute l'année des fleurs cireuses — une ou plusieurs en même temps — de teinte jaune verdâtre striée de brun, à labelle blanc formant cinq divisions et faisant songer à des cornes de cerf, d'où le nom botanique.

P. Dianne Rigg produit au printemps jusqu'à neuf fleurs de 10 cm, roses à labelle rose foncé.

P. lueddemanniana (Philippines), du groupe II, a des feuilles rigides vert-jaune brillant atteignant 25 cm, et des fleurs d'une trentaine de teintes différentes ; celles-ci ont généralement moins de 5 cm de diamètre et apparaissent au printemps au nombre de deux à sept sur chaque hampe ; très odorantes, elles tiennent jusqu'à deux mois. La plupart sont d'un rose violacé, parfois strié de blanc ; les autres vont en général du crème au jaune et sont tachetées ou zébrées de brun. Le labelle a des lobes latéraux dressés bifides ; le lobe médian est souvent couleur améthyste à bords pâles garnis de soies blanches. Après la pollinisation, toute la fleur devient verte.

P. Mannii (Inde), du groupe II, a des feuilles atteignant 25 cm de long, souples ou rigides selon les plantes. Chaque hampe produit, du printemps à l'automne, de dix à quinze fleurs de 4 cm de diamètre à pétales et sépales minces, jaunes, striés et zébrés de brun ; le labelle blanc est souvent taché de violet. Cette espèce a contribué à la création du premier hybride jaune.

P. Parishii (Birmanie), du groupe I, est une petite plante à floraison printanière dont les feuilles ovales, vert foncé, ne dépassent pas 5 à 10 cm de long. Les fleurs de 20 mm de diamètre, portées par des hampes longues de 7 à 10 cm, sont blanches à l'exception du lobe médian du labelle en forme de croissant qui est blanc avec des zébrures marron.

P. rosea (Philippines), du groupe II, a de petites feuilles vertes, dentelées au bout. Les fleurs apparaissent plusieurs fois par an sur des hampes cintrées atteignant 30 cm de long ; au nombre de dix à quinze, ces fleurs, qui s'épanouissent successivement, ont environ 2 cm de diamètre, des sépales et des pétales rose violacé, les pétales étant parfois bordés de blanc. Le lobe médian du labelle, marron, est taché de violet et de rose ; les lobes latéraux sont roses. L'espèce se prête fort bien à l'hybridation.

P. stuartiana, du groupe I, a les feuilles gris-vert assez molles, tachetées de gris-argent à l'extrémité et souvent de magenta à l'envers ; elles ont de 30 à 45 cm de long. Les fleurs, portées sur des hampes ramifiées d'une soixantaine de centimètres de long, s'épanouissent de l'automne au printemps. Les sépales et les pétales sont blancs, sauf près du labelle ; là ils sont jaunes avec des taches de rouge. Le labelle à bout cornu est jaune d'or, bordé de blanc et tacheté de violet.

P. violacea (Sumatra), du groupe II, a de grandes feuilles luisantes. Une variété originaire de Bornéo a des feuilles vert pâle de 6 cm à labelle violet ; les sépales latéraux sont infléchis. Une autre variété de Malaisie est rose violacé avec des sépales latéraux étalés de 4 à 5 cm. Une deuxième variété malaise est d'un blanc pur. La floraison a lieu au printemps et en été, et parfois à d'autres saisons.

Cette splendide orchidée connaît actuellement, avec les Cattleya et les Cymbidium, une vogue croissante. De très nombreux hybrides, convenant admirablement pour la fleur coupée, ont été obtenus, parmi lesquels : « Allegia », « Corinne », « Labrador », « Marie-Pierre », « Opaline » — à fleurs blanches ; « Bal masqué », « Églantine », « Mistinguett », « Perfection » — à fleurs roses ; « Beauregard » — à fleurs crème.

CULTURE. Les espèces de Phalaenopsis prospèrent à une température de 15 à 18 °C la nuit et de 21 à 29 °C le jour, dans une humidité ambiante de 50 à 70 p. 100. Bien qu'ils supportent brièvement une température supérieure à 32 °C, vous devez les protéger de la chaleur excessive en été. Cultivez-les sous une lumière solaire indirecte, afin que les fleurs ne reçoivent que 20 p. 100 environ des rayons solaires.

Mettez-les en pot ou sur des plaques de liège ou d'écorce de fougère arborescente. En pot, employez un mélange à volume égal de polypode, d'osmonde et de sphagnum, ou de 7 volumes d'écorce tamisée pour 1 de fibre d'osmonde, 1 de vermiculite et 1 de tourbe en mottes, maintenu à peine humide tant que les racines ne sont pas établies. Arrosez ensuite abondamment en laissant le mélange devenir presque sec entre chaque arrosage. Mettez tous les trois arrosages un fertilisant riche en azote aux plantes en pot, un engrais équilibré à celles montées sur plaques — en diluant dans les deux cas à 50 p. 100.

En règle générale, ne rempotez que lorsque le mélange se dégrade et que le drainage se fait mal ; les plantes poussent mieux dans des récipients apparemment petits pour leur taille. Rempotez à la fin de la période de floraison quand se développent de nouvelles racines.

Multipliez par les plantules qui se forment quelquefois sur les hampes.

PHOLIDOTA
P. imbricata (Inde)

Cette plante épiphyte est appelée parfois Orchidée-serpent à sonnettes par les Anglo-Saxons, parce que les deux rangées de boutons à fleurs s'alignant sur l'inflorescence font penser à la queue de ce reptile. *P. imbricata* (Indonésie) a des pseudo-bulbes ovoïdes hauts de 2 à 5 cm, portant chacun une feuille coriace unique longue de 20 à 30 cm. En été, des inflorescences atteignant 15 cm apparaissent ; chacune des fleurs jaune blanchâtre qu'elles portent n'ont que 8 mm de diamètre.

CULTURE. *P. imbricata* prospère à la lumière solaire brillante mais tamisée, ou sous 14 à 16 heures par jour de lumière artificielle. Il lui faut une température de 10 à 13 °C la nuit et de 16 à 21 °C dans la journée. Après la floraison, arrosez peu afin de permettre à la plante de se reposer pendant l'hiver. Au printemps, à la reprise de la croissance, recommencez à arroser fréquemment

Phalaenopsis Mannii

Phalaenopsis Parishii

Phragmipedium caudatum var. *sandarae*

Pleione bulbocodioides

et maintenez les plantes dans une humidité ambiante de 60 à 75 p. 100.

Cultivez dans un panier à orchidées rempli de fibre d'osmonde ou de fougère arborescente, ou sur plaque de liège ou d'écorce de fougère arborescente. On peut également employer un mélange de 7 volumes d'écorce tamisée pour 1 de tourbe, 1 de vermiculite et 1 de fibre d'osmonde (à défaut de cette dernière, mettez 2 volumes de tourbe). En période végétative, mettez un fertilisant équilibré aux plantes sur plaques et un engrais « retard » aux spécimens en pot. Rempotez quand le mélange se décompose et que le drainage se fait mal.

Multipliez au printemps en divisant les pseudo-bulbes en touffes de trois ou quatre.

PHRAGMIPEDIUM
P. caudatum var. *sanderae*; *P. Schlimii*

Ces orchidées terrestres tropicales ont des formes et des couleurs étranges. Les deux espèces ont des feuilles allongées, en touffes, et des labelles en forme de pantoufle.

P. caudatum var. *sanderae* a une demi-douzaine de feuilles cintrées dans leur partie supérieure, longues de 60 cm; ses hampes hautes de 30 à 60 cm portent de une à quatre fleurs à pétales rubanés et vrillés atteignant 75 cm. Jaunes sur la plus grande partie, ils sont teintés de brun, surtout vers l'extrémité; le labelle a une teinte allant du jaune au brun rougeâtre avec des nervures violettes et des poils marron violet bordant son ouverture. La floraison a lieu du printemps à l'automne.

P. Schlimii a des feuilles atteignant 30 cm de long, vertes dessus, violettes dessous, et des hampes vert violacé atteignant 60 cm, qui portent de cinq à huit fleurs de 4 cm de diamètre, blanches tachées de rose et recouvertes d'un fin duvet velouté. Le labelle est rose strié de blanc. Cette orchidée peut fleurir deux fois par an, d'abord au printemps, puis en automne.

CULTURE. Ces plantes prospèrent à une température de 13 à 15 °C la nuit et de 18 à 24 °C le jour. Assurez-leur une lumière solaire indirecte moyenne ou de 14 à 16 heures par jour d'éclairage artificiel également d'intensité moyenne, et une humidité ambiante de 50 à 60 p. 100. Cultivez-les dans un mélange de 8 volumes d'écorce fine pour 2 de gravier fin que vous aurez amendé avec une pincée de calcaire broyé pour diminuer l'acidité du compost.

Aucune des deux espèces n'ayant de pseudo-bulbe pour emmagasiner l'eau, maintenez le mélange constamment humide mais évitez que l'eau ne stagne autour des racines ou à la base des feuilles. Mettez tous les trois arrosages un fertilisant riche en azote dilué à 50 p. 100. Rempotez au printemps.

Multipliez après la floraison en divisant les éventails de feuilles en touffes de trois ou quatre jeunes pousses.

PLATYCLINIS Voir *Dendrochilum*

PLEIONE
P. bulbocodioides, appelé aussi *P. formosana* et *P. pogonioides*; *P. Forrestii*; *P. maculata*; *P. praecox,* appelé aussi *P. lagenaria*

Le cycle de croissance du Pleione, plante terrestre, est unique en ce qu'il comporte deux stades. Chaque pseudo-bulbe ne vit qu'un an et porte au moins une feuille repliée longue de 15 à 30 cm; à la fin de l'année, la ou les feuilles tombent et le pseudo-bulbe reste dormant jusqu'à l'apparition à sa base d'une nouvelle pousse, qui produit à la fois des racines et une inflorescence, et entre en repos après la floraison jusqu'à la saison suivante; une deuxième pousse forme alors un nouveau pseudo-bulbe et des feuilles, et le cycle recommence.

B. bulbocodioides, espèce diversifiée, particulièrement robuste et attrayant, a des pseudo-bulbes presque sphériques, en général verts à feuilles plissées fortement nervurés. Les fleurs solitaires de 7 à 10 cm de diamètre s'ouvrent en même temps ou peu avant que les feuilles ne se déploient au printemps ; rose bleuté à mauve, elles ont un labelle plus pâle ou portant des taches de jaune, de rouge ou de violet.

Plusieurs cultivars offrent des teintes plus variées : *B.b* « Polar Sun », blanc pur ; *B.b.* « Oriental Grace », mauve avec des pseudo-bulbes violet foncé ; et *B.B.* « Limprichtii » d'un beau violet, à labelle strié et moucheté de rouge.

P. Forrestii (Sud-Ouest de la Chine, Birmanie) est le roi du genre avec sa fleur allant du jaune canari au jaune orangé, et dont le labelle très fimbrié est taché de rouge.

P. maculata (Assam) produit à l'automne deux fleurs blanches odorantes de 5 cm de diamètre sur une hampe de 7 à 15 cm. Les pétales sont souvent striés de violet et les lobes latéraux du labelle sont fréquemment mouchetés de violet.

P. praecox (Inde, Birmanie) porte également à l'automne une ou deux fleurs odorantes pourpres sur une hampe de 7 à 10 cm. Les bords du labelle sont froncés.

CULTURE. Les Pleione prospèrent à des températures de serre froide, de 10 à 13 °C la nuit et 15 à 21 °C le jour, avec une humidité ambiante proche de 70 p. 100. Il leur faut une lumière solaire indirecte ou tamisée. Cultivez-les dans un mélange de sphagnum, de polypode et de feuilles, ou de 2 volumes de tourbe en mottes, 2 de sable gras, 1 de vermiculite et 1 d'écorce fine. Arrosez abondamment en période de croissance, mais légèrement après la floraison.

Tous les trois arrosages, mettez un engrais équilibré pour plantes d'appartement dilué à 50 p. 100. Rempotez le moment venu, une fois que les fleurs sont fanées.

PLEUROTHALLIS
P. grobyi ; P. rubens

Ce genre très varié d'orchidées du Nouveau-Monde comporte plus de mille espèces, toutes à tiges multiples poussant non sur des pseudo-bulbes, mais sur des tiges minces portées par des tiges primaires horizontales. Chaque tige secondaire produit une feuille solitaire à son sommet, et les fleurs naissent à la base de celle-ci. La plupart de ces plantes sont épiphytes, mais leur taille varie énormément. Les fleurs, de formes variables, ont en général les sépales plus grands que les pétales.

P. grobyi (Brésil) n'a presque pas de tige et ses feuilles coriaces violettes à l'envers ont moins de 7 cm de long. La hampe rouge mat, haute de 12 cm, porte des fleurs largement espacées de 6 mm de diamètre, blanc verdâtre ou jaunes, souvent striées de cramoisi, qui apparaissent au printemps et en été.

P. rubens, autre petite espèce, produit de minces hampes portant d'un seul côté, comme le muguet, des fleurs jaunes de 6 mm de diamètre. La plante, haute de 15 cm, a des feuilles de 10 cm et fleurit au printemps et en été.

CULTURE. Ces deux espèces de Pleurothallis prospèrent à une température de 13 à 15 °C la nuit, de 18 à 24 °C le jour, avec une humidité ambiante de 40 à 60 p. 100. Assurez-leur une ombre légère ou de 14 à 16 heures par jour de lumière artificielle d'intensité moyenne. Cultivez-les dans le compost des Cymbidium ou dans un mélange de 7 volumes d'écorce pour 1 volume de vermiculite et 1 volume de tourbe en mottes ; vous pouvez également les attacher sur des plaques de liège ou d'écorce de fougère arborescente.

Arrosez abondamment en période végétative, un peu moins par la suite sans jamais laisser le mélange se dessécher. Mettez tous les trois arrosages un fertilisant riche en azote aux plantes en pot, et un engrais équilibré pour plantes d'appartement aux spécimens sur plaque ; dans les deux cas, n'omettez pas de diluer le fertilisant à 50 p. 100.

Ne rempotez, à la reprise de la croissance, que si les plantes sont à l'étroit ou que le mélange, détérioré et se drainant mal, doit être changé.

Multipliez en divisant la plante en segments ne comptant chacun pas moins de quatre feuilles.

Pleione praecox

Pleurothallis grobyi

Promenaea xanthina

Renanthera imschootiana

PROMENAEA
P. xanthina (Brésil)

Le Promenaea est une orchidée épiphyte naine à feuilles et hampes longues de 5 à 10 cm et à fleurs proportionnellement plus grandes, de 4 à 5 cm de diamètre. Les feuilles sont produites par des pseudo-bulbes hauts de 2 à 3 cm, à la base desquels naissent les hampes. La plante donne en été une à trois fleurs jaunes odorantes, à labelle moucheté de brun rougeâtre, dont le poids fait s'incurver la hampe.

CULTURE. *P. xanthina* exige une température de serre chaude allant de 15 à 18 °C la nuit et de 21 à 30 °C le jour, avec une humidité ambiante de 70 p. 100. Il pousse bien sous une lumière solaire indirecte ou avec 14 à 16 heures par jour d'éclairage artificiel.

Cultivez en petits pots ou en plateau suspendu dans un mélange de 7 volumes d'écorce tamisée pour 1 de vermiculite et 2 de sphagnum haché. En période végétative, maintenez ce mélange constamment humide et, tous les trois arrosages, mettez un fertilisant riche en azote dilué à 50 p. 100.

Quand les fleurs se fanent, laissez la plante se reposer pendant environ trois semaines sans lui donner d'eau ; recommencez l'arrosage en hiver, mais attendez chaque fois pour arroser que le mélange soit bien sec.

Rempotez tous les deux ans au printemps dans un compost frais d'écorce, au moment de la reprise de la croissance. Vous pouvez profiter de cette opération pour multiplier la plante par division en touffes ne comptant chacune pas moins de trois ou quatre pseudo-bulbes.

R
RENANTHERA
R. coccinea; *R. imschootiana*

Les Renanthera sont appréciés pour la facilité avec laquelle ils produisent des masses de fleurs éclatantes, rouges, éclaboussées ou striées de jaune et d'orange, ou encore jaunes mouchetées de rouge ; le genre est utilisé pour créer des hybrides aux mêmes couleurs somptueuses.

Les fleurs se distinguent aussi par la minceur du sépale supérieur et des pétales, et par la largeur des sépales latéraux inférieurs dont la base reste cependant étroite. La plupart des Renathera sont épiphytes et leur taille va des plantes naines aux grimpantes comme *R. coccinea,* qui peut atteindre jusqu'à 9 m de haut dans la nature.

R. coccinea (Birmania, Vietnam), qui doit souvent avoir de 1,80 à 3,50 m avant de fleurir, produit du printemps à l'automne une centaine de fleurs durables rouge sang tachées de jaune, de 5 à 8 cm de diamètre et parfois de 7 à 10 cm de long, en grappes pyramidales clairsemées. La hampe prend naissance à l'autre côté de l'aisselle d'une feuille sur la longue tige grimpante aux nombreuses racines.

R. imschootiana (Birmanie), forme naine de *R. coccinea* atteint de 15 à près de 90 cm, ce qui le fait souvent préférer par les orchidophiles. Il produit à la fin du printemps et en été jusqu'à vingt fleurs écarlates de 5 à 8 cm de diamètre, tenant plus d'un mois, portées sur des hampes cintrées ramifiées atteignant jusqu'à une cinquantaine de centimètres de long.

CULTURE. *R. coccinea* prospère en serre chaude à une température de 15 à 18 °C la nuit, de 21 à 30 °C le jour, avec une humidité ambiante de 70 p. 100. *R. imschootiana* demande une température plus basse, de 13 à 15 °C la nuit et de 18 à 24 °C le jour, pour une humidité ambiante de 40 p. 100. La plupart des Renanthera, y compris ces deux espèces, prospèrent en plein soleil ou avec 14 à 16 heures par jour de lumière artificielle intense. Mais *R. imschootiana* peut néanmoins très bien fleurir sous une lumière solaire diffuse ou encore sous un éclairage artificiel plus faible.

Cultivez les Renanthera dans un mélange de 7 volumes

d'écorce tamisée, 1 de vermiculite et 2 de sphagnum, ou dans des paniers remplis de fibre d'osmonde ou de fougère arborescente. *R. coccinea* peut également être palissé sur des troncs de fougère arborescente. Maintenez le mélange humide en période de croissance, mais réduisez les arrosages et l'humidité ambiante durant la période de repos de la végétation ; *R. imschootiana*, en particulier, doit avoir très peu d'eau, en fait juste assez pour que son feuillage reste ferme.

Mettez tous les trois arrosages un fertilisant riche en azote aux plantes en pot, un engrais équilibré pour plantes d'appartement aux spécimens sur plaques ; dans les deux cas, le fertilisant sera dilué à 50 p. 100.

Dépotez les plantes à chaque printemps ou au début de l'été, et rempotez avec un compost neuf. Il peut être nécessaire de rabattre *R. coccinea* en raison de sa croissance rapide, mais cela retardera la floraison ; opérez au début de la période de croissance et coupez la tige supérieure en segments de 60 à 90 cm avec leurs racines aériennes.

Ces divisions vous permettront d'obtenir de nouvelles plantes. On peut aussi faire apparaître de nouvelles pousses au pied en recouvrant celui-ci de sphagnum.

RHYNCHOLAELIA Voir *Brassavola*

RHYNCHOSTYLIS

R. gigantea ; *R. retusa*, appelé aussi *Aerides retusum*

Les Rhynchostylis sont un genre voisin des Saccolabium et produisent une grappe longue et dense de fleurs de 2 à 3 cm de diamètre.

R. gigantea (Thaïlande, Vietnam) est une orchidée épiphyte qui s'adapte aussi bien à des températures chaudes que moyennes. Il a une courte tige robuste ne dépassant pas 10 cm de haut, et des feuilles charnues linguiformes atteignant une vingtaine de centimètres de long et 6 cm de large.

En automne et au début de l'hiver, ses hampes longues de 40 cm fléchissent sous le poids des fleurs cireuses odorantes, blanches mouchetées de violet, à labelle magenta, d'une forme compliquée avec un éperon infundibuliforme.

R. retusa (Indonésie) produit en été des inflorescences délicates mais denses de fleurs odorantes roses et blanches de 18 mm de diamètre environ. Il a donné de nombreux clones à fleurs de formes et de tailles différentes.

CULTURE. *R. gigantea* prospère à une température moyenne de 13 à 15 °C la nuit et de 18 à 24 °C le jour ; il peut néanmoins supporter sans dommage jusqu'à 18 °C la nuit et 29 °C le jour. Le taux d'humidité idéal est de 70 p. 100. Assurez-lui une forte lumière solaire indirecte ou de 14 à 16 heures par jour d'éclairage artificiel moyen. *R. retusa* supporte généralement des températures plus basses, qui ne doivent, cependant, pas descendre au-dessous de 13 °C en hiver.

Cultivez les Rhynchostylis dans des paniers remplis de fibre d'osmonde ou de fougère arborescente, ou en pot dans un mélange de sphagnum et de polypode, ou de 7 volumes d'écorce tamisée, 1 de vermiculite et 2 de tourbe en mottes. Maintenez en permanence le compost humide, mais arrosez moins souvent durant l'hiver, par temps nuageux ou immédiatement après que vous avez rempoté.

Tous les trois arrosages, mettez un engrais équilibré pour plantes d'appartement aux plantes cultivés en panier, un fertilisant riche en azote pour les cultures en pot, dilués dans les deux cas à 50 p. 100.

Ne rempotez que lorsque les plantes débordent, leurs racines supportant mal d'être dérangées. Quand le compost commence à se dégrader, enlevez-le délicatement autour des racines et remplacez-le par un mélange neuf.

Multipliez quand de nouvelles tiges se sont enracinées au pied de la plante, en les séparant délicatement de la plante mère et en les mettant en pots individuels.

Rhynchostylis gigantea

Rodriguezia secunda

Saccolabium acutifolium

RODRIGUEZIA
R. secunda, appelé aussi *R. lanceolata*; *R. venusta*

Ces orchidées épiphytes tropicales produisent des grappes de fleurs très odorantes aux formes délicates et compliquées, prenant naissance avec une ou plusieurs feuilles sur de petits pseudo-bulbes.

R. secunda (Trinité) fleurit en toute saison. Il a des feuilles coriaces rigides de 20 à 25 cm sur des pseudo-bulbes de 4 cm; les hampes atteignant 40 cm de long portent sur un seul côté de vingt à trente fleurs roses.

R. venusta a une seule feuille vert foncé longue de 7 à 15 cm sur chaque pseudo-bulbe du rhizome. De cinq à dix fleurs s'épanouissent sur les hampes cintrées longues de 17 à 30 cm; blanches, parfois éclaboussées de rose, ces fleurs ont un labelle moucheté de jaune. *R. venusta* fleurit en automne.

CULTURE. Assurez à ces orchidées une forte lumière solaire diffuse ou de 14 à 16 heures par jour de lumière artificielle. Il leur faut des températures moyennes, de 13 à 15 °C la nuit et de 18 à 24 °C pendant la journée, avec une humidité ambiante de 50 à 60 p. 100. C'est le genre d'atmosphère qu'il n'est guère possible d'assurer ailleurs que dans une serre.

Cultivez les Rodriguezia en pot, dans un mélange de 7 volumes d'écorce tamisée, 1 de fibre d'osmonde, 1 de vermiculite et 1 de tourbe en mottes. Maintenez-le constamment humide toute l'année. Tous les trois arrosages, mettez un fertilisant riche en azote, dilué à 50 p. 100.

Rempotez quand les plantes débordent du pot ou que le mélange doit être changé parce qu'il commence à se dégrader et que le drainage se fait mal.

Profitez du rempotage pour multiplier en divisant les plantes en touffes comportant chacune de trois à quatre pseudo-bulbes.

S

SACCOLABIUM
S. acutifolium

Les collectionneurs apprécient chez cette orchidée épiphyte tropicale son port de Vanda compact et l'abondance de ses fleurs brillamment colorées. Les Saccolabium n'ont généralement pas plus de 15 cm de haut, quatre ou cinq feuilles épaisses, coriaces, longues de 12 à 15 cm et une hampe latérale à peu près de la même longueur. La plante peut produire trente fleurs et plus dans une même saison.

S. acutifolium (Inde) produit au printemps et en été une masse cylindrique de fleurs d'environ 18 mm de diamètre disposées en petites grappes rigides longues de 5 à 8 cm; jaune verdâtre et mouchetées de rouge, ces fleurs ont un labelle blanc bordé de poils. Les feuilles acaules, plates et oblongues, mesurent environ 15 cm de long.

CULTURE. Les Saccolabium prospèrent en serre à une température de 13 à 15 °C la nuit et de 18 à 24 °C le jour; l'humidité ambiante doit se situer autour de 60 à 70 p. 100. Veillez à ce que la température ne descende pas au-dessous de 10 °C en hiver. Assurez une lumière solaire diffuse mais brillante, ou bien de 14 à 16 heures par jour d'éclairage artificiel d'une intensité moyenne.

On cultive en général ces plantes en paniers remplis de fibre d'osmonde. En pot, utilisez un mélange de 7 volumes d'écorce tamisée, 1 de vermiculite et 2 de tourbe en mottes. Maintenez celui-ci humide toute l'année, mais arrosez moins par temps couvert. Tous les trois arrosages, mettez un fertilisant riche en azote aux plantes en pot, un engrais équilibré pour plantes d'appartement aux spécimens cultivés en panier, en diluant le fertilisant dans les deux cas à 50 p. 100.

Rempotez quand le mélange commence à se détériorer et que le drainage se fait mal.

Pour multiplier, enlevez et mettez en pot les plantules enracinées qui peuvent apparaître au pied de la plante ou sur la tige.

SACCOLABIUM AMPULLACEUM Voir *Ascocentrum*
SACCOLABIUM BELLINUM Voir *Gastrochilus*
SACCOLABIUM CALCEOLARE Voir *Gastrochilus*

SCHOMBURGKIA
S. Lyonsii, appelé aussi *Laelia Lyonsii*; *S. tibicinis*, appelé aussi *Laelia tibicinis*; *S. undulata*, appelé aussi *Laelia undulata*

Ce genre d'orchidée épiphyte (dédiée au Dr Richard Schomburgk, botaniste) est caractérisé par un pseudo-bulbe allongé et gonflé, une hampe articulée non ramifiée et des fleurs aux sépales et pétales très chiffonnés. Bien que poussant bien à une température et à une humidité moyennes, les Schomburgkia ont tendance à fleurir de manière très désordonnée tant qu'ils ne sont pas bien établis.

S. Lyonsii (Jamaïque), qui a des pseudo-bulbes hauts de 30 à 60 cm, produit à la fin de l'été et au début de l'automne des grappes de dix à vingt fleurs de 4 à 5 cm de diamètre, sur une hampe atteignant 1,50 m de haut. Sépales et pétales sont blancs, striés et mouchetés de violet; le labelle blanc est bordé de jaune.

S. tibicinis (Honduras), à floraison printanière et estivale, est caractérisé par d'énormes pseudo-bulbes atteignant 60 cm de haut et 7 cm de diamètre; chacun d'eux produit de deux à trois feuilles longues de 12 à 35 cm, et une hampe atteignant 4 à 5 m de long, terminée par dix à douze fleurs de 5 à 8 cm de diamètre dans des tons de violet et d'orange, à labelle crème ou violet intense, et qui s'épanouissent successivement.

S. undulata (Colombie) a des fleurs de texture cireuse, aux pétales étroits tordus et chiffonnés, rouge lie-de-vin à brun violacé; le labelle trilobé, rose violacé, a des bords dressés de couleur blanche.

Ces fleurs atteignent 5 cm de diamètre et sont rassemblées en capitules compacts qui en comptent plus d'une vingtaine, à l'extrémité de hampes de 1 à 1,50 m portées par des pseudo-bulbes de 30 à 60 cm de long. La floraison a lieu à la fin de l'hiver et au début du printemps.

CULTURE. Les Schomburgkia prospèrent à une température de 13 à 15 °C la nuit, de 18 à 24 °C le jour, dans une humidité ambiante de 40 à 60 p. 100. Offrez-leur la pleine lumière ou, à défaut, assurez-leur, durant 14 à 16 heures par jour, un éclairage artificiel d'une bonne intensité.

Cultivez dans un mélange de 7 volumes d'écorce tamisée, 1 de vermiculite et 2 de tourbe en mottes. Imbibez bien le mélange et laissez-le légèrement sécher avant de remettre de l'eau. Tous les trois arrosages, mettez un fertilisant riche en azote dilué à 50 p. 100. Réduisez les arrosages et le taux d'humidité ambiante en période de repos. Ne rempotez pas avant que plusieurs pseudo-bulbes n'aient dépassé le bord du pot, mais remplacez périodiquement le mélange qui se détériore autour des racines par du compost neuf.

La multiplication s'effectue au moment du rempotage en divisant la plante en touffes comptant chacune de trois à quatre pseudo-bulbes.

SOBRALIA
S. macrantha

A l'inverse de la plupart des orchidées, qui dans la nature poussent sur les arbres ou les rochers, le Sobralia, originaire d'Amérique centrale, plonge ses nombreuses racines dans le sol; il n'a pas de pseudo-bulbes. De grande taille, il croît en touffes serrées, projetant des tiges de 1 à 2 m de haut qui portent de trois à neuf grandes fleurs (jusqu'à 25 cm de diamètre) qui tiennent plusieurs jours, mais dont chacune ne s'épanouit qu'après que la précédente s'est fanée. Cette floraison se produit au printemps et en été.

Les pétales chiffonnés et les sépales courbes sont rose violacé; la base du labelle, jaune-crème, enserre la colonne comme un tube. Les feuilles rigides, lancéolées, longues de 30 cm, sont disposées le long des tiges.

Schomburgkia tibicinis

Sobralia macrantha

x Sophrolaeliocattleya Jewel Box « Scheherazade »

CULTURE. *S. macrantha* prospère à une température de 13 à 15 °C la nuit et de 18 à 24 °C le jour, avec un taux d'humidité ambiante de 50 p. 100. Mettez les plantes en plein soleil ou assurez-leur de 14 à 16 heures par jour de lumière artificielle assez intense.

Cultivez dans un mélange de sphagnum, de polypode et de terre de bruyère grossière, ou dans un compost fait de 2 volumes de tourbe en mottes, 2 de sable gras, 1 de vermiculite et 1 d'écorce fine. Maintenez le mélange humide mais non détrempé en période végétative, mais réduisez l'arrosage pendant un mois ou plus — sans laisser le compost se dessécher — quand les feuilles ont fini de pousser.

Tous les trois arrosages, ajoutez un engrais équilibré pour plantes d'appartement dilué à 50 p. 100. *S. macrantha* fleurit plus abondamment lorsque la plante est forte et, pour la multiplication, il ne faut diviser par conséquent que les spécimens ayant de huit à douze tiges.

x SOPHROLAELIOCATTLEYA

x *S.* Anzac « Orchidhurst » ; x *S.* Jewel Box « Dark Waters » ; x *S.* Jewel Box « Scheherazade » ; x *S.* Paprika « Black Magic »

Résultat de croisements entre trois genres bien connus (Sophronitis, Laelia et Cattleya), le Sophrolaeliocattleya épiphyte tire ses atouts de chacun de ses parents : le Sophronitis a donné à ses fleurs leurs rouges éclatants et leurs étonnants roses teintés de violet ; le Laelia est à l'origine de l'abondance de sa floraison et de sa texture charnue ; le Cattleya, de la taille et de la forme des feuilles et des fleurs. Dépassant rarement 30 cm de haut, possédant des feuilles épaisses un peu tordues, la plante produit en hiver et au printemps des fleurs qui atteignent de 7 à 15 cm de diamètre.

x *S.* Anzac « Orchidhurst » produit par hampe deux ou trois fleurs rouge violacé de 10 à 15 cm, et on l'utilise souvent comme plante mère pour obtenir des variétés rouges de Cattleya. L'intensité de sa couleur varie avec l'environnement et les conditions climatiques : la fraîcheur et la lumière produisent les rouges les plus violents.

x *S.* Jewel Box « Dark Waters » a des fleurs rouge foncé de 7 à 10 cm de diamètre.

x *S.* Jewel Box « Scheherazade » produit de trois à cinq fleurs orange vif de 7 à 10 cm. Résistant, idéal pour la culture devant une fenêtre en hiver, il lui arrive de fleurir deux fois au cours d'une même année.

x *S.* Paprika « Black Magic », autre hybride résistant, produit sur une hampe quatre ou cinq fleurs rouge foncé de 7 à 8 cm de diamètre. Il fleurit souvent deux fois dans l'année.

CULTURE. Ces hybrides prospèrent généralement à une température de 13 à 15 °C la nuit et de 18 à 24 °C le jour. Assurez-leur une bonne lumière solaire indirecte ou de 14 à 16 heures par jour d'éclairage artificiel d'intensité moyenne et une humidité ambiante de 50 à 60 p. 100.

Cultivez dans un mélange de 7 volumes d'écorce tamisée pour 1 de fibre d'osmonde, 1 de vermiculite et 1 de tourbe en mottes. Imbibez bien le mélange, mais laissez-le sécher avant de remettre de l'eau. Tous les trois arrosages, mettez un fertilisant riche en azote dilué à 50 p. 100.

Rempotez tous les deux ans au printemps pour remplacer le compost ; multipliez alors en séparant les plantes en touffes de trois ou quatre pseudo-bulbes.

SOPHRONITIS

S. coccinea, appelé aussi *S. grandiflora* (Brésil)

Cette belle orchidée épiphyte naine, voisine des Cattleya et des Laelia, compense les difficultés de sa culture en produisant des fleurs solitaires écarlates relativement énormes, puisqu'elles atteignent de 7 à 8 cm de diamètre alors que la plante a au plus 10 cm de haut. Les sépales sont étroits, les pétales d'un ovale peu allongé et le labelle est écarlate strié de jaune.

Les fleurs apparaissent en automne et en hiver sur des hampes courtes et minces jaillissant du sommet de pseudo-bulbes en touffes de 2,5 cm de haut. Chaque pseudo-bulbe porte également une feuille charnue et rigide longue de 5 à 8 cm. On a souvent croisé les Sophronitis avec des Cattleya et des Laelia dans le but d'obtenir des fleurs du même rouge vif sur une plante moins exigeante.

CULTURE. S. coccinea prospère à une température de 13 °C la nuit, et de 15 à 18 °C le jour, et dans une humidité ambiante de 60 à 70 p. 100. Il a besoin de lumière solaire tamisée ou de 14 à 16 heures par jour d'éclairage artificiel moyen.

Cultivez dans des paniers remplis de morceaux d'écorce de fougère arborescente et de fibre d'osmonde, ou en pot dans un mélange de 7 volumes d'écorce tamisée, 1 de vermiculite et 1 de tourbe en mottes. Maintenez le mélange au même degré d'humidité toute l'année. Mettez tous les trois arrosages un engrais équilibré pour plantes d'appartement aux spécimens en panier, un fertilisant riche en azote à ceux en pot, en diluant dans les deux cas à 50 p. 100.

Rempotez quand le mélange commence à se dégrader et que le drainage se fait mal.

Multipliez au moment où reprend la croissance de la végétation, en séparant les plantes en touffes comportant chacun trois ou quatre pseudo-bulbes.

STANHOPEA
S. Hernandezii, appelé aussi *S. tigrina; S. Wardii*

La forme extraordinaire des feuilles des Stanhopea, qui atteignent de 7 à 12 cm, est liée à leur système de pollinisation. Les insectes visitant cette orchidée épiphyte se posent sur le labelle lisse et tombent dans la longue colonne incurvée, en forme de bec qui la touche. En sortant de la colonne, ils effleurent au passage le stigmate, organe femelle de la fleur, et y déposent le pollen de l'anthère, organe mâle. Le Stanhopea bénéficie d'une autre particularité : ses hampes traversent le mélange et ressortent sous le panier où les fleurs s'épanouissent. Elles sont affectées, en fait, d'un géotropisme négatif.

S. Hernandezii (Mexique) a de très grandes fleurs jaune pâle avec de grandes taches rouges apparaissant en été. Le labelle blanc, cireux, est moucheté de rouge. C'est le plus richement coloré du genre.

S. Wardii (Guatemala) a des fleurs dont les sépales sont étalés et les pétales ondulés plus étroits, généralement jaune d'or et souvent mouchetés de brun rougeâtre. La base du labelle compliqué est jaune orangé avec une petite tache rouge de chaque côté. De trois à neuf fleurs se serrent à l'extrémité des hampes rampantes jaillissant de la base des pseudo-bulbes de 5 à 8 cm de haut, dont chacun porte une feuille coriace plissée longue de 45 cm, large de 16 mm mais effilée vers le bout. Les fleurs odorantes apparaissent en été et ne tiennent que un ou deux jours sur la plante.

CULTURE. Les Stanhopea prospèrent à une température de 13 à 15 °C la nuit et de 18 à 24 °C le jour, bien qu'elle puisse s'élever sans dommage à 18 °C la nuit et 30 °C le jour pendant la période de croissance. Ils ont besoin de lumière solaire tamisée ou de 14 à 16 heures de lumière artificielle d'intensité moyenne par jour. Maintenez-les dans une humidité ambiante de 40 à 60 p. 100.

Cultivez-les sur des plaques d'écorce de fougère arborescente ou dans des paniers suspendus dont le fond laissera passer les hampes qui auront traversé le mélange. Utilisez de la fibre d'osmonde ou du sphagnum dans les paniers. Arrosez abondamment pendant la croissance puis, quand de nouveaux pseudo-bulbes se sont formés, donnez pendant un mois juste assez d'eau à la plante pour que le feuillage reste ferme. En période active de la végétation, mettez un engrais équilibré pour plantes d'appartement que vous aurez dilué à 50 p. 100.

Pour multiplier, divisez périodiquement la plante en touffes de

Sophronitis coccinea

Stanhopea Wardii

Thunia Marshalliana

Trichoglottis philippinensis var. *brachiata*

trois à cinq pseudo-bulbes ; des touffes trop abondantes de pseudo-bulbes empêchent la floraison.

STAUROPSIS Voir *Phalaenopsis*
SYMPHYGLOSSUM Voir *Cochlioda*

T

TETRAMICRA Voir *Leptotes*

THUNIA
T. bracteata, appelé aussi *T. alba* ; *T. Marshalliana*

Les Thunia, grandes plantes terrestres au beau feuillage abondant, produisent des fleurs de forme semblable à celle des Cattleya. Les tiges articulées sont serrées et portent sur toute leur longueur de nombreuses feuilles minces, cirées, qui tombent à la fin de la période de floraison. Des fleurs blanches qui tiennent de une à deux semaines s'épanouissent en été au bout de pédoncules souples jaillissant du sommet des tiges ; leurs sépales et leurs pétales minces sont lancéolés ; le labelle est chiffonné et fimbrié, zébré de violet ou veiné de jaune.

T. bracteata (Birmanie) a de robustes tiges longues de 60 cm, des feuilles vert pâle de 15 à 20 cm et des hampes portant de cinq à dix fleurs de 6 à 8 cm de diamètre.

T. Marshalliana (Moulmein), espèce encore plus robuste, a des tiges atteignant 60 cm de long et produit des fleurs allant jusqu'à 12 cm de diamètre.

CULTURE. Les Thunia prospèrent à une température de 13 à 15 °C la nuit et de 18 à 24 °C le jour en période de croissance, mais il faut les tenir un peu plus au frais pendant la floraison. Après, pendant que les tiges continuent à s'épaissir, revenez à des températures plus élevées ; quand les feuilles tombent, les Thunia préfèrent une température plus basse, de l'ordre de 10 à 13 °C la nuit et de 15 à 21 °C pendant la journée.

Maintenez toute l'année l'humidité ambiante à un taux de 60 p. 100. Assurez aux plantes une lumière solaire diffuse afin de ne pas brûler les feuilles fragiles, ou bien de 14 à 16 heures par jour de lumière artificielle intense. C'est d'ailleurs en serre qu'il est le plus facile d'assurer aux plantes ces conditions de culture assez particulières.

Cultivez les Thunia en pot dans un mélange de 2 volumes de tourbe en mottes, 2 de sable gras, 1 de vermiculite et 1 de fine écorce ; maintenez-les à une humidité constante pendant la période de croissance, mais cessez d'arroser après la chute des feuilles jusqu'à la reprise de la croissance. Tous les trois arrosages, mettez un engrais équilibré pour plantes d'appartement que vous aurez dilué à 50 p. 100.

Rempotez chaque année au printemps pour remplacer le compost par un mélange neuf.

Profitez de cette occasion pour multiplier en divisant à la base la touffe de tiges.

TRICHOGLOTTIS
T. philippinensis var. *brachiata*, appelé aussi *T. brachiata* (Malaisie)

Cette orchidée épiphyte a de courtes feuilles ovales qui se déploient en alternance très près les unes des autres sur une tige robuste. Sur la plupart des espèces, les hampes jaillissent de la base des feuilles et produisent généralement chacune une fleur unique au printemps ou en été. *T. philippinensis* var. *brachiata* a une tige de 60 cm de long, des feuilles de 5 cm, et ses fleurs de 5 cm de diamètre sont rouge vif et bordées de jaune ou de blanc. Le labelle à base jaune vif est blanc, veiné de rouge lie-de-vin.

CULTURE. *T. philippinensis* var. *brachiata* prospère en pleine lumière ou avec 14 à 16 heures par jour d'éclairage artificiel intense. Il lui faut une température de 15 à 18 °C la nuit, de 21 à 30 °C le jour, et une humidité ambiante moyenne, de l'ordre de 40 à 60 p. 100.

Cultivez-le dans un mélange de 7 volumes d'écorce tamisée, 1 de vermiculite et 1 de tourbe en mottes. Arrosez abondamment en période active de la végétation, moins quand la plante est au repos. Tous les trois arrosages, mettez un fertilisant riche en azote dilué à 50 p. 100.

Rempotez quand les plantes sont à l'étroit ou que le mélange commence à se détériorer. Multipliez en divisant les tiges en segments et en vous assurant que chacun d'eux porte plusieurs bourgeons à feuilles.

TRICHOPILIA
T. suavis ; T. tortilis

Ces petites orchidées épiphytes sont appréciées pour leurs grandes fleurs et leurs feuilles persistantes de teinte foncée. Celles-ci naissent isolément de pseudo-bulbes compacts portés par un rhizome. De la base de ceux-ci partent des hampes cintrées qui retombent autour du pot avec leurs grandes fleurs odorantes au pétales et sépales minces et au labelle ondulé.

T. suavis (Amérique centrale) produit au printemps, en grappes de deux à cinq, des fleurs blanches très odorantes de 7 à 10 cm de diamètre. Leur labelle, très grand, chiffonné, est moucheté de rose violacé.

T. tortilis (Mexique) produit ses fleurs isolément ou par paires en hiver. Également très odorantes, elles ont des sépales étroits et des pétales spiralés ; elles ont de 5 à 10 cm de diamètre mais, si on les étale à plat, elles atteignent une quinzaine de centimètres. Leur couleur se situe dans les tons violets avec une bordure vert jaune. Le labelle est blanc tacheté de brun rouge près de sa base tubulaire.

CULTURE. Les Trichopilia prospèrent à une température de 13 à 15 °C la nuit et de 18 à 24 °C le jour. Assurez-leur au moins quatre heures par jour de lumière solaire tamisée ou de 14 à 16 heures d'éclairage artificiel intense. Maintenez l'humidité ambiante entre 40 et 60 p. 100.

Cultivez dans un mélange de 7 volumes d'écorce pour 1 de fibre d'osmonde, 1 de vermiculite et 1 de tourbe en mottes légèrement surélevé au centre de façon que la plante soit au-dessus du rebord du pot. Il est nécessaire de prévoir un excellent drainage.

Les Trichopilia poussent également bien sur plaques de liège ou d'écorce de fougère arborescente. Maintenez le mélange constamment humide en période de croissance de la végétation mais, quand les pseudo-bulbes sont arrivés à maturité, laissez-le sécher légèrement avant de l'humecter à nouveau.

Tous les trois arrosages, mettez aux plantes en pot un fertilisant riche en azote, et aux spécimens sur plaque un engrais équilibré pour plantes d'appartement — en le diluant à 50 p. 100 dans les deux cas. Ne fertilisez pas les plantes pendant la période de repos de la végétation.

Cultivez de préférence ces orchidées en petites touffes pour pouvoir les rempoter chaque année.

Multipliez au début du printemps ou aussitôt après la floraison, en les divisant en touffes comportant au moins trois ou quatre pseudo-bulbes chacune.

V

VANDA
V. caerulea (Vanda bleue) ; *V. cristata* ; *V.* Rothschildiana ; *V. sanderiana*, appelé aussi *Euanthe sanderiana* ; *V. teres* ; *V. tricolor* var. *suavis*, appelé aussi *V. suavis*

Les Vanda, orchidées très connues, sont d'une culture facile. Leurs fleurs magnifiques sont portées par des hampes souples, cintrées ou dressées, qui émergent entre les feuilles le long de la tige vigoureuse. Chaque hampe porte de cinq à quatre-vingts fleurs qui tiennent de trois à six semaines. Leurs sépales et leurs pétales, généralement arrondis et de même taille, entourent un court labelle charnu ; la fleur est donc très ouverte. Les feuilles

Trichopilia suavis

VANDA BLEUE
Vanda caerulea

Vanda teres

persistantes peuvent être cylindriques, rubanées ou en « V », mais la forme la plus fréquente est rubanée. Toutes sont alternées de chaque côté d'une tige principale où se développent également des racines aériennes.

Les Vanda ont été utilisés pour de nombreux croisements avec d'autres genres, parmi lesquels les Aerides, les Asocentrum et les Neofinetia.

V. caerulea (Nord de l'Inde, Birmanie, Laos), la Vanda bleue, atteint de 45 à 90 cm de haut et a des feuilles rubanées longues de 20 cm. De la fin de l'été à la fin de l'hiver, ses hampes de 45 cm portent de cinq à quinze fleurs d'une dizaine de centimètres de diamètre, qui ont divers tons de bleu avec, en général, des veines plus foncées.

V. cristata a des fleurs aux agréables tons vert pâle dont le labelle blanc est nettement bordé de rouge ; durables, elles ont 5 cm de diamètre et s'épanouissent au printemps.

V. Rothschildiana est un hybride de *V. caerulea* et de *V. sanderiana* ; il produit tout au long de l'année, en grappes serrées, des fleurs de 7 à 10 cm de diamètre de couleur lavande, marbrées de bleu foncé. Les feuilles sont rubanées. Il existe de nombreux autres hybrides de Vanda et des hybrides résultant de croisements entre genres dont les couleurs variées comprennent le marron, le rouge orangé, le rose et, naturellement, le bleu.

V. sanderiana (Philippines) a des feuilles rubanées atteignant 30 cm de long et une quinzaine de fleurs de 7 à 10 cm apparaissant en automne sur des hampes longues de 30 cm. Le sépale supérieur et les pétales sont blancs à roses assez unis ; les sépales inférieurs sont jaune-vert fortement veinés de brun rougeâtre.

V. teres (Inde, Birmanie) atteint de 60 à 90 cm de haut ; il a une tige mince très ramifiée et des feuilles cylindriques longues de 10 à 20 cm. Ses hampes de 15 à 30 cm portent au printemps et en été de trois à six fleurs rose pâle au labelle légèrement teinté d'orange.

V. tricolor var. *suavis* (Java) a des feuilles longues de 30 à 45 cm et porte en hiver ou au printemps des épis de fleurs odorantes de 7 cm environ de diamètre ; leurs pétales et leurs sépales sont blanc-crème mouchetés de brun rougeâtre foncé, et le labelle trilobé est rose foncé et blanc.

CULTURE. Les Vanda prospèrent à une température de 15 à 18 °C la nuit et de 18 à 24 °C le jour. Les variétés à feuilles cylindriques ont besoin d'au moins six heures par jour de forte lumière ; celles à feuilles rubanées, d'au moins quatre heures de plein soleil, mais elles doivent en être abritées en milieu de journée lorsqu'il est le plus violent.

En raison de leurs exigences d'éclairement, les Vanda préfèrent les serres ou les fenêtres très ensoleillées. Les plus petits hybrides de Vanda, les Ascocenda, poussent bien avec 14 à 16 heures de forte lumière artificielle par jour. Tous exigent de 40 à 60 p. 100 d'humidité.

Cultivez-les dans un compost fait de deux tiers de racines d'osmonde et de un tiers de sphagnum, ou dans un mélange de 7 volumes d'écorce grossière pour 1 de vermiculite et 1 de tourbe en mottes. Maintenez le mélange constamment humide mais sans qu'il soit détrempé, et arrosez moins fréquemment par temps couvert et pendant le repos de la végétation, quand les plantes ne sont pas en période de croissance.

Tous les trois arrosages, mettez un fertilisant riche en azote, dilué à 50 p. 100. Les Vanda doivent être rempotés aussi rarement que possible. Quand le mélange commence à se dégrader et que le drainage est mauvais, remplacer simplement la couche supérieure du compost. Si la tige inférieure de la plante perd ses feuilles, coupez-la juste au-dessous des racines aériennes vivantes et rempotez.

Pour multiplier, attendez que les plantules apparaissant quelquefois au pied aient produit des racines, puis enlevez-les et mettez-les en pot.

VANDA PARISHII Voir *Vandopsis*

VANDOPSIS

V. Parishii, autrefois appelé *Vanda Parishii* (Birmanie, Thaïlande)

La plupart des douze espèces connues de Vandopsis sont remarquables par leurs fleurs, et très robustes ; épiphytes, ils s'accrochent aux arbres et aux roches moussues. Ils ressemblent beaucoup aux Vanda plus courants, avec une tige dressée presque ligneuse et deux rangées de feuilles coriaces oblongues. Les fleurs en épis semblent réunir les caractères de celles des *Vanda*, des *Arachnis* et des *Renanthera*.

V. Parishii, le plus facile à se procurer, est une espèce naine à tige dépassant rarement 15 cm de haut, et à feuilles oblongues à l'extrémité dentelée. Les hampes dressées ou cintrées portent de cinq à sept fleurs odorantes de 6 cm de diamètre, durables et d'une forte texture.

L'espèce originale a des fleurs jaune verdâtre mouchetées de brun, à labelle jaune pâle tacheté de rose. Dans *V. Parishii* var. *mariottiana*, les fleurs sont d'un rose violacé brillant aux extrémités marron teintées de blanc, avec un labelle d'un belle couleur magenta.

CULTURE. Les espèces de Vandopsis exigent une température minimale de 16 °C la nuit et de 24 °C ou plus le jour. Il leur faut beaucoup de lumière, et ils supportent jusqu'à quatre heures de plein soleil par jour, mais il faut les en abriter en milieu de journée pendant l'été. Assurez-leur de 40 à 60 p. 100 d'humidité, surtout en période de croissance. Ils prospèrent dans tous les composts pour orchidées, pourvu que le drainage soit bon. Arrosez régulièrement toute l'année, mais veillez à ce que le compost ne soit jamais détrempé.

Les racines étant délicates, ne rempotez que lorsque c'est indispensable. Quand le compost se dégrade, le remplacement de la couche supérieure suffit en général pour un an ou deux. Du printemps à la fin de l'été, mettez tous les trois arrosages un fertilisant liquide dilué à 50 p. 100.

La partie supérieure de la tige des plantes qui montent peut être coupée au-dessous de racines aériennes bien développées pour être mise en pot. La base produit souvent une ou plusieurs pousses : vous pouvez les utiliser pour multiplier vos plantes quand elles sont bien enracinées. Des pousses latérales et des rejetons se forment naturellement au pied et permettent également de multiplier les Vandopsis.

VANILLA

V. planifolia, appelé aussi *V. fragans* (vanillier ; Amérique centrale)

Les gousses de cette orchidées, dont on tire la vanille, sont portées sur une tige grimpante qui peut atteindre plus de 30 m de long. Cette tige projette des racines aériennes à partir de la plupart des points d'attache des feuilles charnues persistantes, ainsi que des hampes qui portent finalement les gousses. Les feuilles sont longues de 15 à 30 cm, et larges de 5 cm. Les hampes portent vingt boutons ou davantage qui s'ouvrent séparément et durent plusieurs jours. Les fleurs odorantes de 6 à 8 cm de diamètre ne s'ouvrent pas en général complètement ; elles ont de longs sépales et pétales jaune-vert, et un labelle blanc de 5 cm à bords chiffonnés et à base jaune orangé. La floraison a lieu de manière intermittente toute l'année, mais seules les très grandes plantes donnent des fleurs, et uniquement dans des conditions idéales. Ces fleurs doivent être fécondées manuellement pour produire les gousses de 15 cm, qui mettent de huit à neuf mois pour arriver à maturité.

CULTURE. *V. planifolia* prospère dans une atmosphère chaude et humide. Il lui faut une température de 15 à 18 °C la nuit, de 21 à 30 °C le jour, avec une humidité ambiante de 40 à 60 p. 100 et au moins quatre heures de plein soleil par jour.

Cultivez dans un mélange de 2 volumes de tourbe en mottes, 2 de sable gras, 1 de vermiculite et 1 d'écorce fine. Fournissez un support à la tige. Maintenez le mélange à un degré d'humidité

VANILLIER
Vanilla planifolia

constant toute l'année et, tous les trois arrosages, mettez un engrais équilibré pour plantes d'appartement dilué à 50 p. 100. Quand le mélange se dégrade, remplacez la couche supérieure plutôt que de rempoter.

Multipliez par boutures comprenant de trois à cinq bourgeons de feuilles.

x VUYLSTEKEARA

x *V.* Cambria « Plush » ; *V.* Monica « Burnham »

x *Vuylstekeara* (dédié à C. Vuylsteke, botaniste belge) est un hybride de trois autres genres d'orchidées : *Cochlioda, Miltonia* et *Odontoglossum* — et x *V.* Cambria « Plush » est un croisement entre x *V.* Rubra et *Odontoglossum* Clonius, ce qui lui donne une ascendance compliquée. Cette orchidée épiphyte a de petits pseudo-bulbes aplatis hauts de 7 à 10 cm, produisant chacun quatre ou cinq feuilles persistantes longues et étroites. Les fleurs de 7 cm de diamètre ont des pétales et des sépales ondulés couleur lie-de-vin, bordés de blanc, et un labelle long de 5 cm blanc bordé de rouge et de jaune à la base. Sept ou huit fleurs s'ouvrent de l'hiver au printemps sur chaque hampe cintrée ; elles tiennent plusieurs semaines.

x *V.* Monica « Burnham » a des fleurs pourpres.

CULTURE. Les Vuylstekeara prospèrent à une température de 13 à 15 °C la nuit et de 18 à 24 °C pendant la journée. Assurez-leur un taux d'humidité ambiante de 50 à 70 p. 100 et une forte lumière solaire tamisée, ou bien de 14 à 16 heures par jour d'éclairage artificiel intense.

Cultivez dans un mélange de 7 volumes d'écorce pour 1 de vermiculite et 1 de tourbe en mottes, maintenu constamment humide en période végétative ; mais laissez-le sécher légèrement entre les arrosages quand la plante est en période de repos, après la maturation des nouvelles pousses. Mettez, tous les trois arrosages, un fertilisant riche en azote que vous aurez dilué à 50 p. 100.

Rempotez tous les deux, trois ou quatre ans quand les pseudo-bulbes débordent du pot ou que le mélange commence à se détériorer et que le drainage se fait mal.

Profitez du rempotage pour multiplier, en divisant le rhizome en segments de trois ou quatre pseudo-bulbes.

W

x WILSONARA

x *W.* Lyoth Gold ; x *W.* Tangerine ; x *W.* Wendy ; x *W.* Widecombe Fair

Les Wilsonara (dédiés à M. Gurey Wilson, orchidophile anglais), entièrement créés par l'homme, sont des cultivars résultant de croisements entre espèces de *Cochlioda,* d'*Odontoglossum* et d'*Oncidium.* Bien qu'ils allient les caractères de leurs parents, la plupart des cultivars bien connus ressemblent nettement aux *Odontoglossum.* Ce sont des épiphytes formant des touffes de pseudo-bulbes généralement ovoïdes et dont les feuilles sont étroites.

x *W.* Lyoth Gold est probablement le plus connu avec ses épis de fleurs de 5 à 6 cm de diamètre dont les teintes vont de l'orange doré au rouge sombre.

x *W.* Tangerine a des couleurs allant de l'orange au jaune et x *W.* Wendy a des fleurs vermillon.

x *W.* Widecombe Fair est très différent des autres avec ses longues inflorescences ramifiées portant jusqu'à une centaine de fleurs en forme d'étoile ; leurs sépales et leurs pétales sont blanc zébré et mouchetés de rose foncé et leur labelle est rouge et blanc. Tous fleurissent de l'automne au printemps suivant.

CULTURE. Les Wilsonara exigent une température minimale de 10 à 13 °C la nuit, s'élevant à environ 21 °C le jour. Évitez-leur le plein soleil quand il est chaud et également du printemps à l'automne. Aérez bien par grande chaleur. En période de croissance, maintenez une humidité ambiante de 75 p. 100.

x *Vuylstekeara* Cambria « Plush »

x *Vuylstekeara* Monica « Burnham »

Cultivez dans un compost pour orchidées ou dans un mélange semblable à celui indiqué pour les Odontoglossum. Arrosez régulièrement toute l'année, mais laissez sécher le compost entre deux arrosages pour éviter que de l'eau ne stagne autour des racines. Mettez tous les trois arrosages un fertilisant liquide dilué à 50 p. 100 en période végétative.

Multipliez en divisant les plantes en touffes comportant chacune au moins trois ou quatre pseudo-bulbes.

Z

ZYGOPETALUM
Z. discolor ; Z. intermedium ; Z. Mackaii

Ces orchidées épiphytes au parfum agréable ont des pseudo-bulbes portant à leur sommet jusqu'à cinq feuilles étroites et plissées atteignant 45 cm de long. La floraison est hivernale.

Z. discolor (Amérique centrale) a des fleurs séparées de 5 à 8 cm de diamètre à sépales blancs ou blanc jaunâtre, à pétales teintés de violet avec un grand labelle bleu violacé foncé. Il fleurit dans le courant de l'été.

Z. intermedium (Brésil) a de quatre à six fleurs tachetées de 6 cm de diamètre sur une hampe de 60 cm. Leurs sépales et pétales étroits et ondulés sont vert pâle, fortement tachés de marron ; le labelle large est blanc avec des lignes rayonnantes de fins poils violets. La floraison se produit en automne et tient au moins un mois.

Z. Mackaii (Brésil) porte sur de hauts épis, de l'automne au printemps suivant, des fleurs verdâtres odorantes de 5 à 8 cm de diamètre à grand labelle fortement moucheté et strié de rouge violacé.

CULTURE. Les Zygopetalum prospèrent à une température de 13 à 15 °C la nuit et de 18 à 24 °C le jour. Assurez-leur de la lumière solaire filtrée ou de 14 à 16 heures de lumière artificielle intense par jour, et une humidité ambiante de 40 à 60 p. 100. Cultivez-les dans un mélange de 2 volumes de tourbe en mottes, 2 de sable gras, 1 de vermiculite et 1 d'écorce fine. En période végétative, maintenez-le constamment humide mais, par la suite, laissez-le sécher légèrement entre les arrosages jusqu'à la reprise de la croissance.

Ne laissez pas l'eau stagner autour des racines, en particulier chez les jeunes plantes qui, en raison de leur disposition en touffes, peuvent facilement pourrir. Tous les trois arrosages, mettez un fertilisant équilibré pour plantes d'appartement que vous aurez dilué à 50 p. 100.

Si une plante déborde de son pot, rempotez-la à la reprise de la croissance. Cependant, si les inflorescences apparaissent à ce même moment, retardez le rempotage jusqu'à la fin de la floraison. Les Zygopetalum ont des racines fragiles ; faites-y attention au moment du rempotage.

Multipliez à cette occasion en divisant le rhizome en touffes de trois ou quatre pseudo-bulbes.

ZYGOPETALUM CERINUM Voir *Pescatoria*
ZYGOPETALUM DAYANUM Voir *Pescatoria*

x *Wilsonara* Widecombe Fair

Zygopetalum intermedium

Appendice

Parasites et maladies des orchidées

Le tableau ci-dessous décrit et illustre les dommages que peuvent subir les orchidées, et leurs causes ; la dernière colonne indique le traitement. Changez régulièrement de type d'insecticide ou de fongicide pour éviter que les parasites ou la maladie ne deviennent résistants au traitement. Lisez toujours soigneusement le mode d'emploi, suivez scrupuleusement les instructions et prenez toutes les précautions indiquées sur les boîtes.

PARASITE	SYMPTÔME
	PUCERONS Feuilles et tiges sont chétives, les fleurs sont mal formées ou ne s'ouvrent pas. Les pucerons sont visibles, surtout sur les jeunes pousses. A gauche, pucerons de pommes de terre *(Macrosiphum euphorbiae)* sur une jeune feuille de Phalaehopsis. GENRES VULNÉRABLES : CATTLEYA, ONCIDIUM, PHALAENOPSIS
	COCHENILLE DES SERRES Des masses cotonneuses apparaissent aux points de jonction, comme entre les deux feuilles de Phalaenopsis à gauche. Les plantes paraissent chétives et se recroquevillent. GENRES VULNÉRABLES : CATTLEYA, DENDROBIUM, PHALAENOPSIS
	COCHENILLES A CARAPACE Des sortes de grains ronds ou ovales souvent accompagnés de moisissure noirâtre apparaissent sur la plante, comme sur les feuilles et le pseudo-bulbe de Cattleya à gauche. Les feuilles peuvent jaunir et tomber. GENRES VULNÉRABLES : CATTLEYA, CYMBIDIUM, PAPHIOPEDILUM
	LIMACES ET ESCARGOTS La plante présente des trous irréguliers et une trainée gluante marque le passage des mollusques. A gauche, racine de Vanda dévorée par un escargot et une de ses feuilles endommagée par une limace. GENRES VULNÉRABLES : TOUTES LES ORCHIDÉES DE SERRE ET SURTOUT LES JEUNES PLANTS
	TÉTRANYQUES Les feuilles sont piquetées de blanc, comme celles du Cymbidium infestées par les tétranyques à gauche. Ceux-ci tissent de petites toiles visibles parfois à l'envers de la feuille. Les feuilles se décolorent. GENRES VULNÉRABLES : CYCNOCHES, CYMBIDIUM, DENDROBIUM, PHALAENOPSIS

MALADIE	SYMPTÔME
	BLACK ROT Des taches violacées bordées de jaune apparaissent sur les feuilles et les jeunes pousses. Cette affection peut se propager des feuilles vers les racines et les rhizomes, ou l'inverse. A gauche, feuille de Cattleya atteinte. GENRES VULNÉRABLES : ORCHIDÉES DU TYPE CATTLEYA, PHALAENOPSIS
	TACHES DES FEUILLES Des taches proéminentes ou rentrantes jaunes, marron ou violacées, s'étendent rapidement sur les feuilles comme sur celle de l'Odontoglossum à gauche. A un stade avancé, la feuille jaunit et meurt. GENRES VULNÉRABLES : DENDROBIUM, MILTONIA, ONCIDIUM, ZYGOPETALUM
	LA POURRITURE GRISE De petits cercles bruns souvent bordés de rose apparaissent sur les sépales et les pétales comme sur la fleur et le pétale de Cattleya, à gauche. GENRES VULNÉRABLES : ORCHIDÉES DU TYPE CATTLEYA, DENDROBIUM, ONCIDIUM, PHALAENOPSIS, VANDA
	VIRUS Des taches, des marbrures ou des zébrures jaunes, noires ou brunes, apparaissent sur les feuilles, et les fleurs sont parfois également striées ou marbrées. A gauche, Cattleya atteint de la mosaïque du Cymbidium. GENRES VULNÉRABLES : TOUTES LES ORCHIDÉES

Tenir les plantes dans un milieu propre est la meilleure défense contre les parasites et les maladies ; stérilisez pots et outils et jetez vieilles feuilles et mélanges détériorés. Isolez ou détruisez les plantes infectées. Assurez une bonne aération qui agitera doucement les feuilles et, les jours de soleil où les plantes sèchent vite, arrosez de bonne heure. Un examen hebdomadaire attentif permet de déceler rapidement les parasites et les maladies.

CAUSE	REMÈDE
Les pucerons sont des aphidiens à corps mou de moins de 3 mm de long qui aspirent la sève et sont vecteurs de maladies. Ils ont un corps rebondi, une petite tête, beaucoup sont ailés. Tous sécrètent un liquide brillant et gluant appelé miellée, qui attire les fourmis et favorise l'apparition d'un vilain champignon noir qui provoque la fumagine.	Enlevez le champignon noir à l'eau et au détergent doux. Employez un insecticide contenant du malathion, du roténone ou du pyrèthre.
Insectes au corps mou de moins de 6 mm de long, les cochenilles des serres sont recouvertes d'une pellicule blanche poudreuse. Elles aspirent la sève des tiges, des feuilles et des bourgeons. Elles exsudent une miellée attirant les fourmis et favorisant l'apparition d'un champignon noir.	Enlevez les petites colonies avec un tampon d'ouate imbibé d'alcool dénaturé, ou avec un pinceau doux. Pour les grosses colonies, utilisez un insecticide au malathion.
De nombreuses espèces de cochenilles infestent les orchidées et aspirent leur sève. Celles à corps mou ont de 2 à 8 mm de long et exsudent de la miellée ; celles à carapace dure ont moins de 3 mm et n'en produisent pas. Les cochenilles se fixent à un endroit et n'en bougent plus.	Enlevez les insectes peu nombreux avec des brucelles ou passez de l'alcool dénaturé. Vaporisez un insecticide au malathion sur les insectes adultes.
Les escargots et les limaces ont des tailles variables. Ce sont des mollusques gastéropodes (mais les limaces n'ont pas de coquille) qui se cachent le jour et se nourrissent la nuit de feuilles, de bourgeons, de fleurs et de l'extrémité des racines. Ils déposent en général leurs œufs dans des endroits humides ou dans le compost des pots.	Un morceau d'ouate autour de la tige protège les fleurs. Utilisez aussi des appâts au métaldéhyde ou un piège fait d'un bol de bière dans lequel escargots et limaces se noieront.
Les tétranyques ont moins de 0,5 mm de long ; on les découvre en secouant une feuille sur du papier pour les faire tomber, ou en touchant la plante avec un ruban adhésif et en examinant celui-ci à la loupe. Les tétranyques n'aspirent en principe la sève qu'à l'envers des feuilles.	Nettoyez et rincez le feuillage à l'eau chaude pour détruire les toiles. En cas de grave infestation, utilisez un insecticide au malathion ou au roténone.
CAUSE	REMÈDE
Le black rot est provoqué par plusieurs types de champignons aimant une forte humidité, la fraîcheur et l'eau stagnante. Le dépérissement par excès d'humidité qui frappe les semis est également causé par ce champignon, et intervient surtout lorsqu'il y a plusieurs sujets par pot.	Traitez les plantes atteintes avec un fongicide, Captane ou Zineb. Enlevez les parties infectées en mordant de 2 cm dans le tissu sain et traitez à nouveau. Détruisez les plantes trop atteintes.
Cette maladie est généralement due aux espèces de champignons aimant une humidité élevée. Elle est particulièrement redoutable pour les semis, mais rarement fatale aux plantes adultes.	Réduisez l'humidité et augmentez l'aération ; coupez les feuilles malades et vaporisez du fongicide sur la section. Chaque semaine, jusqu'à la guérison, pulvérisez du Captane ou un fongicide au Benomyl ou au Thiophanate-méthyl.
La pourriture grise, également connue sous le nom du champignon qui la provoque, *Botrytis cinerea*, apparaît en général en milieu frais, humide et mal aéré. Les spores microscopiques sont transportés par les insectes, l'eau ou l'homme. Le champignon attaque surtout les vieilles fleurs se fanant.	Coupez et détruisez les fleurs touchées. Isolez les plantes atteintes. Vaporisez les plantes avec un fongicide au Benomyl, au Captane, au Thiophanate-méthyl ou au Zineb.
Les deux principaux types de maladies virales, mosaïque du Cymbidium et mosaïque du Cattleya, se propagent par les systèmes vasculaires des plantes et peuvent être transmis par les plantes infectées, les outils, les pucerons ou l'homme. Une plante infectée peut ne pas présenter de symptôme.	Le mal est sans remède chimique. Détruisez les plantes atteintes. Pour diviser, stérilisez le couteau entre chaque coupe, plongez les plantoirs dans une solution de lessive à 10 p. 100. Détruisez les pucerons, vecteurs de la maladie.

Caractéristiques de 240 orchidées

	COULEUR DES FLEURS					AUTRES CARACTÉRISTIQUES						TEMP. NOCTURNE			ÉCLAIREMENT			HUMIDITÉ		ÉPOQUE DE LA FLORAISON				
	Blanc verdâtre	Jaune orangé	Rose tirant sur le rouge	Bleu-mauve	Couleurs variées	Épiphyte	Terrestre	Sympodiale	Monopodiale	Caduque	Persistante	10° à 13°C	13° à 16°C	16° à 18°C	Ensoleillement direct	Ensoleillement indirect	Lumière artificielle	Moyenne (40 à 60 p. 100)	Élevée (plus de 60 p. 100)	Printemps	Été	Automne	Hiver	Variable
AERANGIS CITRATA		●				●		●			●		●	●		●	●		●	●				
AERANGIS RHODOSTICTA	●					●		●			●		●	●		●			●			●	●	
AERANTHES GRANDIFLORA	●					●		●			●		●		●	●		●			●	●	●	
AERIDES JAPONICUM	●		●			●			●		●	●				●			●			●	●	
AERIDES ODORATUM	●	●				●			●		●		●			●			●		●	●		
AERIDES VANDARUM	●					●			●		●	●	●		●			●			●	●		
ANGRAECUM DISTICHUM	●					●			●		●		●			●	●			●		●		●
ANGRAECUM SESQUIPEDALE	●					●			●		●		●			●	●		●				●	
ANGULOA CLOWESII (Orchidée-tulipe)		●					●	●		●		●				●	●		●					
ANGULOA RUCKERI (Orchidée-tulipe)	●	●	●				●	●		●		●				●	●		●					
ANSELLIA AFRICANA (Orchidée-léopard)		●			●	●		●			●		●			●	●		●					
ARACHNIS-FLOS-AERIS (Orchidée-scorpion)		●			●	●			●		●		●		●			●		●				
x ASCOCENDA MEDA ARNOLD		●	●	●		●			●		●		●		●	●		●			●			
x ASCOCENDA TAN CHAI BENG				●		●			●		●		●		●	●		●			●			
x ASCOCENDA YIP SUM WAH		●	●			●			●		●		●		●	●		●			●			
ASCOCENTRUM AMPULLACEUM			●			●			●		●		●		●	●		●		●				
ASCOCENTRUM MINIATUM		●				●			●		●		●		●	●		●		●				
ASCOCENTRUM SAGARIK GOLD		●				●			●		●		●	●		●			●		●			
ASPASIA EPIDENDROIDES	●		●	●		●		●		●	●		●			●	●		●					
BARKERIA SPECTABILIS	●		●	●		●		●			●		●		●	●	●				●			
BIFRENARIA HARRISONIAE	●		●	●		●		●			●		●		●		●		●					
BLETILLA STRIATA			●				●	●		●						●	●			●				
BRASSAVOLA CORDATA	●					●		●			●		●		●	●		●			●	●		
BRASSAVOLA CUCULLATA	●					●		●			●		●		●	●		●			●			
BRASSAVOLA DIGBYANA	●	●				●		●			●		●		●	●		●						
BRASSAVOLA GLAUCA	●					●		●			●		●		●	●		●				●		
BRASSAVOLA NODOSA	●					●		●			●		●		●	●		●					●	●
BRASSIA CAUDATA (Orchidée-araignée)	●	●			●	●		●			●		●	●		●	●		●			●		
BRASSIA LANCEANA (Orchidée-araignée)	●	●			●	●		●			●		●			●	●		●			●		
BRASSIA LAWRENCEANA (Orchidée-araignée)	●	●			●	●		●			●		●			●	●		●					
BRASSIA MACULATA (Orchidée-araignée)	●		●	●	●	●		●			●		●			●	●		●			●	●	
BRASSIA VERRUCOSA (Orchidée-araignée)	●		●	●	●	●		●			●		●			●	●		●					
x BRASSOLAELIOCATTLEYA ERMINE «LINES»		●				●		●			●		●		●	●		●				●		
x BRASSOLAELIOCATTLEYA FORTUNE		●	●			●		●			●		●		●	●		●		●				
x BRASSOLAELIOCATTLEYA NORMAN'S BAY		●				●		●			●		●		●	●		●		●				
BROUGHTONIA SANGUINEA		●				●		●			●	●	●						●					●
BULBOPHYLLUM LOBBII		●		●		●		●			●	●		●	●			●						
BULBOPHYLLUM VITIENSE	●	●				●		●			●	●		●	●			●						
CALANTHE VESTITA	●		●	●			●	●		●			●			●	●					●		
CATASETUM FIMBRIATUM	●	●			●	●		●			●		●		●	●	●		●					
CATTLEYA AURANTIACA		●				●		●			●		●		●	●		●			●			
CATTLEYA BOB BETTS	●	●				●		●			●		●		●	●		●						●
CATTLEYA BOWRINGIANA			●	●		●		●			●		●		●	●		●				●	●	
CATTLEYA CITRINA	●	●				●		●			●		●	●		●	●		●		●		●	
CATTLEYA GASKELLIANA	●			●		●		●			●		●		●	●		●			●			
CATTLEYA INTERMEDIA	●		●	●		●		●			●		●		●	●		●		●				
CATTLEYA LOUISE GEORGIANNA	●					●		●			●		●		●	●		●						
CATTLEYA LUTEOLA		●			●	●		●			●		●		●	●	●					●	●	

	Blanc verdâtre	Jaune orangé	Rose tirant sur le rouge	Bleu-mauve	Couleurs variées	Épiphyte	Terrestre	Sympodiale	Monopodiale	Caduque	Persistante	10° à 13°C	13° à 16°C	16° à 18°C	Ensoleillement direct	Ensoleillement indirect	Lumière artificielle	Moyenne (40 à 60 p. 100)	Élevée (plus de 60 p. 100)	Printemps	Été	Automne	Hiver	Variable
CATTLEYA MOSSIAE		●		●		●		●			●		●			●	●	●		●				
CATTLEYA PERCIVALIANA		●	●	●		●		●			●		●		●			●					●	
CATTLEYA SKINNERI (Fleur de Saint Sébastien)			●	●		●		●			●		●			●	●	●		●	●			
CATTLEYA TRIANAE	●		●	●		●		●			●		●			●	●	●					●	
CAULARTHRON BICORNUTUM	●		●			●		●			●	●	●			●	●	●		●	●			
CHYSIS AUREA		●			●	●		●		●			●			●	●	●			●			
CIRRHOPETALUM GUTTULATUM	●			●	●	●		●			●		●			●		●		●		●		
CIRRHOPETALUM LONGISSIMUM	●			●	●	●		●			●		●			●		●					●	
CIRRHOPETALUM MEDUSAE		●				●		●			●		●			●		●				●	●	
CIRRHOPETALUM ORNATISSIMUM		●	●	●	●	●		●			●		●			●		●				●	●	
CIRRHOPETALUM VAGINATUM		●			●	●		●			●		●			●		●				●	●	
COCHLIODA SANGUINEA		●			●	●		●			●	●				●		●				●	●	
COELOGYNE BARBATA	●			●	●	●		●			●	●				●	●	●				●		
COELOGYNE CORYMBOSA	●	●			●	●		●			●	●				●	●	●			●			
COELOGYNE CRISTATA	●	●			●	●		●			●	●				●		●					●	
COELOGYNE FLACCIDA	●	●			●	●		●			●	●				●		●					●	
COELOGYNE GRAMINIFOLIA	●	●			●	●		●			●		●			●	●			●		●		
COELOGYNE MASSANGEANA		●			●	●		●			●		●			●		●		●	●	●		
COELOGYNE OCHRACEA	●	●			●	●		●			●	●				●	●			●	●			
COELOGYNE PANDURATA (Orchidée noire)	●	●			●	●		●			●		●			●		●		●	●	●		
CYCNOCHES CHLOROCHILUM (Orchidée-cygne)	●				●	●			●		●		●	●		●	●	●	●			●		
CYMBIDIUM DEVONIANUM	●			●			●	●			●	●	●			●		●		●				
CYMBIDIUM EBURNEUM	●	●					●	●			●	●	●			●		●		●				
CYMBIDIUM FINLAYSONIANUM		●	●				●	●			●		●			●		●			●			
CYMBIDIUM HAWTESCENS		●					●	●			●		●			●		●		●				
CYMBIDIUM JUNGFRAU	●						●	●			●	●	●			●		●						
CYMBIDIUM PUMILUM	●		●		●		●	●			●		●			●	●	●		●				
CYMBIDIUM TIGRINUM	●		●		●		●	●			●	●				●		●		●				
CYPRIPEDIUM ACAULE (Sabot-de-Vénus)	●			●			●	●		●		●				●			●	●				
CYPRIPEDIUM CALCEOLUS (Sabot-de-Vénus)		●		●			●	●		●		●				●			●	●				
CYPRIPEDIUM REGINAE (Sabot-de-Vénus)	●		●				●	●		●		●				●			●					
CYRTORCHIS ARCUATA	●					●			●		●		●	●		●	●	●		●			●	
DENDROBIUM AGGREGATUM		●				●		●			●	●	●			●		●	●	●				
DENDROBIUM BIGIBBUM	●		●			●		●			●		●			●		●	●	●				
DENDROBIUM DENSIFLORUM		●				●		●			●		●			●		●	●	●				
DENDROBIUM GATTON SUNBAY		●	●			●		●			●		●			●		●		●	●			
DENDROBIUM HETEROCARPUM		●	●			●		●			●		●			●		●	●				●	
DENDROBIUM INFUNDIBULUM var. JAMESIANUM	●				●	●		●			●		●			●		●	●					
DENDROBIUM KINGIANUM	●		●			●		●			●	●	●			●		●		●				
DENDROBIUM LODDIGESII		●	●	●		●		●		●	●	●				●		●		●			●	
DENDROBIUM NOBILE	●		●	●		●		●			●	●	●			●		●	●	●		●		
DENDROBIUM PRIMULINUM		●		●		●		●		●			●			●		●		●				
DENDROBIUM PULCHELLUM		●	●			●		●			●		●			●		●		●				
DENDROBIUM SUPERBIENS		●	●			●		●			●		●			●		●				●		
DENDROBIUM WARDIANUM	●		●			●		●			●		●			●		●		●				
DENDROBIUM WILLIAMSIANUM	●			●		●		●			●		●			●		●		●				
DENDROBIUM FILIFORME (Orchidée-chaîne d'or)	●	●			●	●		●		●		●			●		●	●	●					
DORITIS PULCHERRIMA		●	●	●	●	●			●		●		●			●		●	●			●	●	

149

CARACTÉRISTIQUES DES ORCHIDÉES : SUITE

	COULEUR DES FLEURS					AUTRES CARACTÉRISTIQUES						TEMP. NOCTURNE			ÉCLAIREMENT			HUMIDITÉ		ÉPOQUE DE LA FLORAISON				
	Blanc verdâtre	Jaune orangé	Rose tirant sur le rouge	Bleu-mauve	Couleurs variées	Épiphyte	Terrestre	Sympodiale	Monopodiale	Caduque	Persistante	10° à 13°C	13° à 16°C	16° à 18°C	Ensoleillement direct	Ensoleillement indirect	Lumière artificielle	Moyenne (40 à 60 p. 100)	Élevée (plus de 60 p. 100)	Printemps	Été	Automne	Hiver	Variable
ENCYCLIA ATROPURPUREA	●			●	●	●		●			●		●			●	●	●	●					●
ENCYCLIA COCHLEATA	●			●		●		●			●		●			●	●	●	●					●
ENCYCLIA MARIAE	●					●		●			●		●			●	●	●		●				
ENCYCLIA PENTOTIS	●			●		●		●			●		●			●	●	●		●				
ENCYCLIA STAMFORDIANA	●	●	●			●		●			●		●			●	●	●	●				●	
ENCYCLIA TAMPENSIS	●			●	●	●		●			●		●			●	●	●						●
ENCYCLIA VITELLINA		●	●			●		●			●		●			●	●	●			●			
EPIDENDRUM CILIARE	●					●		●			●		●			●	●	●					●	
EPIDENDRUM NOCTURNUM	●	●				●		●			●		●			●	●	●					●	
EPIDENDRUM POLYBULBON	●		●			●		●			●		●			●	●	●	●					
EPIDENDRUM PSEUDEPIDENDRUM	●		●			●		●			●		●			●	●	●		●	●			
EPIDENDRUM RADICANS		●	●			●		●			●		●			●	●	●						●
ERIA JAVANICA	●			●		●		●			●			●		●	●		●	●	●			
GASTROCHILUS BELLINUS	●			●	●	●			●		●		●		●		●		●			●		
GASTROCHILUS CALCEOLARIS		●		●	●	●			●		●		●		●				●			●		
GONGORA ARMENIACA		●				●		●			●		●			●	●	●			●	●		
GONGORA GALEATA		●				●		●			●		●			●	●	●			●	●		
HAEMARIA DISCOLOR	●						●	●			●			●		●	●		●			●	●	
HEXISEA BIDENTATA			●			●		●			●		●			●	●	●			●	●		●
IONOPSIS UTRICULARIOIDES	●		●	●		●		●			●		●			●	●	●	●				●	
ISOCHILUS LINEARIS	●		●			●		●			●		●			●	●	●						●
LAELIA ANCEPS		●				●		●			●		●		●	●	●	●					●	
LAELIA AUTUMNALIS	●	●	●	●		●		●			●		●			●	●	●				●	●	
LAELIA CINNABARINA		●				●		●			●		●		●	●	●	●			●	●		
LAELIA CRISPA	●	●		●		●		●			●		●		●	●	●	●			●			
LAELIA LUNDII	●		●	●		●		●			●		●		●	●	●	●					●	
LAELIA PUMILA			●	●		●		●			●		●			●	●	●			●			
x LAELIOCATTLEYA ACONCAGUA	●		●			●		●			●		●			●	●	●				●	●	
x LAELIOCATTLEYA MARIETTA		●	●	●		●		●			●		●			●	●	●				●	●	
x LAELIOCATTLEYA QUEEN MARY		●				●		●			●		●			●	●	●				●	●	
LEPTOTES BICOLOR	●			●		●		●			●		●			●	●	●	●				●	
LOCKHARTIA ACUTA		●				●		●			●		●			●	●	●		●				
LOCKHARTIA LUNIFERA		●				●		●			●		●			●	●	●			●	●		
LOCKHARTIA OERSTEDTII		●	●			●		●			●		●			●	●	●						●
LYCASTE AROMATICA		●				●		●		●		●			●	●	●	●						
LYCASTE VIRGINALIS	●		●		●	●		●		●		●			●	●	●					●	●	
MASDEVALLIA CHIMAERA	●	●	●		●	●		●			●	●				●	●	●	●					
MASDEVALLIA COCCINEA			●			●		●			●	●				●	●	●						
MASDEVALLIA ERYTHROCHAETE		●	●	●		●		●			●	●				●	●	●		●				
MASDEVALLIA INFRACTA		●		●		●		●			●			●		●	●	●	●					
MASDEVALLIA ROLFEANA		●	●			●		●			●	●				●	●	●				●		
MASDEVALLIA TOVARENSIS	●					●		●			●	●				●	●	●					●	●
MAXILLARIA LUTEO-ALBA	●	●				●		●			●			●		●	●		●			●	●	
MAXILLARIA OCHROLEUCA		●				●		●			●			●		●	●		●					
MAXILLARIA PICTA	●					●		●			●		●			●	●	●					●	
MAXILLARIA SANDERIANA	●		●			●		●			●		●			●	●	●		●				
MILTONIA CANDIDA	●	●		●	●	●		●			●		●			●	●	●			●			
MILTONIA CUNEATA	●	●			●	●		●			●		●			●	●	●		●				

	Blanc verdâtre	Jaune orangé	Rose tirant sur le rouge	Bleu-mauve	Couleurs variées	Épiphyte	Terrestre	Sympodiale	Monopodiale	Caduque	Persistante	10° à 13°C	13° à 16°C	16° à 18°C	Ensoleillement direct	Ensoleillement indirect	Lumière artificielle	Moyenne (40 à 60 p. 100)	Élevée (plus de 60 p. 100)	Printemps	Été	Automne	Hiver	Variable
MILTONIA ROEZLII	●		●			●		●			●		●			●	●	●		●		●		
MILTONIA SPECTABILIS	●		●			●		●			●		●			●	●	●			●	●		
MORMODES IGNEUM	●	●	●			●		●		●				●		●	●	●		●			●	
MORMODES VARIABILIS			●			●		●		●				●		●	●	●		●			●	
MYSTACIDIUM CAPENSE	●					●			●		●			●		●	●		●	●				
NEOFINETIA FALCATA	●					●			●		●		●			●	●		●		●			
x ODONTIODA ENCHANSON		●				●		●			●	●	●			●		●		●			●	●
x ODONTIODA MINEL	●		●	●		●		●			●	●	●			●		●		●			●	●
x ODONTIODA PETRA «COCCINEA»			●			●		●			●	●	●			●		●		●			●	●
ODONTOGLOSSUM GRANDE		●	●		●	●		●			●	●		●		●	●	●				●	●	
ODONTOGLOSSUM PULCHELLUM	●					●		●			●	●		●		●	●	●					●	
x ODONTONIA OLGA «DUCHESS OF YORK»	●					●		●			●	●	●			●		●		●			●	
x ODONTONIA BERLIOZ «LECOUFLE»			●	●		●		●			●	●				●		●		●			●	
ONCIDIUM HASTATUM		●	●		●	●		●			●		●		●		●	●				●		
ONCIDIUM INCURVUM	●		●			●		●			●		●			●	●	●		●		●		
ONCIDIUM JONESIANUM		●				●	●	●			●		●		●		●	●		●				
ONCIDIUM LEUCOCHILUM	●		●			●	●	●			●		●		●		●	●	●					
ONCIDIUM PAPILIO (Orchidée papillon)		●				●	●	●			●		●		●		●	●						●
ONCIDIUM PUSILLUM		●				●	●	●			●		●		●		●	●						●
ONCIDIUM SPHACELATUM		●				●	●	●			●		●		●		●	●	●					
ONCIDIUM SPLENDIDUM		●				●	●	●			●		●		●		●	●	●	●				
ONCIDIUM TIGRINUM		●				●	●	●			●		●		●		●	●					●	●
ONCIDIUM WENTWORTHIANUM		●			●	●		●			●		●		●		●	●			●	●		
PAPHIOPEDILUM BELLATULUM	●		●				●	●			●		●			●	●	●	●					
PAPHIOPEDILUM CHAMBERLAINIANUM	●	●	●		●		●	●			●	●				●	●	●						●
PAPHIOPEDILUM F. C. PUDDLE	●						●	●			●		●		●		●	●					●	●
PAPHIOPEDILUM FAIRIEANUM	●		●				●	●			●	●				●	●	●				●		
PAPHIOPEDILUM INSIGNE	●		●	●			●	●			●	●				●	●	●	●				●	●
PAPHIOPEDILUM MILLER'S DAUGHTER	●	●					●	●			●		●			●	●						●	
PAPHIOPEDILUM NIVEUM	●		●				●	●			●		●			●	●	●		●				
PAPHIOPEDILUM SPICERIANUM	●	●					●	●			●	●				●	●	●					●	●
PAPHIOPEDILUM SUKHAKULII	●	●					●	●			●					●	●	●					●	
PAPHIOPEDILUM VENUSTUM	●		●	●			●	●			●	●				●	●	●	●				●	
PESCATORIA CERINA	●	●				●		●			●	●	●			●		●	●		●			
PESCATORIA DAYANA	●		●		●	●		●			●	●				●		●					●	
PHAIUS TANCARVILLAE	●	●	●				●	●			●		●		●	●	●		●	●				
PHALAENOPSIS ALICE GLORIA	●					●			●		●			●		●		●	●			●		
PHALAENOPSIS APHRODITE	●		●			●			●		●			●		●		●	●			●		
PHALAENOPSIS CORNU-CERVI	●	●			●	●			●		●			●		●		●	●					●
PHALAENOPSIS DIANNE RIGG		●				●			●		●			●		●		●	●					
PHALAENOPSIS LUEDDEMANNIANA		●	●	●	●	●			●		●			●		●		●	●					
PHALAENOPSIS MANNII		●			●	●			●		●			●		●		●	●					
PHALAENOPSIS PARISHII	●				●	●			●		●			●		●		●	●					
PHALAENOPSIS ROSEA	●		●			●			●		●			●		●		●	●					●
PHALAENOPSIS STUARTIANA	●			●		●			●		●			●		●		●	●			●	●	
PHALAENOPSIS VIOLACEA	●			●		●			●		●			●		●		●	●					
PHOLIDOTA IMBRICATA	●	●				●		●			●	●				●	●		●					
PHRAGMIPEDIUM CAUDATUM var. SANDERAE		●	●		●		●	●			●		●			●	●	●		●	●	●		

CARACTÉRISTIQUES DES ORCHIDÉES : SUITE

	Blanc verdâtre	Jaune orangé	Rose tirant sur le rouge	Bleu-mauve	Couleurs variées	Épiphyte	Terrestre	Sympodiale	Monopodiale	Caduque	Persistante	10° à 13°C	13° à 16°C	16° à 18°C	Ensoleillement direct	Ensoleillement indirect	Lumière artificielle	Moyenne (40 à 60 p. 100)	Élevée (plus de 60 p. 100)	Printemps	Été	Automne	Hiver	Variable
PHRAGMIPEDIUM SCHLIMII	●		●			●	●	●			●			●		●	●	●			●		●	
PLEIONE BULBOCODIOIDES	●		●	●	●		●	●		●		●				●			●	●				
PLEIONE FORRESTII		●	●				●	●		●		●				●			●	●				
PLEIONE MACULATA	●						●	●		●		●				●			●			●		
PLEIONE PRAECOX			●	●			●	●		●		●				●			●			●		
PLEUROTHALLIS GROBYI	●	●				●		●			●		●			●	●	●		●	●			
PLEUROTHALLIS RUBENS			●			●		●			●		●			●	●	●		●	●			
PROMENAEA XANTHINA		●	●			●		●			●			●		●		●				●		
RENATHERA COCCINEA			●			●			●		●			●	●	●		●		●	●	●		
RENANTHERA IMSCHOOTIANA		●				●		●	●		●		●		●	●		●	●	●	●			
RHINCHOSTYLIS GIGANTEA	●		●	●		●			●		●			●		●	●		●				●	●
RHYNCHOSTYLIS RETUSA	●		●			●			●		●			●		●	●		●		●			
RODRIGUEZIA SECUNDA			●			●		●			●		●			●	●	●						●
RODRIGUEZIA VENUSTA	●		●			●		●			●		●			●	●	●			●			
SACCOLABIUM ACUTIFOLIUM	●		●			●			●		●			●		●		●		●	●			
SCHOMBURGKIA LYONSII	●			●		●		●			●		●		●	●		●		●	●			
SCHOMBURGKIA TIBINIS		●		●	●	●		●			●		●		●	●		●		●	●			
SCHOMBURGKIA UNDULATA		●		●	●	●		●			●		●		●	●		●		●		●		
SOBRALIA MACRANTHA		●	●				●	●			●		●		●	●		●		●	●			
x SOPHROLAELIOCATTLEYA ANZAC «ORCHIDHURST»			●	●		●		●			●			●		●	●	●				●		
x SOPHROLAELIOCATTLEYA JEWEL BOX «DARK WATERS»			●			●		●			●			●		●	●	●				●		
x SOPHROLAELIOCATTLEYA JEWEL BOX «SCHEHERAZADE»		●	●			●		●			●			●		●	●	●				●		
x SOPHROLAELIOCATTLEYA PAPRIKA «BLACK MAGIC»			●			●		●			●			●		●	●	●				●		
SOPHRONITIS COCCINEA			●			●		●			●			●		●	●		●			●	●	
STANHOPEA HERNANDEZII		●	●			●		●			●			●		●	●	●		●				
STANHOPEA WARDII		●	●		●	●		●			●			●		●	●	●		●				
THUNIA BRACTEATA	●					●	●	●		●		●	●			●	●	●		●				
THUNIA MARSHALLIANA	●					●	●	●		●		●	●			●	●	●		●				
TRICHOGLOTTIS PHILIPPINENSIS var. BRACHIATA	●	●	●			●			●		●			●	●	●		●		●	●			
TRICHOPILIA SUAVIS	●					●		●			●			●		●	●	●		●				
TRICHOPILIA TORTILIS	●			●	●	●		●			●			●		●	●	●				●		
VANDA CAERULEA (Vanda bleue)				●		●			●		●		●	●		●		●				●	●	●
VANDA CRISTATA	●		●			●			●		●		●	●		●		●		●				
VANDA ROTHSCHILDIANA				●		●			●		●		●	●		●		●						●
VANDA SANDERIANA	●			●	●	●			●		●		●	●		●		●				●		
VANDA TERES			●			●			●		●		●	●		●		●		●	●			
VANDA TRICOLOR var. SUAVIS	●			●	●	●			●		●		●	●		●		●				●		
VANDOPSIS PARISHII	●	●	●		●	●			●		●		●	●		●		●			●			
VANILLA PLANIFOLIA (Vanillier)	●	●				●		●			●		●	●		●		●						●
x VUYLSTEKEARA CAMBRIA «PLUSH»	●		●			●		●			●	●			●	●	●	●				●		
x VUYLSTEKEARA MONICA «BURNHAM»			●	●		●		●			●	●			●	●	●	●				●		
x WILSONARA LYOTH «GOLD»		●				●		●			●	●			●		●	●		●	●			
x WILSONARA TANGERINE		●				●		●			●	●			●		●	●		●	●			
x WILSONARA WENDY		●				●		●			●	●			●		●	●		●	●			
x WILSONARA WIDECOMBE FAIR	●	●				●		●			●	●			●		●	●		●	●			
ZYGOPETALUM DISCOLOR	●	●			●	●		●			●		●			●	●	●		●				
ZYGOPETALUM INTERMEDIUM	●			●	●	●		●			●		●			●	●	●			●			
ZYGOPETALUM MACKAII	●			●	●	●		●			●		●			●	●	●		●			●	

Bibliographie

Allan, Mea, *Darwin and his Flowers*. Faber and Faber Ltd. 1977.
American Orchid Society, Inc., *Growing Orchids Indoors*. AOS, 1969.
American Orchid Society, Inc., *Handbook on Judging and Exhibition*. AOS, 1969.
American Orchid Society, Inc., *Handbook on Orchid Culture*. AOS, 1976.
American Orchid Society, Inc., *Handbook on Orchid Pests and Diseases*. AOS, 1975.
American Orchid Society, Inc., *Meristem Tissue Culture*. AOS, 1969.
American Orchid Society, Inc., *An Orchidist's Glossary*. AOS, 1974.
Bailey, Ralph, *The Good Housekeeping Illustrated Encyclopedia of Gardening*. The Hearst Corp., 1972.
Blowers, John W., *Pictorial Orchid Growing*. John W. Blowers, 1966.
Bowen, Leslie, *The Art and Craft of Growing Orchids*. Batsford, 1976.
Boyle, Louis M., *Cymbidium Orchids for You*. Louis M. Boyle, 1950.
Briscoe, T. W., *Orchids for Amateurs*. W. H. & L. Collingridge, Ltd., 1948.
Brooklyn Botanic Garden, *Handbook on Orchids*, BBG, 1967.
Burnett, Harry C., *Orchid Diseases*, Bulletin 10. Florida Department of Agriculture and Consumer Services, 1974.
Chittenden, Fred J., éd., *The Royal Horticultural Society Dictionary of Gardening*, Oxford University Press, 1956.
Craighead, Frank, *Orchids and Other Air Plants*. University of Miami Press, 1963.
Crockett, James U., *Greenhouse Gardening as a Hobby*. Doubleday, 1961.
Dodson, Calaway H. et Gillespie, Robert J., *The Biology of the Orchids*. The Mid-America Orchid Congress, Inc., 1967.
Dunsterville, G. C. K., *Introduction to the World of Orchids*. Doubleday & Co., 1964.
Eigeldinger, O. et Murphy, L.S., *Orchids: A Complete Guide to Cultivation*. John Gifford, Ltd., 1971.
Everett, T. H., *New Illustrated Encyclopedia of Gardening*. Greystone Press, 1960.
Fennell, T. A., Jr., *Orchids for Home and Garden*, éd. rév. Rinehart and Co., Inc., 1959.
Freed, Hugo, *Orchids and Serendipity*. Prentice-Hall, Inc., 1970.
Graf, Alfred Byrd, *Exotic Plant Manual*. Roehrs Co., Inc., 1974.
Graf, Alfred Byrd, *Exotica*, Series 3, 8ème ed. Roehrs Co., Inc., 1976.
Hawkes, Alex D., *Encyclopaedia of Cultivated Orchids*. Faber and Faber, Ltd., 1965.
Hawkes, Alex D., *Orchids: Their Botany and Culture*. Harper and Brothers, 1961.
International Orchid Commission, *Handbook on Orchid Nomenclature and Registration*. Royal Horticultural Society, 1976.
Irvine, William, *Apes, Angels and Victorians*. McGraw-Hill Book Co., Inc., 1955.
Kijima, Takashi, *The Orchid*. Kodansha, 1975.
Kramer, Jack, *Growing Orchids at your Windows*. D. Van Nostrand Co., Inc., 1963.
Kramer, Jack, *Orchids: Flowers of Romance and Mystery*. Harry N. Abrams, Inc., 1975.
Logan, Harry B., et Cosper, Lloyd C., *Orchids are Easy to Grow*. Ziff-Davis Publishing Co., 1949.
Luer, Carlyle, *The Native Orchids of the U.S. and Canada*. New York Botanical Garden, 1975.
Noble, Mary, *Florida Orchids*. Florida State Department of Agriculture, 1951.
Noble, Mary, *You Can Grow Cattleya Orchids*. Mary Noble, 1968.
Noble, Mary, *You Can Grow Orchids*, 4ème éd. rév. Mary Noble, 1975.
Noble, Mary, *You Can Grow Phalaenopsis Orchids*. Mary Noble, 1971.
Northen, Rebecca Tyson, *Home Orchid Growing*. Van Nostrand Reinhold Co., 1971.
Northen, Rebecca Tyson, *Orchids as House Plants*, 2ème éd. rév. Dover Publications, Inc., 1976.
Oregon Orchid Society, Inc., *Your First Orchids and How to Grow Them*, 6ème éd. rév., OOS, 1977.
Pacific Orchid Society of Hawaii, *Handbook for the Growing of Orchids in Hawaii*. POS of Hawaii, 1962.
Parkinson, John, *Theatrum Botanicum: The Theatre of Plants*. Thomas Cotes, 1640.
Paul, Michel, *Orchids*. Merlin Press, 1964.
Personnel de L. H. Bailey Hortorium, Cornell University, *Hortus Third: A Dictionary of Plants Cutivated in the United States and Canada*. MacMillan Publishing Co., Inc., 1976.
Ratcliffe, Edna, *The Enchantment of Paphiopedilums*. Leach's of Abington, 1977.
The Reader's Digest Association, Ltd., *Reader's Digest Encyclopaedia of Garden Plants and Flowers* R.D.A., 1975.
Reinikka, Merle A., *A History of the Orchid*. University of Miami Press, 1972.
Richter, Walter, *Orchid Care: A Guide to Cultivation and Breeding*. The Macmillan Co., 1969.
Richter, Walter. *The Orchid World*. Studio Vista, 1972.
Sander, C. F., F. K. and L.L., *Sanders' Orchid Guide*. Sanders, 1927.
Sander, David, *Orchids and Their Cultivation*, 7ème éd. International Publications Service, 1969.
Sander, David E., *Sanders' Complete List of Orchid Hybrids*. Royal Horticultural Society, 1977.
Shuttleworth, Floyd S., Zim Herbert S., et Dillon, Gordon W., *Orchids*. Golden Press, 1970.
Sunset Editors, *How to Grow Orchids*. Lane Publishing Co., 1970.
Swinson, Arthur, *Frederick Sander: The Orchid King*. Hodder & Stoughton, 1970.
Van der Pijl, L. et Dodson, Calaway H., *Orchid Flowers: Their Pollination and Evolution*. University of Miami Press, 1966.
Veitch and Sons, *A Manual of Orchidaceous Plants*. H. M. Pollett and Co., 1887.
Williams, Henry, *The Orchid Grower's Manual*. Victoria and Paradise Nurseries, 1894.
Withner, Carl, *The Orchids, Scientific Studies*. Wiley and Sons, 1974.
Zander, *Handwörterbuch der Pflanzennamen*, Verlag Eugen Ulmer, 1972.

Sources des illustrations

Les sources sont séparées de gauche à droite par des points-virgules et de haut en bas par des tirets.
Couverture : Tom Tracy. 4 : William Skelsey. 6 : Derek Bayes, avec l'aimable autorisation de la Lindley Library, Royal Horticultural Society, Londres. 8, 9 : Steve Tuttle, extrait de *Theatrum Botanicum* de John Parkinson, 1640, avec l'aimable autorisation de U.S. National Agricultural Library. 11 : Derek Bayes, avec l'aimable autorisation de Lindley Library, Royal Horticultural Society, Londres. 13 : Dessins de Kathy Rebeiz. 17 : Edward S. Ross. 18 : Kjell B. Sandved, Smithsonian Institution — Edward S. Ross. 19 : Kjell B. Sandved, Smithsonian Institution — Z. Leszczynski, © Earth Scenes. 20, 21 : Kjell B. Sandved, Smithsonian Institution. 22 : Enrico Ferorelli. 25 : Richard Jeffery. 29, 31, 32 : Dessins de Kathy Rebeiz. 35 à 46 : Enrico Ferorelli. 48 : Norman Bancroft-Hunt. 53 à 61 : Dessins de Kathy Rebeiz. 63 : John Zimmerman. 64 : Enrico Ferorelli. 65 : Tom Tracy. 66, 67 : Tom Tracy. 68, 69 : Henry Groskinsky. 70 : Enrico Ferorelli. 73, 75 : Dessins de Kathy Rebeiz. 77 : Avec l'aimable autorisation de R. & E. Ratcliffe (Orchids) Ltd. (2) — Patrick Thurston, avec l'aimable autorisation de R. & E. Ratcliffe (Orchids) Ltd. ; avec l'aimable autorisation de R. & E. Ratcliffe (Orchids) Ltd. ; avec l'aimable autorisation de R. & E. Ratcliffe (Orchids) Ltd. ; avec l'aimable autorisation de Orchid Society of Great Britain. 78 : Avec l'aimable autorisation de R. & E. Ratcliffe (Orchids) Ltd. — Patrick Thurston, avec l'aimable autorisation de R. & E. Ratcliffe (Orchids) Ltd. (2) — avec l'aimable autorisation de R. & E. Ratcliffe (Orchids) Ltd. ; avec l'aimable autorisation de R. & E. Ratcliffe (Orchids) Ltd. — Patrick Thurston, avec l'aimable autorisation de R. & E. Ratcliffe (Orchids) Ltd. 79 : Avec l'aimable autorisation de R. & E. Ratcliffe (Orchids) Ltd. 81, 82 : Dessins de Kathy Rebeiz. 84 : Illustration de Richard Crist. 86 à 145 : Les illustrations sont dues aux artistes dont les noms suivent par ordre alphabétique : Norman Bancroft-Hunt, Adolph E. Brotman, Richard Crist, Susan M. Johnston, Mary Kellner, Gwen Leighton, Trudy Nicholson, Carolyn Pickett, Eduardo Salgado, Ray Skibinski, Kathleen Smith du Garden Studio, Londres. 146 : Illustrations de Susan M. Johnston.

Remerciements

Les rédacteurs de cet ouvrage tiennent à exprimer leurs remerciements à Mrs. Lizzie Boyd, Kingston-on-Thames, Surrey. Ils remercient également les personnes suivantes : Robinson P. Abbot, Silver Spring, Md. ; Clive Atyeo, Vienna, Virginie ; Roy Bogan, Finksburg, Md. ; Tony Bos, Jones and Scully, Inc., Miami, Floride ; Miss Audrey Brooks, R.H.S. Garden, Wisley, Surrey ; Erich Crichton, Londres ; Dr O. Wesley Davidson, North Brunswick, N.J. ; Curtis T. Ewing, Clarksville, Md. ; Martin Finney, R.H.S. Garden, Wisley, Surrey ; Emily Friedman, Los Angeles, Calif. ; Dr Allan Fusonie, Collection de livres rares, National Agricultural Library, Beltsville, Md. ; John et Nancy Gardner, Ellicott City, Md. ; Andy Gay, Jones and Scully, Inc., Miami, Floride ; Hillwood Orchid Collection, Washington, D.C. ; Mr. et Mrs. Richard Hoffman, Springfield, Virginie ; Ilgenfritz Orchids, Great Lakes Orchids, Inc., Monroe, Mich. ; Wallace Jackson, Londres ; Mr. et Mrs. Chet Kasprzak, Rockville, Md. ; Chester Kawakami, South River Orchids, Edgewater, Md. ; Mr. et Mrs. Howard W. King, Baltimore, Md. ; Dr Roger Lawson, spécialiste en maladies des plantes, USDA Beltsville Agricultural Research Center, Beltsville, Md. ; Lornie Leete-Hodge, Devizes, Wilts. ; Louis et Sophia Martin, Fulton, Md. ; Mary Noble McQuerry, Jacksonville, Floride ; Edward J. Neuberger, Clarksville, Md. ; Winona O'Connor, Londres ; Orchids par Hausermann, Inc. ; Elmhurst, Ill. ; Michel Paul, Halsmeer, Pays-Bas ; Jim Pendelton, The Good Earth Nursery, Inc., Falls Church, Virginie ; Richard Peterson, American Orchid Society, Inc., Cambridge, Mass. ; le personnel du département de la multiplication des plantes, Jardin botanique de New York, Bronx, N.Y. ; Edna Ratcliffe, R. & E. Ratcliffe, Ltd., Chilton Didcot, Berks ; Don Richardson, Greentree, Manhasset, N.Y. ; Harold Ripley, San Francisco, Calif. ; Bob Russo, département de la multiplication des plantes, Jardin botanique de New York, Bronx, N.Y. ; S. & G. Exotic Plant Co., Beverly, Mass ; Mr. et Mrs. Gordon Sawyer, Los Angeles, Calif. ; Elinor S. Yocom, Naples, Floride.

Index

Les chiffres en italique renvoient à une illustration du sujet indiqué.

A

Abeilles, 15, 16, 17, *18*, *19*
Aberconway, lord, 26
Abréviations, 27
Achat
    des orchidées, 28, 75
    des semis, 75
Achats par correspondance, 28
Aerangis, 86
Aerangis citrata, 86
Aerangis rhodosticta, 86
Aeranthes grandiflora, 86
Aération, 11, 50
Aerides, 87, 142
Aerides japonicum, 87
Aerides odoratum, 87
Aerides retusum. Voir *Rhynchostylis*
Aerides vandarum, 87
Agar-agar, 15, 76, 80, *81*
Air, 11
    circulation de l', 24, 32, 47, 50, 62, 147
    humidité de l', 47, 48
Alcool dénaturé, 147
Algues, 48
Angraecum, 88
Angraecum arcuatum. Voir *Cyrtorchis*
Angraecum distichum, 88
Angraecum distichum, montage du, 56
Angraecum falcatum. Voir *Neofinetia*
Angraecum sesquipedale, 14, 88
Anguloa, 88
Anguloa Clowesii, 88
Anguloa ruckeri, *45*, 88
Anoectochilus. Voir *Haemaria*
Ansellia, 89
Ansellia africana, 89
Anthère, 12, *13*, 81, *82*
Arachnis, 89, 143
Arachnis flos-aeris, 89
Arrosage, 30, 56, 57, 147
x *Ascocenda*, *46*, 90
x *Ascocenda* Meda Arnold, 90
x *Ascocenda* Tan Chai Beng, 90
x *Ascocenda* Yip Sum Wah, 90
Ascocentrum, 90, 91, 142
Ascocentrum ampullaceum, 91
Ascocentrum miniatum, 91
Ascocentrum Sagarik Gold, 91
Aspasia, 91
Aspasia epidendroides, 91
Aspasia fragrans, 91
Azote, 58, 59, 60, 85

B

Bactéries, 15
Barkeria, 92
Barkeria lindleyane, 92
Barkeria spectabilis, 92
Benomyl, 147

Bifrenaria, 92
Bifrenaria harrisoniae, 92, *93*
Black rot, 146, 147
Bletia. Voir *Bletilla*
Bletilla, 93
Bletilla striata, 93
Bock, Hyéronimus, 34
Botrytis, 147
Bourgeon végétatif, *31*
Boutons à fleurs, 28, *29*
Boutures
    enracinement des, 74
    de sommets, *73*, 74
    de tiges, *73*, 74
Branches (arbres), 56, *57*, 62, *69*
Brassavola, 27, 93, 95
Brassavola cordata, *45*, 93
Brassavola cucullata, 93
Brassavola digbyana, *41*, 94
    montage du, 56
Brassavola glauca, 94
Brassavola nodosa, 94
    montage du, 56
Brassia, 94, 122
Brassia caudata, 94, *95*
Brassia guttata, 94
Brassia lanceana, *84*, 94
Brassia lawrenceana, 95
Brassia maculata, 95
Brassia verrucosa, 95
x *Brassolaeliocattleya*, 27, 95
x *Brassolaeliocattleya* Ermine « Lines », 95
x *Brassolaeliocattleya* Fortune, 95
x *Brassolaeliocattleya* Norman's Bay, 95, *96*
Broughtonia, 96
Broughtonia sanguinea, 96
    montage du, 56
Brumisateurs, 49
Bulbophyllum, 96, 101
Bulbophyllum Lobbii, 97
Bulbophyllum longissimum. Voir *Cirrhopetalum*
Bulbophyllum medusae. Voir *Cirrhopetalum*
Bulbophyllum ornatissimum. Voir *Cirrhopetalum*
Bulbophyllum umbellatum. Voir *Cirrhopetalum*
Bulbophyllum vitiense, 97
Burroughs, John, 34

C

Calanthe, 14, 97
Calanthe vestita, 97
Calcium, 58
Calopogon pulchellus, *19*
Capsules de graines, 13, 15, 71, 81, 82
Captane, 147
Catasetum, 16, 98
Catasetum fimbriatum, 98
Catasetum saccatum, *17*
Cattley, William, 9

Cattleya, 7, 12, 28, 34, *63*, 64, 83, 95, 98-100, 116, 117, 138
    arrosage, 58
    conditions de culture, 23
    cycle de croissance, *31*
    éclairement, 33
    forme de la fleur, 13
    hybrides, 27
    mosaïque du (virus), 147
    mouche du, 29
    pollinisation, 80, 81
    rempotage, 53
    températures nécessaires, 24
    vitesse de croissance, 75
Cattleya auriantaca, *44*, 98, 99
Cattleya Bob Betts, 99
Cattleya bowringiana, 99
Cattleya chou, 99
Cattleya citrina, 90
Cattleya Elizabeth Carlson, hybride, *46*
Cattleya gaskelliana, 99
Cattleya intermedia, 99
Cattleya labiata var. *autumnalis*, 9
Cattleya labiata var. *percivaliana*, 98
Cattleya labiata var. *trianae*, 98
Cattleya Louise Georgianna, 99
Cattleya luteola, 99
Cattleya mossiae, 25, 99
Cattleya persivaliana, 99
Cattleya skinneri, 99, *100*
Cattleya trianae, 99
Caularthron, 100
Caularthron bicornutum, 100
Cavendish, William George Spencer, 7
Certificate of Botanical Merit, 27
Certificate of Cultural Merit, 27
Champignons, 147
    maladie provoquée par les, 29, 50, 60, 80
    et les semis, 15
Charançons, 29
« Chasseurs » de plantes, 10
Chlore, 58
Chysis, 101
Chysis aurea, 25, 101
    mise en pot, 56
Cirrhopetalum, 101
Cirrhopetalum guttulatum, 101
Cirrhopetalum longissimum, 101
Cirrhopetalum medusea, 101
Cirrhopetalum ornatissimum, 101
Cirrhopetalum vaginatum, 102
Climats, 11
Clone, 26, 27, 85
Cochenilles, 29, 54, 60, 146, 147
    à carapace, 146, 147
    des serres, 29, 60, 146, 147
Cochlioda, 102, 122, 124, 144
Cochlioda sanguinea, 102
Coelogyne, 102
    éclairement, 24
    mise en pot, 51
Coelogyne barbata, 102
Coelogyne corymbosa, 102

Coelogyne cristata, *102,* 103
Coelogyne flaccida, 103
Coelogyne graminifolia, 103
Coelogyne massangeana, 103
Coelogyne ocellata, 34
Coelogyne ochracea, 103
Coelogyne pandurata, 103
Coléoptères, 29
Collection, accroissement d'une, 71-83
Colonne, 12, *13,* 19, 81, *82*
Compost,
    humidité du, 57
    pour orchidées, 59
    pour semis, 80
    stérilisation du, 80
    tout prêt, 52
Confucius, 34
Conteneurs, 50-51, 62
Contrôle automatique, 32, 33
Corsage, orchidées de, 61
Coryanthes, 16
Couleurs
    de feuilles, 28, 60
    de fleurs, 8, 71
    passées, 61
Croisements, 14, 26, 76, *77-79,* 82
Croissance, arrêt de la, 61
Cultivar, 26
Culture, 9, 47-61
    conditions de, 47-61
    erreurs de, 59, 60
    en serre, 32
    de tissus, 15
Cycle de croissance, *31*
Cycnoches, 103
Cycnoches chlorochilum, 15, 103
Cymbidium, 9, *63,* 71, 104
    conditions de culture, *23*
    culture en serre, *25*
    mosaïque du (virus), 146, 147
Cymbidium devonianum, 104
Cymbidium eburneum, 104
Cymbidium Finlaysonianum, 104
Cymbidium Hawtescens, 104
Cymbidium Jungfrau, 104, *105*
Cymbidium pumilum, 105
Cymbidium tigrinum, 105
Cypripedium, 105
Cypripedium acaule, 18, 105
Cypripedium calceolus, 105
Cypripedium reginae, 106
Cyrtochilum. Voir Oncidium
Cyrtorchis, 106
Cyrtorchis arcuata, 37, 106

D

Darwin, Charles, 12, 14, 16
Dendrobium, 107-109
    arrosage, 58
    cochenille du, 29
    mise en pot, 51
    propagation du, 74
    températures, 24
Dendrobium aggregatum, 107

Dendrobium aureum, 107
Dendrobium bigibbum, 107
Dendrobium dalhousieanum, 107
Dendrobium densiflorum, 107
Dendrobium Gatton Sunray, 107, *108*
Dendrobium heterocarpum, 107
Dendrobium infundibulum, 44
Dendrobium infundibulum var.
    jamesianum, 107
Dendrobium kingianum, 107
Dendrobium Loddigesii, 107
Dendrobium nobile, 108
Dendrobium primulinum, 108
Dendrobium pulchellum, 37, 108
Dendrobium superbiens, 108
Dendrobium Wardianum, 108
Dendrobium Williamsianum, 108
Dendrochilum, 109
Dendrochilum filiforme, 109
Devonshire, duc de, 7, 11
Diacrium. Voir Caularthron
Dimensions des plantes en état de fleurir, 75
Dinema. Voir Epidendrum
Divers Artifices par lesquels les Orchidées sont fécondées par les Insectes, les, 14
Division, 12, 29, 72, *73*
    époques pour la, 72
Dominy, John, 14, 83
Doritis, 109
Doritis pulcherrima, 109
Drainage, 54
    amélioration du, 51
    trous de, 51
Durée des jours, 33

E

Eau de pluie, 58
    douce, 58
Écorce effilochée, 51, 80
Écorce, plaques d', 56, *57,* 68
Écorce de sapin, 51, 52
Engrais pour, 58
Écrans de bambou, 32
Encyclia, 110, 111
Encyclia atropurpurea, 41, 110
Encyclia citrina. Voir Cattleya
Encyclia cochleata, 110
Encyclia mariae, 110
Encyclia pentotis, 110
Encyclia stamfordiana, 110
Encyclia tampesis, 111
    montage de, 56
Encyclia vitellina, 111
Engrais. *Voir* Fertilisants
Éperons, 14
Epicattleya, 27
Epidendrum, 27, 92, 110, 111
    éclairement, 33
    propagation, 74
    températures, 24
Epidendrum atropurpureum. Voir
    Encyclia
Epidendrum beyrodtianum. Voir
    Encyclia
Epidendrum bicornutum. Voir
    Caularthron
Epidendrum ciliare, 111
Epidendrum cochleatum. Voir Encyclia
Epidendrum Endresii, 45
Epidendrum flos-aeris. Voir Arachnis
Epidendrum lindleyanum. Voir Barkeria
Epidendrum mariae. Voir Encyclia
Epidendrum nocturnum, 111
Epidendrum polybulbon, 111
Epidendrum pseudepidendrum, 36, 112
Epidendrum radicans, 112
Epidendrum spectabile. Voir Barkeria
Epidendrum stamfordianum. Voir
    Encyclia
Epidendrum tampense. Voir Encyclia
Epidendrum vitellinum. Voir Encyclia
Epipactis gigantea, 17
Eria, 112
Eria javanica, 112
Eria stellata, 112
Escargots, 29, 54, 60, 146, 147
Espèces, 14, 26, 72, 85
Étagères, 30, 33, *60*
Étiquetage, 54
Étoiles de Bethléem, 14, 88.
    Voir aussi Angraecum
Euanthe. Voir Vanda
Évaporation, 48
Évolution, 14
Excès
    d'arrosage, 56, 60
    de fertilisant, 59
Exposition
    de fenêtres, 30
    au soleil, 24
Expositions de plantes et de fleurs, 27

F

Faux bulbes. *Voir* Pseudo-bulbes
Fernandezia. Voir Lockhartia
Fertilisants, 30, 49, 52, 58, 59, 85
    concentration des, 59
    liquides, 58, 59
    « retard », 59
    sels de, 30, 57, 59
Fertilisation, 58, 74
    des semis, 80
Feuillage, 14, *40-43*
    fertilisants pour le, 59
    jaunissant, 28
    sain, 28
Feuilles, croissance des, *31*
    formes des, *40-43*
    plissées, 14
    saines, 28
    taches des, 146, 147
Fibres de fougère arborescente, 51
    plaques de, 56, *57*
Fleur aérienne. *Voir Aeranthes*
Fleurs
    couleurs des, 8, 71
    coupées, 61

dimensions des, 7, 8
extraordinaires, *44-45*
formes des, 8, 12, *13*
longévité des, 61
malformation des, 61
structure des, 12, *13*
Fleur de saint Sébastien.
    Voir Cattleya skinneri
Floralies
    de Chelsea, 27
    de Paris, 27
Floraison, périodes de, 7, 25
Fongicides, 55, 60, 73, 80, 146, 147
Fougère, fibres de, 51
Fougère royale, 51
Fourmis, 147

G
Gastrochilus, 113
Gastrochilus bellinus, 113
Gastrochilus calceolaris, 113
Gaz carbonique, 50
Gélose. Voir Agar-agar
Genres, 14, 26, 85
Germination, 12, 15
Gongora, 113
    mise en pot, 56
Gongora armeniaca, 113
Gongora galeata, 113
Graine florale, *29, 31*
Graines
    conservation des, 82
    dimensions des, 15
    propagation par les, 12, 15, 71, 80-83
Grammatophyllum multiflorum, 7

H
Haemaria, 114
Haemaria discolor, 114
Hexisea, 114
Hexisea bidentata, 114
Hooker, Joseph, 12
Humidificateurs, 49, 62, 64, *65*, 69
    automatiques, 49
    mécaniques, 49
Humidité, 11, 24, 25, 47, 62, 64, 65, 74, 80, 147
    contrôle de l', 32
Huxley, Thomas, 16
Hybridation, 28, 76, *77-79*, 82
Hybride, 26
Hybrides obtenus par l'homme, 14
    entre deux genres, 27
    entre trois genres, 27
Hybrides, répertoires de Sander, 83
Hygiène, 61, 147
Hygromètre, 49

I
Immersion, 30
Incubateur en verre, 15
Indices de bonne santé, 28, 30
Insectes
    infestation, 29-30

nuisibles, 29-30, 60, 146-147
pièges à, 16, *17-21*
pollinisation par les, 8, 12, 14, 16, *17-21*
Insecticides, 54, 55, 146, 147
Ionopsis, 115
Ionopsis utricularioides, 115
Isochilus, 115
Isochilus linearis, 115

J
Jaunissement du feuillage, 28, 60

K
Kirchara, 27
Knudsen, Dr. Lewis, 15

L
Labelle, 9, 12, *13*, 16
Laelia, 27, 83, 95, 116, 117, 138
    montage des, 56
    température, 24
Laelia anceps, 116
Laelia autumnalis, 25, 116
Laelia cinnabarina, 116
Laelia crispa, 116
Laelia Lundii, 116, *117*
Laelia Lyonsii. Voir Schomburgkia
Laelia pumila, *84*, 117
Laelia Regnelii, 116
Laelia tibicinis. Voir Schomburgkia
Laelia undulata. Voir Schomburgkia
x *Laeliocattleya*, 117
x *Laeliocattleya* Aconcagua, 117
x *Laeliocattleya* Marietta, 117
x *Laeliocattleya* Queen Mary, 117
Leptotes, 118
Leptotes bicolor, 118
Liège, 62
    plaques de, 56, *57*, 68
Limaces, 29, 54, 60, 146, 147
Lindley, Dr. John, 9, 12
Liste des hybrides d'orchidées des Sander, 83
Lockhartia acuta, *40*, 118
Lockhartia lunifera, 118
Lockhartia Oerstedtii, 118
Lockhartia pallida, 118
Ludisia. Voir *Haemaria*
Lumière
    accroissement de la, 30
    besoins en, 24, 62
Lumière artificielle, 24, 32, 33, 62
    intensité de la, 33
Lumière naturelle, 11, 24
Lumières, disposition des, 33
Lycaste, 25, 119
Lycaste aromatica, 119
Lycaste skinneri, 119
Lycaste virginalis, 119
Lycaste virginalis var. *alba*, 119

M
Magnésium, 58

Maladies, 28-30, 50, 54, 59, 60, 61, 146, 147
    bactériennes, 146
    symptômes des, 29
    virales, 61, 72, 146, 147
Malathion, 147
Marbrures, 29, 61
Masdevallia, 120
    forme de la fleur, 120
    mise en pot, 51
Masdevallia candida, 120
Masdevallia chimaera, 120
Masdevallia coccinea, *84*, 120
Masdevallia erythrochaete, 120
Masdevallia harryana, 120
Masdevallia infracta, 120
Masdevallia Lindenii, 120
Masdevallia Rolfeana, 120
Masdevallia tovarensis, 120
Matières nutritives, 10, 58, *59*
Maxillaria, 120
Maxillaria luteo-alba, 120
Maxillaria ochroleuca, 121
Maxillaria picta, *120*, 121
Maxillaria Sanderiana, 121
Maxillaria variabilis, *41*
Médaille de Copley, 14
Mélanges pour mise en pot, 51, 52
Mentions honorifiques, 27
Mériclone, 15
Méristème, 15, 80
Mesospinidium. Voir *Cochlioda*
Métaldéhyde, 147
Microclimats, 49
Miellée, 147
Miller's Daughter, origine, 76, *77-79*
Miltonia, 121, 125, 144
    besoins en humidité, 49
    hybrides, *122*
Miltonia candida, 121
Miltonia cuneata, 122
Miltonia Roezlii, 121, 122
Miltonia spectabilis, 122
Mimétisme chez les orchidées, *16-21, 34, 35, 36-37, 38, 39*
Minuteries, 33
Montage des orchidées, 56, *57*
Morel, Georges, 15
Mormodes, 122
Mormodes igneum, 122
Mormodes variabilis, 122
Mosaïque (virus), 146
Mystacidium, 123
Mystacidium capense, 123
Mystacidium distichum. Voir *Agraecum*
Mythe de l'orchidée, 8, 9

N
Nectar, 14, 18
Neofinetia, 123, *142*
Neofinetia falcata, 123
Nomenclature en latin, 26
Noms
    botaniques, 26

sélectifs, 26
vulgaires, 85
Nuits, durée des, 33

O

x *Odontioda,* 124
x *Odontioda* Enchanson, 124
x *Odontioda* Minel, 124
x *Odontioda* Petra « Coccinea », 124
Odontoglossum, 11, 122, 124, 125, 144
    compost pour, 52
    conditions de culture, 23
Odontoglossum aspasia. Voir *Aspasia*
Odontoglossum grande, 6, 124
Odontoglossum phyllochilum. Voir *Oncidium*
Odontoglossum pulchellum, 125
x *Odontonia,* 125
x *Odontonia* Berlioz « Lecoufle », 125
x *Odontonia* Olga « Duchess of York », 125
Œil, *75,* 31
    dormant, 73
    Voir aussi Bourgeon végétatif
Ombre, 24
    artificielle, 50
Oncidium, 34, *70, 71,* 122, 125-127, 144
    éclairement, 33
    forme de la fleur, *13*
    mise en pot, 51
    températures, 24
Oncidium hastatum, 126
Oncidium incurvum, 126
Oncidium jonesianum, 125, 126
Oncidium leucochilum, 126
Oncidium papilio, 7, 126
Oncidium pusillum, 126
Oncidium sanderae, 39
Oncidium sphacelatum, 126
Oncidium splendidum, 126
Oncidium stipitalum, 21
Oncidium tigrinum, 126
Oncidium Wentworthianum, 126
Orchidacées, 8, 12, 26
Orchidacées du Mexique et du Guatemala, 7
Orchidée bleue. *Voir Vanda*
Orchidée-cygne. *Voir Cynoches*
Orchidée-léopard. *Voir Ansellia africana*
Orchidée noire. *Voir Coelogyne*
Orchidée-papillon, 7, 26. *Voir aussi Phalaenopsis*
Orchidée-scorpion. *Voir Arachnis flor-aeris*
Orchidée-tulipe. *Voir Anguloa*
Orchidée d'appartement, 62, *63-69,* 85
Orchidées épiphytes, 10, 11, 85
    arrosage des, 56
    compost de pots pour, 52
    exposition des, 62
    mise en pot des, 56, *57, 59*
    montage des, *68-69*
    racines des, 29
Orchidées à floraison hivernale, 25

Orchidées horizontales. *Voir* Orchidées sympodiales
Orchidées miniatures, 34, 72
Orchidées monopodiales, *29*
    coupe des sommets végétatifs des, 74
    mise en pot des, 51, 52
Orchidées des pays froids, 11
Orchidées sauvages, 9, 12, 28, 34
Orchidées suspendues, 56, *57*
Orchidées sympodiales, 28, *29, 31*
    bouturage des sommets des, 74
    division des, 72
    mise en pot des, 74
Orchidées terrestres, 10, 85
    compost pour, 52
Orchidées
    de température chaude, 23
    de température fraîche, 23
    de température moyenne, 23
Orchidées
    accroissement d'une collection d', 71-83
    achat des, 28, 75
    âge des, 75
    armoires à, 49, 50
    arrosage, 58
    catalogues d', 23, 28
    chasseurs d', 10
    choix des, 23, 75
    cultures des, 9
    culture sur fenêtre des, 25, 30, *32*
    culture sur plaques des, 56, *57,* 62, *68-68,* 85
    dimension des, 28
    duplicata, 72
    espèces, 72
    exposition des, 30
    famille des, 8
    fertilisants pour, 58, 59
    feuilles d', 14
    hybrides, 8, 14, 76, 83, 85
    mimétisme chez les, *16-21,* 34, *35, 36-37, 38, 39*
    mythes des, 8, 9
    nomenclature des, 26
    paniers à, 59, 62
    plaques pour, 62, *68-69*
    plates-bandes d', 62, *63*
    pots à, 51, 56
    prix des, 75
    propagation des, 9, 71-83
    réparation des, 8, 9
    taille de floraison des, 75
    transport des, 30
    types d', 23, *35-45*
Orchis, 9, 12
Organes de reproduction, 12, *13*
Osmonde de reproduction, 12, *13*
Osmonde, fibres d', 51, 52, 56, 57
Ovaire, *13,* 81, *82*

P

Paniers suspendus, 30, *46,* 56, *57*
    arrosage des, 58
Paphiopedilum, 26, *42,* 71, 83, 127

    besoins en humidité, 49
    conditions de culture, 23
    éclairement, 33
    forme de la fleur, *13*
    hybrides, *78-79*
Paphiopedilum Astarte, 26
Paphiopedilum bellatulum, 76, 77, 127
Paphiopedilum Chamberlainianum, 127
Paphiopedilum druryi, 77
Paphiopedilum F. C. Puddle, 26, *78,* 83, 127
Paphiopedilum fairieanum, 25, 127
Paphiopedilum harrisianum, 42
Paphiopedilum insigne, 26, 77, 127
Paphiopedilum Miller's Daughter, 76, 77-79, 128
Paphiopedilum niveum, 76, 77, 128
Paphiopedilum Psyché, 26
Paphiopedilum spicerianum, 77, 128
Paphiopedilum Sukhakulii, 128
Paphiopedilum venustum, 128
Paphiopedilum villosum, 77
Papillons, 60
    de nuit, 14
Parasites, 8, 10
    bactéries, 29
Parfum, 7, 16, 19
Parkinson, John, 8, 9
Paxton, Joseph, 11
Perlite, 52
Pescatoria, 128
Pescatoria cerina, 129
Pescatoria dayana, 129
Pétales, 12, *13*
    latéraux, 12
Phaius, 129
Phaius grandifolius, 129
Phaius tancarvillae, 129
Phalaenopsis, 22, 47, *63,* 130
    arrosage des, 58
    compost pour, 52
    éclairement des, 24, 33
    forme de la fleur des, *13*
    mise en pot des, 54
    propagation des, 74
    températures, 24
Phalaenopsis Alice Gloria, 130
Phalaenopsis aphrodite, 130
Phalaenopsis Cast Iron Monarch, 83
Phalaenopsis cornu-cervi, 130
Phalaenopsis Dianne Rigg, *84,* 130
Phalaenopsis lueddemanniana, 130
Phalaenopsis Mannii, 130, *131*
Phalaenopsis Parishii, 130, *131*
Phalaenopsis rosea, 130
Phalaenopsis stuartiana, 25, 131
Phalaenopis veitchiana, 43
Phalaenopsis violacea, 131
Pholidota, 131
Pholidota imbricata, 131
Phosphore, 58, 85
Phragmipedium, 36, 132
Phragmipedium caudatum var. *sanderae,* 132

Phragmipedium Schlimii, 132
Plantes
    dimensions des, 28
    de serre chaude, 9
    tropicales, 10
Plantules, 73, 74
Plateaux humidificateurs, *48*, 58, 62, *65*
Platyclinis. Voir *Dendrochilum*
Pleione, 132
Pleione bulbocodioides, 132
Pleione formosana, 132
Pleione Forrestii, 132
Pleione lagenaria, 132
Pleione maculata, 133
Pleione pogonioides, 132
Pleione praecox, 133
Pleurothallis, 7, 34, 133
Pleurothallis grobyi, 133
Pleurothallis rubens, *45*, 133
Pollen, 12, *13*, 16, 19, 81, *82*, 83
Pollinies, 12, 13, 16, 18, 19, 20, 81
Pollinisation, 10, 12, 13, 14, 16, *17-21*,
    71, 80, *82*
    agents de, 14, 16, *17-21*
Port des orchidées, *29*, *31*
Potassium, 58, 85
Potinara, 27
Pots en argile, 50, 51
    arrosage des, 58
    dimensions des, 51
    mélanges pour, 28, 51, 59, 85
    mise en, 54, *55*
    pour orchidées, 51, 56
    pour plusieurs plantes, 75, 147
    suspendus, *32*, *46*, 56
Pots en plastique, 50
    arrosage des, 58
Poudre d'hormones, 73, 74
Pourriture, 30, 50
    grise, 146, 147
    noire, 60
Pousses, *29*, *31*
Promenaea, 134
Promenaea xanthina, 134
Propagation, 9, 71-83
    par boutures du sommet, *73*
    par boutures de tige, *73*
    par divisions, 12, 29, 72, *73*
    par graines, 15, 80-83
    par rejetons, *73*
Protection, 50, 64
    contre le soleil, 30
Pseudo-bulbes, *29*, *31*, *33*, *34*, *55*
    définition des, 56
    propagation par, 72, 73
Pseudo-bulbes, vieux, 73, 75
    division des, 75
Pucerons, 16, 29, 146, 147
Pucerons de la pomme de terre, 146
Pulvérisateurs, 49
Pyrèthre, 147

Q
Quarantaine, 30

R
Racines, *29*, 30
    boutures de, 74
    endommagées, 51
    saines, 29
    taille des, 73
Racines aériennes, *29*, 56, 73, 74
Racines nues,
    plantes à, 28
    semis à, 76, 80
Récipients. Voir Conteneurs
Rejetons, 73, 74
Rempotage, 30, 52, *55*
Renanthera, 134, 143
Renanthera coccinea, 134
Renanthera imschootiana, 134
Repos, périodes de, 24, 31, 52
    arrosage en, 58
Reproduction végétative, 72
Résistance chauffante, 32
Rhizomes, 28, *29*, 52, 53, 54, *55*, 60
    division des, 73
Rhyncholaelia. Voir *Brassavola*
Rhynchostylis, 135
Rhynchostylis gigantea, 135
Rhynchostylis retusa, 135
Rideaux, 32
Rodriguezia, 136
Rodriguezia lanceolata, 136
Rodriguezia secunda, 136
Rodriguezia venusta, 136
    mise en pot, 56
Rouille, 146, 147
Royal Horticultural Society (Société
    royale d'horticulture britannique), 7,
    27, 83

S
Sabot de Vénus, 7, 12, 18, 26, 34, 62
Sable gras, 52
Saccolabium, 113, 136
Saccolabium acutifolium, 136
Saccolabium ampullaceum. Voir
    Ascocentrum
Saccolabium bellinum. Voir *Gastrochilus*
Saccolabium calceolare. Voir
    Gastrochilus
Scaphosepalum gibberosum, 34, *35*
Schomburgkia, 137
Schomburgkia Lyonsii, 137
Schomburgkia tibicinis, 137
Schomburgkia undulata, *38*, 137
Sels de soude, 58
Semis
    achat des, 28, 75
    compost pour, 80
    culture des, 75, 80, *81*
    écorce pour, 51
    fertilisation des, 80
    flacons pour, 76, 80, *81*
    plantation des, 80, *81*
    à racines nues, 76, 80
    soins aux, 80, *81*
    transplantation des, 80, *81*

Sépale dorsal. Voir Sépale supérieur
Sépale supérieur, 12
Sépales, 12, *13*, 34
Serres
    en appentis, 42, 62, 67, *68-69*
    sur une fenêtre, 32
    taux d'humidité, 47
    température, 11
Signe de multiplication, 26, 27
Sobralia, 137
Sobralia macrantha, 137
Société américaine de l'orchidée, 27
Sol, humidité du, 57
Soleil, 24, 30, 42
    brûlures par le, 30
x *Sophrolaeliocattleya*, 27, 138
x *Sophrolaeliocattleya* Anzac
    «Orchidhurst», 138
x *Sophrolaeliocattleya* Jewel Box
    «Dark Waters», 27, 138
x *Sophrolaeliocattleya* Jewel Box
    «Scheherazade», 27, 138
x *Sophrolaeliocattleya* Paprika
    «Black Magic», 138
Sophronitis, 27, 138
Sophronitis coccinea, 138, *139*
Sophronitis grandiflora, 138
Sphagnum, 15, 52, 56, 57, 73, 75
Stanhopea, 139
    éclairement, 34
    mise en pot, 56
Stanhopea Hernandezii, 139
Stanhopea Wardii, *19*, 139
Stauropsis. Voir *Phalaenopsis*
Stérilisation des outils, *55*, 61, 72, 147
Stigmates, 12, *13*, 16, *20*, 81, *82*, 83
Sucre, 15
Supports, 56
    arrosage des, 58
    naturels, 52

T
Tablettes, 53
Taches des feuilles, 80, 146, 147
Taille, 61
Tégument, 29
Température, 11, 67
    contrôle de la, 32
Températures de culture
    chaude, 23
    fraîche, 23
    moyenne, 23
    variations de, 23
Températures diurnes, 23, 57
Températures nocturnes, 23, 34, 62, 67
Thermomètre à maxima et minima, 24
Terrariums, 42, 72
Tessons, 51, 54
Tetramicra. Voir *Leptotis*
Tétranyques, 29, 146, 147
Theatrum Botanicum, 8, 9
Thiophanate-méthyl, 147
Thrips, 29
Thunia, 140

Thunia alba, 140
Thunia bracteata, 140
Thunia Marshalliana, 140
Tiges, 29
Tlilxochitl, 10
Toiles des tétranyques, 146
Tourbe, 52, 80
Transplantation, choc de la, 52
Trempage, 58
Trichoceros antennifera, 20
Trichoglottis, 140
Trichoglottis brachiata, 140
Trichoglottis philippinensis var. *brachiata,* 140
Trichopilia, 141
Trichopilia suavis, 141
Trichopilia tortilis, 141
Tubes fluorescents, 32, 33
Tulipe, forme des fleurs de, *13*
Tuteurage, 54, *55*

V
Vanda, 90, 141, 143
   compost pour, 52
   conditions de culture, 23
   propagation, 74
   températures, 24
Vanda caerulea, 141, 142
Vanda cristata, 142
Vanda Parishii. Voir Vandopsis
Vanda Rothschildiana, *84,* 142
Vanda sanderiana, 142
Vanda suavis, 141
Vanda teres, 142
Vanda tricolor var. *suavis,* 142
Vandopsis, 143
Vandopsis Parishii, 143
Vandopsis Parishii var. *mariottiana,* 143
Vanilla, 9, 10, 143
Vanilla fragrans, 143
Vanilla planifolia, 9, 10, 143
Vanille. *Voir Vanilla*
Vaporisateurs, 49
Vaporisation, 48, 54, 55, 58, 66, 74, 80
Variétés, 26
Vénus des orchidées, *20*
Vermiculite, 52
Virus, 146

x *Vuylstekeara,* 144
x *Vuylstekeara* Cambria « Plush », 144
x *Vuylstekeara* Monica « Burnham » 144
x *Vuylstekeara* Rubra, 144

W
x *Wilsonara,* 144
x *Wilsonara* Lyoth Gold, 144
x *Wilsonara* Tangerine, 144
x *Wilsonara* Wendy, 144
x *Wilsonara* Widecombe Fair, 144, *145*
Wolfe, Nero, 8, 70, 83

Z
Zébrures, 29
Zineb, 147
Zygopetalum, 145
Zygopetalum cerinum. Voir Pescatoria
Zygopetalum dayanum. Voir Pescatoria
Zygopetalum discolor, 145
Zygopetalum intermedium, 145
Zygopetalum Mackaii, 145

Composition par Photocompo Center, Brussels, Belgium.
Imprimé en Angleterre par Jarrold & Sons Ltd., Norwich.